D0261038

LEIF DAVIDSEN

Op zoek naar Hemingway

Uit het Deens vertaald door
Ingrid Hilwerda

DE GEUS

Deze uitgave is tot stand gekomen met een bijdrage van
The Literature Centre of The Danish Arts Agency (Kopenhagen)

Oorspronkelijke titel *Pā udkig efter Hemingway*, verschenen bij
Lindhardt og Ringhof Forlag, Kopenhagen
Oorspronkelijke tekst © Leif Davidsen, 2008
Published by agreement with Leonhardt & Høier Literary Agency
Nederlandse vertaling © Ingrid Hilwerda via het Scandinavisch
Vertaal- en Informatiebureau Nederland en De Geus bv, Breda 2010
Omslagontwerp De Geus bv
Omslagillustratie © Lee Frost/Getty Images
isbn 978 90 445 1486 5
nur 331/305

In de afstand tussen
het masker en het naakte gezicht
moet je de mate
van je gekte meten:
degene die een ander speelt,
zodat alleen hij het weet,
is gek.

Como siempre a Ulla

I

Het begon allemaal op het kerkhof. Het was niet zomaar een kerkhof. Het was er heet en stoffig, en het was net zo chaotisch als al het andere in de vs. Ik weet niet wat ik ervan had verwacht. We denken allemaal te weten hoe de vs eruitziet door de duizenden televisieseries en films die de meesten van ons hebben gezien. Ik was in de veertig en had nog nooit eerder voet op Amerikaanse bodem gezet, maar op de een of andere manier was het herkenbaar. En toch ook weer niet. Televisie en film bedriegen en laten slechts een vlakke dimensie zien, waar de hitte, het stof, de geluiden en de geuren, en met name de vele verschillende mensen geen deel van uitmaken. Ik staarde de Amerikanen aan, op een manier waarvan ik me niet kon herinneren dat ik Duitsers, Italianen of Fransen ooit had aangestaard. Sommigen waren zo enorm dik dat ik me erover verbaasde dat ze zich überhaupt konden bewegen. Ze waggelden als vette zeekoeien in strakke shorts en aten ijs en dronken cola, en ik kon het niet laten om me af te vragen hoe ze seks hadden, als ze dat überhaupt hadden.

Twee dagen ervoor was ik in Miami geland en ik had nog steeds last van een jetlag. Het was niet zo erg, het voelde als een dunne deken die om mijn hoofd was gewikkeld. Ik had nog nooit eerder een jetlag gehad, maar ik ging ervan uit dat het dat moest zijn. Het leek alsof mijn bewustzijn in zand was verpakt, alsof alles wazig was en ik voelde een vermoeidheid die in golven kwam en daarna weer vervloog.

Vanuit Denemarken had ik een huurauto geregeld. Ik had er wat meer aan uitgegeven en kreeg daarvoor als extra een gps. De vriendelijke, enigszins metaalachtige stem van het apparaat, dat de route in kleuren liet zien, had me van het chaotische wegennet met onbegrijpelijke op- en afritten van de luchthaven naar de US Highway 1 geleid en verder over de eilandjes en vele bruggen naar Key West. Toen kon ik niet verder komen. Of verder weg, zoals mijn dochter misschien zou zeggen in het februarikoude Denemarken. Ik voelde me een ontdekkingsreiziger. Het was jaren geleden dat ik alleen was geweest en alleen in een vreemd land. Ik was op het kerkhof op deze hete middag, omdat ik het graf wilde vinden van Joseph S. Russell.

Het kerkhof was chaotisch, net als de US Highway 1 in elk geval de eerste vele kilometers was geweest. Alsof alles toevallig her en der was neergegooid: huizen, auto's, bomen, scheve lantaarnpalen, verkeersborden en grafstenen. Ze waren er in allerlei formaten en gradaties van veroudering en verval. De weinige bloemen waren van plastic. Verder bestond de vegetatie uit palmbomen en stug geel gras dat vocht om het licht tussen de wortels van de bomen en de verwilderde grafstenen en sarcofagen, waar vergeten overledenen rustten. Hier belandde je blijkbaar niet in de aarde, maar werd je erbovenop gelegd of je werd in hoge muren gemetseld. Er stonden heel wat Amerikaanse plastic vlaggetjes bij de graven waarin gevallen veteranen uit de vele oorlogen rustten die het imperium had gevoerd. De historicus in mij bekeek met half professionele interesse een bijzondere omheining, die de overledenen van het oorlogsschip USS Maine eerde. Het schip was in 1898 in de haven van Havana geëxplodeerd en dat was een van de oorzaken dat de VS Spanje de oorlog had verklaard. Cuba kwam als zelfstandige natie uit die oorlog. Ergens anders lag een van de plaatselijke jongens in een nieuw graf, dat onafgemaakt glom in de zon. Gevallen in Irak. De bloemen waren echt, maar verwelkt. Hij was twee maanden geleden gesneuveld.

De vs was in oorlog, realiseerde ik me. Want dat merkte je niet. De Amerikaanse soldaten werden uit de armste lagen van de bevolking geworven, dus de oorlog raakte slechts een paar procent van de bevolking. Als er dienstplicht was geweest, zou het geroep van de demonstranten hebben geëchood in de straten. Nu hoorde je alleen de stilte zoals van het verse graf op het kerkhof in Key West.

Op een grafsteen stond: GONE BUT NOT FORGOTTEN.

Zo is het leven niet. Wanneer je bent overleden, word je veel te snel vergeten. Denk maar aan Merete. Ze was acht maanden geleden gestorven en ik moest moeite doen om me haar gelaatstrekken voor de geest te halen en wanneer ik het probeerde, haalde ik de tijdstippen door elkaar. We hadden bijna onze zilveren bruiloft kunnen vieren, maar toch had ik het gevoel dat ik me haar bijna niet meer kon herinneren. Ik stond in de hitte en las de inscriptie opnieuw, en ik kreeg een brok in mijn keel. Vanwege mijn zelfmedelijden of vanwege Merete? Het was waarschijnlijk gewoon onzin, hoorde ik Merete bijna zeggen met haar vaak wat verontwaardigde stem. Er was veel in het leven waar je verontwaardigd over kon raken. Veel te veel onzin en het normale leven werd op onbegrijpelijke wijze bedreigd.

Dat dacht ik toen ik een andere grafsteen zag, waarop stond: I TOLD YOU I WAS SICK.

Dat was zij ook. En het ging snel. Op het einde was ze net zo mager als toen we elkaar leerden kennen, maar ze was mager op een andere manier dan het slank-zijn in haar jeugd. De ziekte maakte haar zo doorzichtig dat ik aan haar moest denken als een zeepaardje. Ze leefde, maar toch ook weer niet en er was geen reden om dat leven verder te leiden.

Op een Deens kerkhof heersen symmetrie en burgerlijke orde. Elk graf is omheind door een minimalistische heg op de Ligusterweg van de levenden. Denen omheinen zich in het leven net als in de dood. Op Key West domineerde op het eerste gezicht de wanorde van de anarchie en de toevalligheden, dacht ik. Ik was niet in een bijzonder goed humeur. Formeel gezien was ik dan wel op vakantie, maar in werkelijkheid moest ik door een pelgrimstocht alle verspilde jaren gaan vergeten.

Ik had niet echt een goede kaart, maar ik liep over de paden en keek rond. Het kerkhof was net zo aangelegd als een Amerikaanse stad met avenues die van noord naar zuid en genummerde wegen die van oost naar west liepen. 'Avenues en wegen' was misschien iets te veel gezegd. Af en toe asfalt, maar verder redelijk smalle en stoffige paadjes en weggetjes. Het was heel warm en ik zweette, maar ik was vergeten om water mce te nemen. Ik had ook geen pet op en ik voelde hoe de kale plek op mijn schedel begon te jeuken en te kriebelen. Vreemd genoeg hoorde ik ook geen geluiden van insecten. Ver hiervandaan, bij een paar lage witte huizen, kon ik vaag het verkeer horen, maar het werd overstemd door passagiersvliegtuigen die laag over het kerkhof van en naar de luchthaven vlogen. De wind ritselde in de grote palmboombladen, die als waaiers heen en weer bewogen.

Ik zag ook niet veel mensen. Een jong stel kwam aanfietsen op gehuurde exemplaren, maar verder waren de mensen verstandig genoeg om in deze hitte niet naar buiten te gaan. Een stuk verderop zag ik een oudere man die een graf verzorgde, of liever gezegd een soort familiegraf, waar meerdere witte marmeren kisten of sarcofagen te zien waren. Daar waren er veel van. Mensen lagen naast elkaar of boven op elkaar, meerdere generaties van honderden jaren. Ergens waren ook de geliefde honden van een familie begraven en ze werden vol tederheid beschreven.

De oudere man goot water over de sarcofaag en droogde hem af met een doek. Ik wist dat het graf van Joe dichtbij moest zijn, maar door het ontbreken van een systeem kon ik het niet vinden.

Ik liep naar hem toe en zei *hello*. Het was een kleine man met een smalle snor, zijn leeftijd was moeilijk in te schatten, misschien zeventig, misschien zestig of misschien tachtig? Zijn huid was gebruind door de zon met fijne rimpels. Hij had al zijn haar nog. Hij was niet echt groot en hij had een Cubaans overhemd aan, waarvan ik wist dat het een *guaya-bera* heette. Het heeft korte mouwen en is een wijd model met twee zakken en bescheiden stiksels, en je draagt het altijd over je broek heen. Ik droomde ervan er een te kopen. Ze zien er zo relaxed en tegelijkertijd elegant uit. Ze lijken in de verste verte niet op de Scandinavische winterkleding.

De oude man leek eigenlijk best wel op de Spaanse dictator Franco in zijn laatste jaren. Zijn stem was iel en helder, en ik rook de sigaar die hij vasthield. Hij zei *Hola Señor*, dus ik ging verder in het Spaans: 'Ik ben op zoek naar het graf van Sloppy Joe. Het zou hier ergens in de buurt moeten zijn.'

'Dat is ook zo, maar er komt nooit iemand meer. De familie onderhoudt het graf niet', zei hij. Hij maakte geen opmerking over mijn Spaans. In Florida hoorde ik bijna net zo veel Spaans als Amerikaans. Hij zette zijn gieter neer en zei *vamos*, en we liepen door het stof.

'Vreemd', zei hij. 'Joseph Russell was een belangrijke man in Key West. Hij kende alle juiste personen, was een vriend van Hemingway, maar als je dood bent tellen dat soort dingen niet. Je kunt toch worden vergeten en de familie komt niet langer langs om te praten. De doden willen anders ook graag af en toe een praatje kunnen maken.'

'Dan moet hij zich tevredenstellen met de toeristen', zei ik.

'Die komen ook niet meer zo vaak, señor. Ze nemen een drankje in het café in de hoofdstraat Duval of ze nemen een kijkje bij het huis van Papa op Whitehead. Mijn vrouw kende de juiste personen niet, maar ze kan nog steeds met me praten, hoewel ze me al meer dan tien jaar geleden is ontvallen.'

Hij sloeg een kruisje en keek me aan.

'Kende u Sloppy Joe?' vroeg hij. 'Hemel, wat zeg ik? U bent immers veel te jong.'

Ik glimlachte en zei: 'Nee. Ik ben alleen geïnteresseerd in de geschiedenis. In Hemingway. Ik ben gewoon op zoek naar Hemingway en alles wat met hem te maken heeft. Het is een soort hobby. Al vanaf mijn jeugd heeft het me beziggehouden.'

'Ja. Papa. Vrede zij met hem. Hij was hier gelukkig. Ik was toen nog maar een jongetje uit Havana, maar ik weet dat hij hier gelukkig was. Hij kwam naar Havana in zijn boot en met de grote vissen die hij ving wanneer hij niet aan het schrijven was. Hier kon hij schrijven. Een schrijver die niet kan schrijven, is geen gelukkig man, ook al wordt hij omringd door knappe vrouwen en heeft hij wijn in zijn glas.'

Als het mannetje in het Havana van de jaren dertig een jongen was geweest, dan moest hij dus nu bijna tachtig zijn. Hij hield zich goed, kranig en statig. Statig was een goed woord. Dat dekte zijn mimiek en zijn fijne bewegingen. Zijn Spaans was langzaam en zeer gemakkelijk te volgen. Het had die zachte klank die je vindt in het Cubaans of het Midden-Amerikaans. Het is niet zo hard als het klassieke Castiliaans, dat ik op de universiteit en in Madrid had geleerd. We liepen over een smal paadje en hij wees naar een grafsteen.

'Hier ligt Joe', zei hij. 'Zijn familie komt hier niet meer, dus zeg maar wat tegen hem. Dat zou hem goeddoen. Het was een leuke man. Hij hield wel van een glaasje, een goed gesprek en een vistochtje met zijn vrienden.'

Ik gaf hem een hand en zei: 'Bedankt. Mijn naam is John Petersen, John C. Petersen.'

'Carlos Guieterez', zei hij. 'Waar komt u vandaan?'

'Uit Denemarken.'

'En toch spreekt u zo correct Spaans.'

'Ik geef Spaanse les. Ik ben docent in Denemarken.'

'Wat bijzonder', zei hij en hij liep weg.

Dat was het misschien wel. De interesse bij de jeugd was niet zo groot als in de jaren zeventig, toen al het Spaanse en met name Latijns-Amerikaanse romantisch en modern was. 'In' heette het toen. Tegenwoordig 'trendy'. Ik was niet trendy. Was het vast ook nooit geweest.

Het graf van Sloppy Joe leek op alle andere graven. Het was op de aarde geplaatst en de kist was in wit marmer verpakt. Op een vlakke steen, die wat schuin op de sarcofaag was geplaatst, stond:

JOSEPH S RUSSELL
DEC 9 1889
JUNE 20 1941
THO LOST TO SIGHT
TO MEMORY DEAR

Er kwam af en toe waarschijnlijk toch iemand langs, want er stonden twee vierkante stenen kruiken met plastic bloemen bij de gedenksteen en een of andere grappenmaker had een eivormig, plastic poppetje met dunne, witte armen en een bruine snor naast de plaat met de inscriptie gezet.

Er was niemand in de buurt, dus ik kon net zo goed gehoor geven aan het bevel van de oude man en ik zei in het Deens: 'Nou, Sloppy Joe, daar ben ik dan eindelijk. Ga je weleens wat drinken met Papa daar in jullie hemel? Een biertje of een *mojito*? Kunnen jullie daar vissen? Dat heb ik me vaak afgevraagd. Zijn er sportvissers in het paradijs? En gooi je je hengel gewoon uit in de wolken? Hoe gaat het met hem? Of zijn jullie misschien niet samen, omdat zelfmoordenaars hun eigen hoekje in de hemel of in de hel hebben? Daar ben ik bang voor. Misschien samen met moordenaars? Wie zal het zeggen?'

Mijn stem klonk vreemd op het hete, stoffige kerkhof, dus ik stopte met praten en veegde mijn voorhoofd af. Ik voelde me duizelig en niet lekker. Ik wilde bijna Merete gelijk geven. Dit was onzin. Er was zo veel onzin in de wereld. Zoals je interesseren voor een Amerikaanse schrijver. Zoals plaatsnemen in een groot vliegtuig. Het was grote onzin wat idiote toeristen op een charterreis deden. Het was onnatuurlijk en gevaarlijk. Dan kon je beter een caravan achter je auto vastmaken en richting het zuiden rijden. Het was ook onzin om te pas en te onpas voor kleine dingen naar een arts te gaan. Dus acht maanden nadat de diagnose was gesteld, was ze er niet meer.

Nu stond ik hier naar het graf van Sloppy Joe te kijken, de oude vis- en stapvriend van Ernest Hemingway in de jaren dertig, toen hij in Key West woonde en enkele van zijn beste novellen schreef. Er was een tijd dat ik zelf schrijver wilde worden, maar dat lukte niet. In plaats van zelf te schrijven, gaf ik les op basis van wat anderen hadden geschreven. Je wilt zoveel als je jong bent, maar plotseling word je op een dag wakker en dan ben je veertig, en is de tijd als sneeuw voor de zon verdwenen. Merete was het knapste en levendigste meisje dat ik ooit had ontmoet, maar nadat we Helle kregen, veranderde

nachtig en hartstochtelijk huwelijk
den worden geschreven, maar het
iet alleen knap en sexy was, maar
reef goede, misschien zelfs nog
se burgeroorlog dan hij. Daar
einde haatten ze elkaar net zo
in lief hadden.'

huwelijk …'

etersen. Uw beschrijving
en dag was waarop het
e harten brandden. Lie-
te wachten.'

n overleden Ameri-

e uit mijn jaar in
was drieëntwin-
zo ver van een
waar ik vaak
intermaanden
as het mijn
de boeken
Nu wilde
ed pensi-
enderen
je nog
amen-
saaie
was
het

café Slop-
fanaat wist
igenlijk in
7 en van-
wel vaart
it uit de
hangt
ien ge-
laten
druk.
daag
ote,

los

ze en werd ze voor alles bang. Misschien eigenlijk pas toen we
zes jaar later Bjarke kregen en hij overleed toen hij nog maar
anderhalf jaar oud was. De ene dag was hij nog gezond en
de volgende dag was hij dood. De artsen konden geen reden
geven. Niemand kon een reden geven en de duisternis is eigenlijk nooit verdwenen.

Samen met haar werd ik bang, dacht ik toen ik bij het graf
van Sloppy Joe stond. Bang om te vliegen, bang om een andere weg in te slaan, bang om te leven, bang om het veilige
platteland te verlaten, waar ik elke ochtend naar het gymnasium fietste waar we elkaar hadden ontmoet – toen ik zeventien
was en zij vijftien – terwijl zij jaar na jaar naar de bank wandelde waar ze werd opgeleid. Bang om bij haar weg te gaan,
omdat dat hetzelfde zou zijn als haar in de steek laten. En wat
moest ik alleen doen? Ik hield toch ook wel van haar? Het
ontbrak ons aan niets. Volwassen, verantwoordelijke mensen
onderwierpen zich niet aan iets onzinnigs.

Nu stond ik hier zonder te weten wat ik voelde. Ik hoor-
de de stem van mijn volwassen dochter, en ze deed me aan
Merete denken: 'Nou, goede reis, pap. Veel plezier met je
Hemingway-onzin. Stuur je een kaartje?'

Ik werd steeds duizeliger, de plastic bloemen op het graf
van Joe verdubbelden als het ware en het leek alsof het eivor-
mige, plastic poppetje bewoog in de zon en de wind, en me
uitlachte. Het keek me honend aan, plaagde me en fluisterde
dat ik een kluns was en dat was het laatste wat ik me kon he
inneren, voordat het me helemaal zwart voor de ogen wer

Toen ik weer bijkwam, stond de oude man over me
gebogen. Hij had bezorgde bruine ogen en hield een
ter in zijn hand. Ik kon de sigaar in zijn adem er
ruiken, en daardoor nam mijn misselijkheid toe.

'Drink wat water, señor', zei hij en hij gaf m

Hij had me tegen het graf van Sloppy Joe gelegd. 'U moet niet zonder hoofddeksel in de zon lopen', voegde hij eraan toe.

Ik pakte de fles en nam een paar slokken. Het hielp meteen. De wereld werd weer scherp en de misselijkheid nam af. Opnieuw gleed er een vliegtuig door de lucht. Mijn T-shirt voelde nat aan op mijn rug en op mijn linkerelleboog zat een pijnlijke schram. Ik was helemaal uitgedroogd. Het kwam niet alleen door de zon op die dag, maar de afgelopen dagen, inclusief de lange vlucht, had ik niet genoeg water gedronken. Ik had niet echt veel gegeten. Ik had eigenlijk niet echt v... gegeten sinds Merete was overleden en we haar hadden ... ven. Ik vergat te eten en kwam er pas achter hoeve... afgevallen, toen ik een nieuwe broek moest kope... me goed, zei mijn dochter, maar tegelijkertijd... dat kon ik wel zien.

Ik ging rechtop zitten en leunde ... harde, ruwe stenen rand.

'Dank u wel', zei ik en ik na... Guieterez ging rechtop staa... omgedraaid en had gezie... nuten van de wereld gew... over me heen te gieten. Nu... wat meer te drinken. Water wa... een 166 mijl lange grote buis van h... en onsamenhangend, zoals wanneer j...

Ik ging helemaal rechtop zetten en dro... Er kropen een paar mieren rond mijn voe... vliegtuig over het kerkhof. Het was een w... leed me denken aan Donald Duck of missch... Mouse en Goofy. In hun verhalen gingen ze v... in een watervliegtuig om de wereld te ontdek... en van de slechte Zware Jongens. Ik wilde net al...

Carlos vertelde dat hij jarenlang een tabakswinkel in de hoofdstraat van Key West had gehad. Die was er nog steeds. Zijn vader had niets minder dan een tabaksplantage op Cuba gehad, maar die had Castro met zijn communisten hem afgenomen. Wanneer hij de naam Castro uitsprak, werden zijn ogen zwart en spuugde hij de naam uit. Verder kwam hij rustig en ontspannen over, maar toen ik meer diepgaand naar zijn Cubaanse verleden begon te vragen, praatte hij eromheen en begon in plaats daarvan levendig te vertellen over het Key West van vroeger. Vóór de provinciale weg kwam, waren er alleen maar veerboten of het spoor. Het eiland en de stad waren een slaperig plattelandsgat met alleen inheemse bevolking. Het tempo lag laag en de verdraagzaamheid tegenover excentriekelingen was groot. Er was druk verkeer tussen Cuba, dat op ongeveer 150 kilometer afstand lag, en Key West. Er voeren regelmatig veerboten, particuliere vissersboten en plezierjachten en het was een smokkelparadijs voor rum en sigaren.

'Ze hebben hier in Key West nooit het verbod ontdekt', zei Carlos. 'Daar stelde een man als Hemingway prijs op. Hier kon hij leven zoals hij wilde. De vs was toen ook al een zeer moreel land, maar dat was Key West niet. Het was een tropeneiland ver weg van het vasteland.'

De eerste avond gingen we na het bezoek aan Sloppy Joe naar de haven, waar we samen met alle anderen naar de bloedrode zonsondergang in de zee keken. De zonsondergang trok toeristen aan en zwendelaars die op plekken zijn waar toeristen samenkomen en dat betekent vandaag de dag in bijna de hele wereld. Aan de kade lagen grote cruiseschepen die langzaam richting de horizon gleden en verdwenen, onderweg naar nieuwe reisdoelen, die toch dezelfde waren. In de haven van Key West waren kraampjes waar je je toekomst kon laten voorspellen met behulp van handlezen en tarotkaarten. Dat had ik niet nodig. Er waren kraampjes met eten en drinken, en diverse jongleurs en andere straatartiesten vochten om de aandacht van de mensen. Het was kitscherig, maar ook erg gezellig. Ik kocht een drankje in een plastic beker voor ons allebei en we stonden aangenaam stilzwijgend toe te kijken hoe de zon veranderde in een bloedsinaasappel, voordat hij in de zee zonk.

Ik hield van het ritme in Key West. Ik werd vroeg wakker, omdat de hanen er vroeg kraaiden. Overal in de stad liep pluimvee rond, nog een curiositeit. Ik stond om zeven uur op en ontbeet in mijn hotel. Dat lag tegenover het huis van Hemingway, dat tegenwoordig een museum was en dat ik op mijn eerste dag had uitgekamd. Het was een statig, goed onderhouden, geel huis van twee verdiepingen hoog met eromheen een gesloten, groene tuin. Ik gebruikte de tijd die ervoor nodig was om zijn tijd en zijn geest te voelen. Bekeek zijn bed en zijn werkkamer, die in een torentje naast het huis lag. Overal waren katten uit de tijd van Papa. Ze hadden zes tenen. Ik had ervan gedroomd om in zijn huis in Key West te staan en nu stond ik daar met een heleboel andere mensen. Misschien was de droom wel beter geweest dan de werkelijkheid. Ik probeerde hem te voelen door de oude typmachine, de foto's aan de wanden, het tweepersoonsbed, de badkuip en de gesloten tuin in de schaduw van de vuurtoren met het zwembad, dat zijn tweede vrouw liet aanleggen. Pauline hield de schrijver in leven. Ze betaalde de rekeningen. Haar vader was rijk. Ze kocht het huis en richtte het in. Eigenlijk was het een lui leventje. Hem, zoals zijn vrienden hem noemden, voordat hij Papa werd, stond vroeg op, kreeg door het zwarte dienstmeisje zijn ontbijt geserveerd, en ging naar de kamer boven het zwembad, waar hij op de tweede verdieping tussen de drie- en zevenhonderd woorden schreef. Na de lunch deed hij een dutje, voordat hij ging zwemmen, vissen of drinken in het café van Sloppy Joe. Hij had namelijk thuis geen verplichtingen, hij hoefde niets met de kinderen te ondernemen en hij hoefde geen boodschappen te doen of eten te koken. Dat was toen. Je had schrijver moeten zijn, maar in dit huis schreef hij enkele van zijn mooiste boeken.

Er was een boekwinkeltje waar je bekers, ansichtkaarten en andere prullaria kon kopen, maar ik kocht een boek over zijn leven in Key West dat ik in mijn hotel las. Er stond niets nieuws in voor mij, maar ik vond het heerlijk om te lezen over gebeurtenissen en over mensen die vijftig jaar geleden op twintig meter afstand van waar ik nu zat, moesten hebben gelopen. Ze waren een huis binnengestapt dat er nu nog net zo bij stond als destijds.

Mijn hotel bestond uit oudere houten gebouwen, die rond een zwembadje lagen. Het ontbijt was naar Amerikaanse maatstaven bescheiden te noemen. Er was yoghurt, jus d'orange, muffins met jam of een milde smeerkaas en een wat slappe Amerikaanse koffie, en dat beviel me prima. De meeste andere gasten waren Amerikanen van het grote vasteland, dat ten noorden van Florida bedekt was door ijs en sneeuw, terwijl wij in de warmte van het zonnetje genoten. Ik zat alleen aan een ronde plastic tafel en hoorde mensen nietszeggende gesprekken voeren en had het naar mijn zin. Verder zat ik te lezen bij het zwembad of in een café bij de haven. Ik ging het water in bij de oude militaire basis, die nu een nationaal park was geworden. Je kon materiaal huren om te gaan snorkelen en ik lag in het heldere water naar langzaam zwemmende vissen te kijken, terwijl er naast mij pelikanen wiegden alsof ze hoopten dat ik bewapend was met een speer om ze van voedsel te voorzien. Ik liet mijn huurauto staan en ging overal lopend naartoe. Zo groot was de stad niet.

Op een dag ging ik vissen op een charterboot. Ik ving niets bijzonders. Ik had gehoopt op een grote marlijn of een zwaardvis, maar de drie andere mannen en ik die de kosten voor de boot deelden, hadden geen grote vangst. Ik maakte in plaats daarvan een praatje met de eigenaar, een gepensioneerde beursmakelaar uit New York. Hij had het geld eigenlijk niet nodig, maar hij verveelde zich en vond het leuk om mensen mee uit vissen te nemen. Hij woonde vijf jaar in Key West en was ongeveer van dezelfde leeftijd als ik. Hij was vervroegd met pensioen gegaan omdat, zoals hij zei: *I made a killing and left in time.* Je kon gemakkelijk met hem praten. Ik hield wel van Amerikanen, want ze konden moeiteloos over van alles en nog wat praten. Je hoefde elkaar niet goed en jarenlang te kennen. Je praatte gewoon. Het was geheel oppervlakkig. Dat beviel me prima.

Van het besturen van de snelle speedboot genoot ik volop. De eigenaar liet het roer aan mij over en ik was zo trots als een klein kind toen hij me een compliment gaf over de manier waarop ik met zijn boot omging. De motor was krachtiger dan ik was gewend, maar hij manoeuvreerde prima en verbazingwekkend gemakkelijk. Ik was net als Merete opgegroeid aan zee, maar terwijl ik als kind en tiener bijna dagelijks in weer of geen weer op de fjord voer, werd Merete heel snel zeeziek. Dus toen we trouwden kwam ik niet meer op het water en verkocht ik mijn aandeel in de zeilboot die ik samen met een vriend bezat.

Ik maakte lange wandelingen in Key West.

Als je de hoofdstraat Duval achter je liet, voelde Key West nog steeds aan als een slaperig stadje op het platteland met een ritme dat zo typerend is voor het zuiden. De palmbomen bewogen zacht heen en weer in de wind, er waren grote, rode bloemen en bijzonder knoestige bomen, waarvan de wortels leken te groeien als vingers die het duivelsteken maken. Er waren grote huizen en kleinere, armere huizen in de stille zijstraten en in zo'n huis, niet ver van de zee, woonde Carlos Guieterez. Zeven dagen nadat we met elkaar hadden kennisgemaakt, nodigde hij me hier uit.

De dagen die volgden na mijn flauwvallen, spraken we af in Sloppy Joe voor een drankje, voordat we samen met alle andere mensen naar de haven liepen om de zonsondergang te zien. De gesprekken tussen ons bleven vloeiend lopen en de onderwerpen werden serieuzer. We bleven het formele Spaanse *Usted* gebruiken, ook al spraken we elkaar bij de voornaam aan. Ik wist dat zijn vrouw, Carmen, tien jaar geleden was overleden, hoewel ze twaalf jaar jonger was geweest dan hij. Ik wist dat ze samen vijf kinderen hadden, dat hij negen kleinkinderen en twee achterkleinkinderen had, dat hij achtenzeventig jaar oud was, maar pas bij hem thuis kreeg ik te horen dat hij het kind van wie hij het meeste hield, nooit zag. Ze was de jongste, zo laat gekomen dat ze ervan uit waren gegaan dat Carmen geen kinderen meer kon krijgen, maar zoals hij zei: 'God glimlachte ons toe, maar God stelt de mens ook altijd op de proef.'

Hij vroeg of ik hem de eer wilde bewijzen in zijn bescheiden huis te komen eten. De uitnodiging volgde nadat ik had laten vallen dat ik overwoog naar Cuba te reizen om de plekken van Hemingway aldaar te zien. We hadden het eerder gehad over Castro en Cuba. Ik haatte het Cuba van Castro niet, maar ik was geen communist en dat stelde hem gerust. Ik hield me gewoon niet zo met de politiek bezig. Castro was er altijd geweest en voor veel mensen van mijn generatie was hij samen met Che Guevara een revolutieheld, en op de kamer van mijn oudere broer en mij hing korte tijd ook een poster van Che Guevara, omdat dat modern was en omdat mijn vader zich er erg over opwond.

Het leek erop dat Castro op sterven lag en dat het systeem zijn beste tijd had gekend en zou verdwijnen, net als het communisme in Europa was verdwenen. Carlos deelde niet helemaal mijn optimisme. Hij was een Amerikaans staatsburger, maar hij beschouwde zichzelf als Cubaan. Hij zei het niet direct, maar ik had het vermoeden dat hij graag wilde sterven in Cuba.

Zijn huis was klein en wit geschilderd. Zoals bij veel andere huizen in Key West liep er een veranda om het hele huis. Er stonden een paar versleten, rieten stoelen en een tweepersoonsschommelstoel. Carlos heette me enigszins formeel welkom en liet me met een mojito plaatsnemen in een van de rieten stoelen. Door onze seances in Sloppy Joe wist hij dat ik erg van dit drankje hield. Het was opnieuw een warme en heerlijke avond met een zacht windje, dat de geur van de zee over de stad verspreidde. Ik had een overhemd met korte mouwen aangetrokken, evenals lange shorts. Carlos droeg zijn gebruikelijke guayabera en lichte slacks. Ik had hem nooit in andere kleding gezien. Een paar grote, rode bloemen in een pot hadden een zoete geur en roken een klein beetje weeïg als een goedkope parfum. Ik zat even met mijn drankje, maar toen ik hem in de keuken hoorde rommelen, ging ik naar hem toe. Er lag kip in de oven en er stonden een paar pannen op het vuur. Het rook goed. Hij sneed grote, sappige tomaten in stukken en legde ze op een schaaltje.

Toen liet hij me het huis zien.

Dat had een open keuken en twee grote woonkamers, een slaapkamer met een tweepersoonsbed en twee kamers met stapelbedden, waar de kinderen waarschijnlijk in hadden geslapen. Er waren weinig meubels. Ze waren oud, maar versleten op een mooie manier. In de keuken en in de slaapkamer stonden foto's in fraaie lijstjes van een dappere, maar ook knappe vrouw, die vast Carmen moest zijn. De andere foto's die er stonden waren vermoedelijk van zijn kinderen, kleinkinderen en achterkleinkinderen. Je kon duidelijk zien dat Carmen een stuk jonger was geweest dan Carlos, maar toch was zij zoals gezegd eerder overleden. Misschien aan hetzelfde als Merete. Alles was schoon en netjes. Er was ook een foto van Carlos in uniform. Hij stond met zijn arm om de schouder van een andere man. Ze hadden allebei een soort machinepistool in hun ellebooggewricht rusten.

'Dat bent u toch, Carlos?' vroeg ik.

'Jazeker, John. Dat ben ik samen met mijn beste vriend, Fernando. Hij is niet teruggekeerd van de invasie in de Varkensbaai.'

'Hebt u deelgenomen aan de invasie van Cuba? Toen het misging?' In 1961 had een groep Cubaanse ballingen een poging gedaan om een krijgsmacht voet aan wal te laten zetten in Cuba om de nieuwe revolutie van Castro omver te werpen, maar ze werden afgeslacht op het strand.

'Toen we werden verraden door die klootzak van een Kennedy, bedoelt u. Nee, ik was er helaas niet bij.'

'Maar u had ervoor getraind?'

'Ik trainde hard. Ik was niet zo jong als sommige anderen, dus ik moest hard werken, maar drie dagen ervoor werd ik ziek. Ziek van een of andere malaria die ik had opgelopen in de moerassen in Florida, waar we trainden. Ik smeekte om mee te mogen gaan, maar mijn maten wilden niet naar me luisteren. Ik kon ook bijna niet lopen. Ze zeiden dat ik lag te ijlen. Dus ik was er niet bij.'

'Gelukkig maar.'

'Meent u dat echt?'

'Dat vond Carmen toch ook?'

Hij lachte. Zijn lach was heel fijntjes, bijna vrouwelijk.

'Ze dankte God dat hij een mug op me had afgestuurd om me te besmetten, zodat ik ontsnapte aan de kogels van Castro en zijn communistische bandieten. Laten we gaan eten.'

De oude man had in zijn vriendelijke en functionele keuken een eenvoudige, maar heerlijke maaltijd klaargemaakt. Hij serveerde er een Chileense rode wijn en ijskoud water bij. Ik kon nog iets meer uit hem trekken over de tijd van vóór de invasie en hij was een goede verteller, die tijdens het eten de sfeer en de trainingstijd voor mij kon schilderen. Hij had een koude tomatensoep gemaakt, die mooi glom en naar een onbekend, maar sterk kruid smaakte. Daarna kregen we kip, die hij serveerde met een combinatie van rijst en bonen, die de Cubanen *moros y cristianos* noemen, ontdekte ik later. We aten op zijn terras. We waren een stukje verwijderd van de bruisende hoofdstraat Duval, dus de enige geluiden die we hoorden, waren van een motor ver weg die startte met een luid, bulderend geluid dat tussen de palmbomen weerkaatste en toen verdween. En kinderstemmen in een tuin dichtbij.

Carlos Guieterez was ervan overtuigd geweest dat ze de jonge rebellen van Castro konden verslaan, die op de oudejaarsavond van 1958 Havana in beslag hadden genomen. Met Amerikaanse wapens en Amerikaanse steun van luchtstrijdkrachten zouden ze in de Varkensbaai aan land gaan en zich vooruitvechten naar de hoofdstad. Castro was begonnen met een handvol mannen in het Sierra Madre-gebergte. Ze konden hetzelfde doen, want ze waren ervan overtuigd dat het Cubaanse volk op zou staan en hen zou helpen, zodra ze aan land waren gekomen. Ze zouden met honderden zijn en allemaal gemotiveerd. Iedereen bereid om te sterven, zodat Cuba weer vrij kon zijn, zei hij.

Zijn gedachten dwaalden af. Hij stak een sigaar op, bood

mij er ook een aan, maar ik bedankte. Het was langgeleden dat ik voor het laatst had gerookt. Ik had geen zin om er weer aan te beginnen.

'We lagen op onze buik in de moerassen van Florida, John. We kropen door de troep en we hoorden het geroep en gevloek van onze instructeurs. Ik was niet echt jong meer, dus ik moest zoals gezegd harder werken dan de jongeren, maar ik was uit ander hout gesneden. Ik was een oude, solide boom, die veel stormen had doorstaan en er sterker door was geworden. Mijn gestel was goed, mijn gezichtsscherpte zo precies als mijn rustige hand, ik werkte hard en ze maakten mij hoofd van het peloton soldaten, maar ik ben niet gegaan.'

Hij vertelde eigenlijk het omgekeerde verhaal. Zoals de meeste mensen van mijn generatie was ik ermee opgegroeid dat Fidel Castro, Ernesto Che Guevara en de andere jonge, revolutionaire mannen helden waren die Cuba bevrijdden van de corrupte dictator Batista. De invasie van de Cubaanse ballingen in 1961 was gepland voordat John F. Kennedy president werd en de krijgsmacht van de invasie bestond vooral uit maffiosi of rechts georiënteerde halve fascisten die de bevolking hadden beroofd, voordat de Cubaanse revolutie hen naar de vs had gedreven. Dat was ook de algemene opvatting onder mijn leeftijdsgenoten. Jarenlang hadden de Cubaanse revolutie en de bebaarde leiders een aura gehad dat iets bijzonders uitstraalde, maar nu was Castro gewoon een oude man die weigerde te sterven of het verouderde communistische systeem op te geven. Hij was van dezelfde leeftijd als Carlos en ze kwamen allebei over als dinosaurussen uit vervlogen tijden, die samen met de twintigste eeuw werden begraven.

Ik had in elk geval mijn leerlingen op het gymnasium geleerd dat de invasie was mislukt. En dat had meerdere redenen. De Cubaanse bevolking had de binnengevallen Cubaanse ballingen niet geholpen. Ze wilden niet dat de dictatuur terugkwam. President Eisenhower had op aanraden van de CIA geholpen bij het uitrusten en trainen van de krijgsmacht voor de invasie, maar Kennedy steunde het plan niet, hoewel hij het wel liet doorgaan. De beloofde steun van de luchtstrijdkrachten aan de krijgsmacht vond niet plaats, Castro had lucht gekregen van de invasie en die werd ontvangen door een verpletterende kracht in de vorm van Sovjet-Russische tanks en artillerie. De Sovjet-Unie had de Cubaanse krijgsmacht goed getraind. De verliezen waren groot. De invasie mislukte en Castro kreeg zijn martelaren en zijn vijandbeeld, dat hij kon gebruiken om de sfeer onder de bevolking goed te houden tijdens de vele crisisjaren van de Cubaanse revolutie.

Carlos zag het niet zo. Hij zag in vrijwel alles de hand van God en hij was ervan overtuigd dat God op een bepaald moment zijn Cuba zou bevrijden. Hij hoopte alleen dat hij dat nog mocht meemaken.

Carlos serveerde een sterke Cubaanse koffie en een glas Cubaanse rum, die hij volgens eigen zeggen bewaarde voor bijzondere gelegenheden. Ik voelde dat ik wat aangeschoten raakte, niet erg, maar aangenaam dronken op een manier die ik jarenlang niet had meegemaakt. Merete en ik sloegen een goed glas wijn en een biertje en een borrel bij de paaslunch niet af, maar naarmate ik ouder was geworden, begon de alcohol minder fijn te werken. Ik werd er slaperig en loom van en ik moest op de bank gaan liggen. Toen ik jonger was, kikkerde ik op van alcohol en ik raakte er opgewonden door. Daar had Merete niets op tegen toen ze jonger was. Het was jarenlang heel goed geweest, maar ze verloor haar interesse als het ware, of misschien verloor ik die wel. Het stopte niet helemaal, maar er zat langere tijd tussen, hoewel het nog steeds heel goed kon zijn. Totdat ze ziek werd natuurlijk.

Op de veranda van Carlos voelde ik me vitaal en alert, aanwezig en in leven. Ik voelde dat ik 'top' was, zoals mijn leerlingen zeiden wanneer ze me prezen voor mijn les. 'Je was vandaag top, John', zeiden ze met een directheid die zelfs de jeugd in Ringkøbing kenmerkte. Vooral tijdens de les voelde ik me aanwezig en in leven. De collega's van mijn leeftijd klaagden veel en spraken over de overwaarde van hun woning en vervroegd pensioen, maar ik wist niet hoe ik de tijd moest doorkomen als ik niet aan het lesgeven was. Ik hield van jonge mensen en ik hield ervan om hen te interesseren voor wat mij interesseerde. Dat was voordat ik ontdekte dat ik er geen probleem mee had om in Key West rond te hangen zonder iets verstandigs of volwassens te doen zoals ik was opgevoed.

Ik dronk mijn glas rum leeg. Het smaakte scherp en zacht tegelijk. Carlos schonk nog een keer in en stond op. Hij kwam terug met een foto die hij aan me gaf. Het was een vrouw van ongeveer dertig jaar. Ze had een ovaal gezicht, dat werd omringd door een kort kapsel. Ze was blond met brede, sensuele, rode lippen en de glimlach die haar witte tanden ontblootte, leek niet zichtbaar te zijn in haar ogen. Haar bruine schouders waren bloot en je kon het bovenste deel van haar mooie borsten zien.

'Ze is heel knap. Ik begrijp dat u net zo van uw vrouw hebt gehouden als u van uw dochter houdt', zei ik en ik gaf hem de foto terug.

'Bedankt, señor. Misschien moeten we proosten op onze vriendschap.'

'Misschien is dat een goed idee.'

Carlos hief formeel zijn glas en ik hief het mijne.

'Op onze vriendschap, John', zei hij.

'Op onze vriendschap, Carlos', zei ik en ik dronk de helft van het glas leeg.

Carlos zette voorzichtig zijn glas neer en pakte de foto.

'Het is een oude foto, maar de recentste die ik heb. Mijn jongste dochter heet Clara. Ze was onze oogappel, maar ze koos voor iets anders dan wij hadden gewild. Ze woont in Havana, waar ze die man met de baard heeft gediend. Ik heb haar niet meer gesproken en ik heb niets meer van haar gehoord sinds haar moeder overleed, maar nu denk ik dat de tijd is gekomen dat ze in contact met me wil komen. Ik weet niet hoeveel jaar God me wil geven. Hij kan me op elk moment tot zich nemen. Dus ik heb niet veel tijd meer. Misschien heeft Hij jou gestuurd, mijn Deense vriend, die onze taal spreekt, als teken dat de tijd rijp is. Ik mag en kan niet naar mijn mooie geboorte-eiland reizen, daarom wil ik jou, mijn nieuwe vriend uit Denemarken, vragen of je een brief mee wilt nemen voor mijn dochter, wanneer je naar Cuba vertrekt op zoek naar Papa.'

Ik pakte de foto, keek er weer naar en zei: 'Dat doe ik graag', zonder te weten waar ik eigenlijk ja op zei.

Ik keek hem aandachtig aan. Zijn ogen waren vochtig, bruin en wazig, maar zonder slinksheid. Er zat zweet op zijn voorhoofd. Ik voelde alles sterk en zag alles scherp. Ik kon het gesjirp van de krekels horen en een kip die in het donker ritselde. Ik kon de sterrenhemel voelen en de rum proeven.

'Dat doe ik natuurlijk graag,' herhaalde ik, 'maar dan moet je me ook haar verhaal vertellen.'

3

Carlos was misschien ook wat aangeschoten. Zijn stem trilde in elk geval een beetje toen hij zijn hand boven op de mijne legde en me bedankte. Het was opnieuw enigszins overdreven hartelijk, maar zo was het temperament van een Cubaan misschien. Het lag ver van mijn Scandinavische wijsneuzigheid en mijn onbehagen om mijn gevoelens te tonen. Bovendien betrok hij God bij de zaak; zelf was ik van mening dat God wel iets beters te doen had. Ik was opgegroeid in een gebied in Denemarken waar God nog steeds een rol speelde en ik was lid van de staatskerk, maar Merete was degene die haar kindergeloof had behouden en dingen kon zeggen als dat hij was teruggekeerd naar God.

Carlos vertelde dat God ons had samengebracht. Dat God had gewild dat ik duizelig was geworden op het kerkhof in Key West net op het moment dat Carlos Guieterez me te hulp kon schieten en er een warme en belangrijke vriendschap zou ontstaan. Het was zeer Latijns-Amerikaans en iets te veel van het goede voor een Jut als ik, maar het was waarschijnlijk moeilijk voor me om me in zijn gevoelens te verplaatsen. Hij had een dochter die qua lichamelijke afstand dicht bij hem in de buurt was, maar in werkelijkheid zo onbereikbaar dat ze net zo goed aan de andere kant van de wereld had kunnen zijn. Het was overduidelijk dat hij van haar hield en op een manier die op dat moment buiten mijn geestelijke bevattingsvermogen lag. Ze was dichtbij en toch zo ver weg.

We waren dichter bij Cuba dan bij Miami. Ik had samen met de andere enthousiast fotograferende toeristen bij het zwart-rode ding gestaan dat de zuidelijkste punt van de continentale vs aangaf en de inscriptie gelezen: 90 MILES TO CUBA. Maar Havana had net zo goed op de maan kunnen liggen. Carlos mocht er van zijn eigen regering niet naartoe reizen en zou vast en zeker in Cuba worden gearresteerd als hij de wet overtrad en via Mexico of Canada reisde, zoals sommige Amerikaanse staatsburgers deden.

Het verhaal over Clara klonk eenvoudig zoals hij het vertelde, maar in dat soort navertellingen ontbreken vaak de pijn en de wanhoop. De gevechten, de ruzies, de innerlijke en uiterlijke strijd tussen de gevoelens. De alledaagse, op de loer liggende brutaliteit en de confrontaties die geestelijk zo bloederig kunnen zijn dat de wonden jaren later nog vocht afscheiden. In het verhaal van Carlos ontbraken de gevoelens niet.

Clara was een heel normale tiener in Key West, waar het leven goed en vrij ontspannen was. Het was niet alleen een leven in een bruisende, toeristische stad, maar ook een leven in een stukje plattelands-Amerika, waar de mensen voor elkaar zorgden. Daarbij kwam nog een sterke en warme eendracht tussen de mensen van Cubaanse komaf.

Zij was het nakomertje en werd daarom verwend, mede omdat ze zo knap was. Al heel vroeg zwermden er jongens om het huis waar wij zaten, 'honden die met hun tong uit hun bek hingen', zoals Carlos met een combinatie van woede en trots zei. Maar ze was ook slim, deed haar best op school, zat in het zwemteam, werd uitgeroepen tot koningin van het slotbal. Ze was ook degene die het hoogste aantal stemmen behaalde toen ze iemand moesten aanwijzen die de meeste kans op succes zou hebben in het leven. Ze was het kind dat God laat had geschonken en ze hielden van niets ter wereld meer dan van haar. Vooral Carlos. Misschien omdat hij een iets oudere vader was als je hem vergeleek met de ouders van haar leeftijdsgenoten. Hij kon zich herinneren hoe ze als klein meisje naar hem had opgekeken. Zijn er mensen die meer van hun vader houden dan kleine meisjes, voordat ze zo oud worden dat ze zich beginnen te interesseren voor jongens? Zei hij met een verlangen dat pijn deed. Ik kon het me plotseling zelfs in zijn huis in Key West herinneren. Langgeleden, toen Helle klein was en het leven eenvoudig en zonder onzin was. Dat dacht ik in elk geval. De manier waarop kleine meisjes hun vader vol vertrouwen bij de hand pakken. De manier waarop ze bij hun vader op schoot kunnen kruipen, hun hoofd op zijn schouder kunnen leggen en hem vol genegenheid aankijken. De manier waarop ze kunnen luisteren naar de wijze woorden die over de lippen van hun vader komen. Ik begreep hem wel en ik miste mijn eigen Helle, niet de Helle van nu, maar de kleine Helle. Helle als klein meisje met strikjes in het haar, die lachend naar me toe rent voor het gehuurde vakantie-huis, terwijl Merete glimlacht en er fantastisch uitziet in haar nieuwe bikini. Het was niet allemaal verdriet geweest. Dus ik wist wat Carlos bedoelde. We missen het verleden, omdat we ons het mooier herinneren dan het in werkelijkheid was. We kunnen het niet verdragen om ons het verleden als een realistische film te herinneren; dan worden we gek. We willen ons het leven graag herinneren als een klucht of een modern romantisch drama dat 's avonds laat op televisie komt.

Carlos zou het waarschijnlijk niet begrepen hebben als ik het hardop had gezegd, want zijn prinsesje was een wondertje van God geweest. Clarita was intelligent, werkte hard, kwam met een beurs op Stanford University in Californië en deed haar ouders daarna versteld staan van trots toen ze besloot om medicijnen te gaan studeren. Ze was ook een idealist, maar op een andere manier dan Carlos en Carmen. Als klein meisje kon ze het niet verdragen om dieren te zien lijden, of het nou een kikker, een kip of een hond was. Als tiener liep ze de woonkamer uit wanneer er beelden op tv kwamen met honger lijdende mensen in de wereld. De wereld zat vol kwaadaardigheid en onrechtvaardigheden, en hij kon haar er niet van overtuigen dat haar tengere schouders dat niet allemaal hoefden te dragen. Zijn woorden waren niet meer rationeel, maar het waren woorden die moesten wegredeneren dat zij als rijke, bevoorrechte mensen in hun deel van de wereld leefden, omdat zij de armen in andere delen van de wereld misbruikten en uitbuitten. Ze waren niet rijk omdat ze harder werkten of beter waren. Ze waren rijk omdat ze als vampiers bloed zogen uit de zwijgende, honger lijdende en gekwelde massa's in deze wereld.

'We dachten dat we op een dag zouden terugkeren naar Cuba om het te zien groeien en rijk en groot te zien worden. Clara droomde van een rechtvaardige wereld en ze had het jeugdige geloof dat ze een verschil kon maken', zei hij met een combinatie van verbazing en bewondering in zijn stem.

We dronken nog wat meer. De duisternis buiten was dicht en zijdezacht. Ergens zong een vrouw langzaam en melodieus, alsof een ziek kind getroost moest worden om te gaan slapen. Haar stem maakte me bedroefd, maar ik ging me er ook op een bijzondere manier gemotiveerd en levendig door voelen. Ik leunde achterover in de rieten stoel, waarvan het kraken prima paste bij de zachte geluiden van de tropennacht en ik luisterde naar zijn verhaal.

In plaats van haar carrière in de vs voort te zetten, koos Clara ervoor om zich aan te melden bij het Amerikaanse Peace Corps. Ze koos ervoor te gaan werken voor een laag salaris in verre landen in plaats van geld te verdienen in de vs na de zware uren achter haar bureau en als co-assistent in de ziekenhuizen. Zowel Carmen als Carlos probeerde haar over te halen om het niet te doen. Andere mensen moesten de armen in de wereld en hun kinderen maar redden. Dat was niet haar taak. Clarita, blijf in het land dat je zal belonen voor je harde werken en je intelligentie, hadden ze gesmeekt. Hadden zij er misschien niet voor gestreden dat hun kinderen een goed leven konden opbouwen in het Amerika van de mogelijkheden, het land dat hen zo goed had ontvangen? Was ze het niet aan haar ouders verplicht om hen te eren door een goed leven voor zichzelf te creëren en hun kleinkinderen te schenken?

Al hun kinderen waren iets geworden, misschien geen academici, maar wel fatsoenlijke mensen. Hun oudste zoon zette de tabakswinkel voort en hij had een nog grotere geopend in Klein Havana in Miami en was getrouwd met een lerares. Een andere zoon was nu de rechterhand van de directeur in een grote autozaak en het ging hem financieel zo goed dat zijn vrouw niet hoefde te werken en zich kon bezighouden met het huishouden en de kinderen. Een dochter was getrouwd met een bankdirecteur in Ohio en ondanks het feit dat ze twee kinderen had, werkte ze als makelaar. En de derde zoon deed iets in de IT in Miami en had een vrouw die actrice was, dan wel alleen in reclamefilmpjes, maar zag je haar niet glimlachen wanneer ze een theedoek opvouwde en sprak over de fantastische effectiviteit van het wasmiddel? Wat konden een vader en moeder zich nog meer wensen? Een vader en moeder die met bijna lege handen aankwamen bij de Amerikaanse kust met twee kleine kinderen in hun armen op de vlucht voor een gruwelijke dictator.

Maar alleen Clara had de universiteit afgemaakt, die ze hadden betaald met het geld van hun opgespaarde studiefonds en dat hadden ze met liefde gedaan. De vele uren werken in het tabakswinkeltje hadden ze voor de kinderen gedaan. Elke cent die ze opzij hadden kunnen leggen voor hun toekomst, was een cent waarop ze trots waren dat ze die hadden verdiend.

Carlos hield zijn twee handen voor zich uit en balde ze.

'God heeft me sterke handen gegeven, zodat ik voor mijn gezin kon zorgen', zei hij en hij schonk opnieuw in, voordat hij verderging.

Hij moest toegeven dat ze haar hadden verwend, dat ze trots en ontroerd waren door haar intelligentie en schoonheid. Misschien was het verraad daarom zo hard, zo bijna onvergeeflijk, zei Carlos en hij kreeg opnieuw tranen in zijn ogen. Er zat nu een gloed in zijn stem. Een bijna wanhopige ondertoon, alsof hij het vervelend vond om het verhaal te vertellen, maar het ook niet kon laten. Alsof hij op de biechtstoel zat en had besloten om nu alles op tafel te leggen.

Want zij had de zaak de rug toegekeerd, inclusief het heilige dat centraal stond in zijn leven. Al in haar tienerjaren liet ze zien hoe onverschillig ze was voor het lot van de martelaars, wanneer ze elk jaar op de dag van de invasie die leidde tot de bevrijding op 17 april een bloem legden bij het monument op Calle Ocho in Miami. Jaar na jaar bogen de veteranen samen met hun families hun steeds grijzer of kaler wordende hoofd voor de gevallenen en ze spraken de hoop uit dat ze elkaar volgend jaar in Havana zouden zien; maar De Baard bleef zitten. De Baard was onaantastbaar en hij bracht de ene na de andere Amerikaanse president naar het graf.

'Ik ben een Amerikaan, papa', had Clara gezegd. 'Cuba is mijn leven niet. Zij moeten hun leven leiden, dan leid ik dat van mij. Jouw dromen zijn de dromen van een oude man en ze moeten niet mijn nachtmerrie worden. Ik zie de wereld niet als jij. Ik zie de wereld als een wezen. Ik zie dat wij in rijkdom leven, terwijl in andere landen elke dag mensen sterven van de honger. Ik zie de wereld en ik word vervuld door woede.'

Dat had ze gezegd toen ze naar het gymnasium ging en

Carlos was er zo verdrietig en kwaad om geworden dat hij haar had geslagen, slechts één keer, maar daarna had hij altijd het gevoel gehad dat hij minachting in haar ogen kon lezen. En nog erger, dat Clara en Carmen de schaamte in zijn eigen ogen konden zien, maar ze spraken er nooit over. Dat was de onuitgesproken barrière tussen hen, en toen Carmen veel te plotseling overleed, was er niemand meer op aarde die de barrière kon slechten. Hij lag als een versperring tussen hen in en daardoor werden ze vreemden voor elkaar. Carmen had de sleutel gehad tot het openbreken van de barrière tussen vader en dochter, maar ze had de sleutel nooit doorgegeven, zei hij.

Toen was Clara al verhuisd. Carlos wist dat Carmen en zij vaak contact hadden gehad. Clara verliet hen niet. Ze kwam thuis wanneer de familie bijeenkwam voor belangrijke gebeurtenissen in een mensenleven: doop en belijdenis, bruiloft en begrafenis, maar ze praatte niet met hem. Op een bepaald moment zat ze in de problemen, maar hij wist het niet. Hij kon de bezorgdheid in de ogen van zijn vrouw aflezen, maar Carmen schudde gewoon haar hoofd en ontkende dat Clara grotere problemen had dan andere jongeren die hun eigen weg in het leven moesten vinden.

Clara studeerde af en ging op reis naar Afrika, waar ze Hector ontmoette, een arts uit Cuba. De Amerikaanse regering stond er afwijzend tegenover dat een vrijwilliger van het Peace Corps met de vijand in Angola samenwerkte en later sliep, daar waar de kinderen op beenstompjes rondsprongen na de jarenlange burgeroorlog, maar Clara was verliefd, zei Carmen, die meer wist dan hij, dus toen zij overleed, droogden de bronnen op en Clara kon niet naar de begrafenis komen. Ze was bang om gearresteerd te worden als ze voet op Amerikaanse bodem zou zetten. Want ze was in Cuba. Cuba werd haar land. Ze verhuisde naar het eiland en kwam in dienst van de vijand. En door zijn arrogantie en trots wilde hij niets meer met haar te maken hebben.

Maar elke dag ging Carlos hier in Key West naar de zuidelijkste punt van de vs om naar het eiland te staren, omdat hij toch hoopte op een teken van leven. Hij stond elke ochtend vroeg, wanneer de zon opkwam, met de onverschillige pelikanen te praten, alsof ze een boodschap van hem mee de zee over konden nemen naar Havana. Hij vervloekte zijn trots en zijn arrogantie. Hij vervloekte het dat de politiek zijn blik zwart had gemaakt en zijn menselijkheid had ondermijnd. Hij smeekte Carmen dagelijks om vergeving in de hemel waar ze moest zijn en bad God om een teken van leven, maar in de loop der jaren verdween de hoop dat hij zijn dochter nog één keer zou kunnen omhelzen voordat hij zou komen te overlijden. Hij had meer jaren gekregen dan hij had gehoopt en gedacht. Vader worden op latere leeftijd is hetzelfde als spelen met het lot, omdat je verwacht je kind op te zien groeien totdat hij of zij volwassen is, maar de biologie kan een onverbiddelijke en wrede vijand zijn, zoals hij zei. Het was hem gelukt om Clara op te zien groeien, maar in zijn trots had hij die gift niet benut en hij was er zich bij neer gaan leggen dat Clara voor altijd was verloren, totdat er vier weken geleden plotseling een teken van leven was gekomen.

Een familie die het water was overgestoken naar Florida, had het meegenomen. Ze waren aangekomen in een houten jol, die op miraculeuze wijze was ontkomen aan de Cubaanse radar en de Cubaanse patrouillevaartuigen. De zee was rustig geweest en ze hadden de vs bereikt. De Cubaanse vluchtelingen kwamen druppelsgewijs. Velen slaagden er nooit in om langs de Cubaanse kustwacht te komen. Anderen werden door de Amerikaanse kustwacht in internationaal vaarwater tegengehouden en teruggestuurd. Zo was het tegenwoordig in de hele wereld. Anderen kwamen wel de zee over. Dit was een familie bestaande uit zes personen. Vader, moeder en drie minderjarige kinderen en de zus van de vader, een vrouw van tweeënveertig die arts was geweest in hetzelfde ziekenhuis als Clara, totdat Clara plotseling werd overgeplaatst.

De Cubaanse ballingengemeenschap ontfermde zich zoals gewoonlijk over de gevluchte broeders en zusters. Ze lieten Carlos komen en de vrouw had het volgende gezegd: 'Ik ben uw dochter een maand geleden op straat tegengekomen. Ik had haar maandenlang niet gezien, hoewel we collega's en een soort vriendinnen waren. Ze was plotseling en zonder verklaring uit mijn leven verdwenen. Ze zag er bang en vermoeid uit, maar dat geldt voor veel Cubanen op dit moment, nu alles een puinhoop is en iedereen afwacht. We hebben even gepraat. Ze was niet helemaal duidelijk over waar ze nu werkte. "Met mijn specialisme", zei ze. Haar ogen dwaalden af en toen zei ze: "Nu kan het niet lang meer duren, dan is hij weg en kan ik misschien mijn vader nog voor een laatste keer zien."'

Ze had om zich heen gekeken, alsof ze bang was dat iemand van de naamlozen haar observeerde. Plotseling had ze haar hand uitgestoken en gezegd dat ze weer verder moest.

Carlos verborg zijn emotie door zijn glas leeg te drinken en het voor de helft weer in te schenken. De duisternis was zwart en compleet buiten onze lichtbel. We konden de insecten tegen de hor voor het raam horen vliegen en ik was zelf diep geraakt. Je kon op zo veel manieren je leven verspillen, dat je er helemaal wanhopig van kon worden wanneer je erover nadacht. Ik kon het ook niet laten om eraan te denken hoeveel gevoelens er door de oude man heen gingen. Ik kon de pijn in zijn gezicht zien. Ik kon bijna voelen hoe zijn ziel werd gekweld. Ik bedacht dat ik niet zulke gevoelens had. Ik was een beetje jaloers op hem. Moet je je eens voorstellen dat je zulke sterke gevoelens hebt. Om in leven te zijn, moet je zowel pijn als vreugde voelen. Dan mag niet alles een grauwe dag zijn.

'Ik neem wel een brief mee', zei ik. 'Ik zal haar wel proberen te vinden. Maar hoe moet ik erachter komen waar ze is? Weet u bijvoorbeeld waar Clara werkt of woont? Weet u dat?'

'Nee, maar we zijn bezig om dat te achterhalen. Ook waar ze woont. We hebben daar contacten.'

'Wat is het specialisme van Clara?'

'Maag-darmchirurgie. Ze heeft veel artikelen in belangrijke tijdschriften geschreven. Ik heb ze in de bibliotheek gelezen. Hoewel ik niet veel begrijp van wat ze schrijft, heb ik de artikelen vaak gelezen en gedacht dat deze letters en woorden geschreven zijn door Clara, en in mijn hart voelde ik dan een verbintenis.'

Ik knikte alleen maar.

Hij pakte mijn hand en zei: 'Bedankt, mijn vriend. We moeten eerst naar Miami gaan en dan moet u Clara vinden en haar vragen om mij te vergeven, zoals ik haar langgeleden heb vergeven, dan kan ik eindelijk in vrede sterven.'

4

Het was een magische avond en ik zou willen dat er nooit een einde aan kwam, omdat ik me zo fantastisch levendig voelde. Wanneer ik terugkeek op mijn leven, kon ik de dagen vaak niet uit elkaar houden. Ik kon niet eens de jaren uit elkaar houden. Alleen wanneer ik foto's zat te bekijken, kon ik aan de leeftijd van Helle het verstrijken van de tijd zien. Het onverbiddelijke verstrijken van de tijd. Wat had ik al die tijd gedaan? Ik weet niet echt waarom, maar ik had het gevoel dat wat Carlos me had gevraagd, zowel niets als toch alles was. Het gaf me irrationeel het gevoel dat ik deel uitmaakte van iets wat buiten mijzelf lag.

Die avond kon ik vliegen. Ik wandelde aangeschoten, maar klaarwakker van Carlos naar de hoofdstraat Duval. Hoewel het bijna middernacht was, waren er veel mensen op de been en de beat van de muziek die uit de vele cafés kwam, gleed mijn bloedsomloop binnen. Er waren vele soorten. Het pure ritme van de jazz was goed, terwijl een kloon van Elvis met zijn gestylede haar en wanhopige pogingen om zijn stem te imiteren alleen maar medelijden of verachting opriep. Dan liever de rock die de afgelopen dertig jaar over de hele wereld te horen was geweest en die nu ook te horen was. Mensen gingen van café naar café met drankjes in hun handen. Mannen liepen hand in hand, vrouwen omhelsden elkaar innig als vriendinnen, maar ze wilden liever seks hebben.

Ik liep Sloppy Joe binnen. De rode neonlampjes die op de gevel zaten, werkten als een lokkende sirene op me, die me opriep en aanspoorde om mezelf te laten gaan en de nachtelijke onzin in mijn nette lerarenlichaam te laten huizen. Het was een van die avonden of nachten waarop alles kon lukken. Waar de zwarte nachtlucht seks en onverantwoordelijkheid uitademde. Voor mij op straat liepen twee vrouwen met een strakke spijkerbroek aan en ieder met een zwarte plastic beker in hun hand. Ze waren flink aangeschoten en de een pakte de ander ongegeneerd bij de billen vast en kneep even, zodat ze een meisjesachtig gilletje gaf, hoewel ze dichter bij de vijftig dan de veertig was.

Sloppy Joe zat bomvol. Een band pompte ritmische main-streamrock over de dansvloer, er was een golvende massa zweterige mensen, vooral jonge Amerikanen of van middelbare leeftijd die hun tweede jeugd probeerden te beleven. De steeds jongere gepensioneerden of flierefluiters die in de winter naar Florida trekken, worden 'Snowbirds' genoemd, maar hier stelden ze alles in het werk om te laten zien dat ze niet afgeschreven hoefden te worden. Er waren ook veel studenten die zich uitleefden op de dansvloer. De serveersters baanden zich met drankjes en grote glazen bier een weg door de in rook gehulde ruimte. In Key West deed je alles wat op andere plekken niet was toegestaan. Er werd alcohol op straat gedronken en binnen werd gerookt.

Ik weet niet wat er gebeurde. Het was een deel van de magie. Ik ben normaal gesproken een gereserveerde en terughoudende man, maar de onzinnige dingen van de nacht zorgden er samen met de wijn en de rum voor dat ik me ongeremd voelde. Ik had geen behoefte aan alcohol, maar bestelde toch een pilsje in het gedrang bij de bar. Een vrouw met brede, gestifte lippen en opgeblazen borsten in een blauw T-shirt duwde zich tegen me aan, zodat het bier over de rand van mijn glas gutste. Ze was gezet zonder vet te zijn, met kortgeknipt, gekruld haar, zo'n vijf tot acht jaar jonger dan ik, verpakt in een push-upbeha en strakke shorts, en ze stonk

naar rook, parfum en zoete drankjes, maar ze had witte tanden en een fantastische glimlach toen ze zich met veel armbewegingen verontschuldigde, en ik schudde mijn hoofd en
spreidde mijn armen, zodat er nog meer bier over de rand
van het glas gutste. Ze lachte, pakte mijn arm beet om steun
te krijgen en ik werd wat duizelig toen ze met een papieren
servet mijn buik bijna tot mijn kruis droog depte. Twee minuten later stonden we op de dansvloer, alsof ik weer een
tiener was, hoewel ik toen veel te verlegen zou zijn geweest
en in de tussenliggende jaren was ik veel te trouw geweest.
De band stortte zich op 'Born in the USA.' van Bruce Spring-
steen en we rockten erop los, zo goed we konden. Later werd
het tempo langzamer en ze drukte zich tegen me aan op het
Beatlesnummer 'Yesterday'. Ze heette Beth, was gescheiden
en kwam uit het met sneeuw bedekte Vermont. Haar vriendin Joe-Ann was ook rond de veertig en zij zat op de schoot
van een stevige man van middelbare leeftijd met een rood
doekje om zijn nek en een T-shirt aan met de tekst: BIKERS
FROM N.Y TAKE NO SHIT. Er werden signalen uitgewisseld.
Op het T-shirt van Beth stond ter hoogte van haar borsten:
THEY ARE MINE BUT YOU CAN HAVE THEM.

Een paar uur later kreeg ik ze in haar kamer niet ver van
de Duval in een zijstraatje in een klein, modern hotel, die ze
deelde met Joe-Ann, die met haar biker in zijn kamer verderop in de gang was verdwenen, wankelend en giebelend als een
schoolmeisje. In Sloppy Joe hadden we niet veel gepraat. Het
geluidsniveau was te hoog. Alleen het gebruikelijke: hoe heet
je? Waar kom je vandaan? Wat doe je hier? Je bent lief. Je kunt
goed dansen. Je ziet er nog goed uit, John. Zullen we nog
een keer dansen? We hadden wat meer gedanst en gedronken.
We hadden gekust en het hing in de lucht. Het werd seks
zonder woorden. Zweterige lichamen in het grote hotelbed,

wanhopig verlangen naar verlossing en orgasme. Ik was ongeremd en dat gold ook voor haar. Ze was niet knap, maar dat
maakte niets uit. Haar mond en haar kut werden door mij
gevuld. Haar grote borsten bedekten mijn gezicht en verborgen mijn tranen, toen ze op me reed. Het waren geen tranen
van verdriet. Het waren tranen van verlossing. Elke keer dat
ik bij haar binnendrong, leek het alsof een stukje van mijzelf
vrijkwam uit mijn gevangenschap.

Ik werd niet moe en ik werd niet slaperig, maar uiteindelijk
was ik klaar. Ze ging naar de badkamer. Haar kont was breed
en wit in het zwakke schijnsel van de lamp op het nachtkastje.
Ik stapte uit het bed en trok mijn kleren aan. Ze stond in de
deuropening en keek me met halfgesloten ogen aan, terwijl ze
afwezig haar ene borst optilde. Ik kon de gedachte om haar
weer te zien niet verdragen.

'Nou zeg, John', zei ze met schorre stem. 'Je neukt alsof je
het jarenlang niet hebt gedaan.'

'Het ga je goed, Beth', zei ik.

'Jarenlang, zeg ik, maar deze dame klaagt niet.'

'Tot ziens, Beth', zei ik, maar ik meende het niet.

Ze deed een stap naar voren en sloeg haar armen over elkaar. Haar zwarte schaamhaar glom in het zwakke licht en het
brede gewicht van haar heupen trok mijn aandacht, toen ze
de linker ervan heen en weer wiegde.

'Ik denk niet dat we elkaar weer zien, maar kun je niet wat
achterlaten voor een dame?'

'Ik wist niet dat het op die manier was.'

'Dat is ook niet zo, maar een dame slaat een cadeautje niet
af.'

Ik pakte mijn portemonnee. Ik wist niet wat ze verwachtte,
maar ik gooide een paar briefjes van tien en twintig dollar op
het verfrommelde laken. Ik wist niet hoeveel het er waren

en ik had geen zin om het na te tellen, maar ze zei met haar wazige, aangeschoten stem: 'Oké, gierigaard. Je neukt genereuzer dan dat je cadeautjes geeft.'

Ik draaide me om, liep de kamer uit, kwam langs de receptie waar een oudere, zwarte man met zijn hoofd rustend op de balie lag te slapen. Het begon buiten licht te worden. Ik voelde me prettig op een vreemde manier, nog steeds aangeschoten en tegelijkertijd zeer nuchter. Ik had nergens spijt van, maar ik was ook niet blij. Ik kreeg enigszins een slecht geweten dat ik geen voorbehoedsmiddel had gebruikt, maar dat verdween weer. Ik had geen relatie met iemand. Ik kon het niet doorgeven aan anderen. Ik was verlost, maar zat ook nog steeds met mijn knelpunten, opgehoopte schuldgevoelens en verbittering over de jaren die gewoon waren verstreken zonder dat ik me van de tijd bewust was geweest. Ik voelde dat ik wilde lachen en huilen tegelijk.

Key West lag er stilletjes bij in de prille dageraad. Van de hemel en de zee kwam een toverachtig licht, dat zich als een deken over de geverfde houten huizen legde, zodat ze een sprookjesachtig uiterlijk kregen, alsof ik ze door een gaas bekeek. De bloemen waren bedekt met dauw en de meeuwen vlogen geluidloos over de daken van de huizen. De wind was zwak en rook naar zeewier en zoute oesters. Ik kon Beth aan mijn lichaam ruiken en de tabaksrook van Sloppy Joe in mijn kleren. Ik liep naar de zee, naar de zuidelijkste punt, waar normaal gesproken veel mensen in het restaurant of op het smalle stukje zandstrand voor de klaargezette tafels aanwezig waren. In de vroege dageraad was ik er helemaal alleen. Ik verwachtte dat Carlos elk moment tevoorschijn kon komen om vol verlangen naar Cuba te turen, maar ik bleef alleen. Een pelikaan zweefde majestueus door de lucht en landde voor me op zee.

Hij draaide langzaam zijn kopje en keek me met zijn ene oog aan. Ik liep naar de hoge zwart-rode markering en legde mijn handen op de inscriptie: 90 MILES TO CUBA. Ik keek uit over zee en naar de pelikaan, die gezelschap kreeg van nog een pelikaan, die als een elegant watervliegtuig op de windstille, grijze zee landde. Ik kon de zon voelen, hoewel ik hem nog niet kon zien. Het begin van een nieuwe dag. Voor het eerst sinds jaren verheugde ik me op een nieuwe dag, omdat ik niet wist wat die zou brengen.

De hanen in Key West begonnen te kraaien. Eerst de ene, toen de volgende, terwijl ik naar Cuba tuurde met mijn hart vol opgekropt gemis.

Ik had genoeg van Sloppy Joe en daarmee van Key West, maar ik durfde die dag niet auto te rijden. Ik sliep een paar uur, luierde op het strand, dronk grote hoeveelheden water en lag met mijn gehuurde duikbril naar vissen te kijken. Ik wandelde naar Carlos en sprak met hem af dat we elkaar een paar dagen later in Miami zouden treffen. We spraken af dat ik op donderdagochtend naar Calle Ocho in Klein Havana zou komen 'waar de oude mannen domino speelden'. Dat was drie dagen later. Ik moest even nadenken. De dagen van de week hadden geen betekenis in Key West. Hij gaf me bij het afscheid formeel een hand en bedankte me op zo'n manier dat ik een andere kant op moest kijken. Ik at een broodje in het hotel, ging vroeg naar bed en reed de volgende ochtend in mijn huurauto, wonderlijk euforisch, fris en uitgerust na negen uren geslapen te hebben.

Ik zette de airconditioning in mijn Ford Freestyle SUV fourwheeldrive uit en deed het raam open. Het weer was opnieuw heerlijk met een zachte zeewind en een mooie zon aan de hemel, waar Onze Vader alles blauw liet kleuren. Een automaat, één hand aan het stuur, terwijl de andere arm op de rand van het open raam rustte en de lucht de auto in stroomde. Zachte rock op de radio van Magic Radio 102.7. Ik voelde me zo Amerikaans met mijn nieuwe shorts, nieuwe T-shirt, nieuwe Nike-gympen, nieuwe schoudertas, nieuwe zonnebril en mijn net aangeschafte pet met daarop als motief het gezicht van Hemingway met een witte baard. Ik voelde me bijna jong en onverantwoordelijk. Ik wilde vooruitkijken, niet terug. Ik was op reis, echt op reis. Ik had geld in mijn zak uit een pinautomaat en twee verschillende creditcards. Ik wilde nergens over inzitten. Ik wist niet hoe snel ik het zou kunnen voelen als ze me ergens mee had besmet, maar ik plaste normaal en mijn penis zag er niet anders dan anders uit. Het leek alsof ik alles had gedroomd en toch ook weer niet. Het was een zeer heftige en zeer fysieke gebeurtenis geweest. Ik kon me niet herinneren wanneer ik voor het laatst zo geil was geweest. En ik kon het bijna niet begrijpen. Als ik Beth vanuit mijn normale normen beoordeelde, was ze een grove en vulgaire vrouw. Misschien was dat het hele geheim? Ik had mijn hersenen en gevoelens uitgeschakeld. Ik had me onderworpen aan onzin.

Er was veel verkeer om me heen, maar duidelijk minder in de richting van Miami over het vreemde stukje provinciale weg dat de eilanden met het vasteland verbindt. Er waren veel grote Harleys met mannen van middelbare leeftijd die de wind vrij over hun kale schedels lieten gaan. Ik had al ontdekt dat er in de vs niet snel werd gereden en bovendien deed ik het rustig aan, want ik had geen haast. Ik had het hotel in Key West een kamer voor mij laten reserveren in Miami, niet in Klein Havana, maar aan de kust. Ik zou gaan overnachten in Miami Beach. Het was duurder, maar dat vond ik niet erg. Ik had de stem van de gps uitgezet. De volgende vele kilometers hoefde ik alleen maar rechtdoor. Ik stopte ergens bij een café en at daar een broodje krabsalade en dronk een groot glas ijsthee, terwijl ik zat te kijken naar de dure plezierjachten en de grote pelikanen, die me de hele tijd dreigend aan leken te kijken wanneer ze op het schitterende water landden. Ik hield van dit uitzicht. Het liet me in alle eenvoud zien dat ik ver van huis was. Ik reed verder in een vreemd, wazig humeur, alsof ik naar mezelf in een film keek.

Totdat de orkaan in 1935 delen van het bruggensysteem had verwoest, waren de vele eilanden die op een rij liggen en de Keys vormen door een spoorlijn verbonden, had ik in een toeristische brochure in Key West gelezen. Ik kon de restanten van de oude spoorwegbrug in het water naast de nieuwe hoge bruggen van de provinciale weg zien. Een van de langste heet de zevenmijlsbrug, net als de oude spoorwegbrug, en toen ik dichterbij kwam, zag ik op een vlak stukje op het strand drie zwart-witte patrouillewagens en een witte geluidswagen met een schotelantenne en grote zwarte letters op de zijkant staan, die vertelden dat het lokale nieuws ter plekke was.

Ik reed een parkeerterrein op en stapte uit. Er stonden al diverse auto's in het droge, steenachtige stof. Het water rook zoet weeïg naar oud zeewier. Een paar misvormde struiken hielden stand in de hitte. Ik kon zien hoe de oude spoorwegbrug zich uitstrekte in zee. Lange stukken leken intact te zijn, maar er zaten ook gaten in, dus hij verbond niets. De politie had helemaal bij het water een versperring van zwart-geel lint gemaakt, maar je kon moeiteloos zien wat er gebeurde.

Bij een brugdeel, dat alleen stond met aan beide uiteinden breuken, sloeg een merkwaardige, oude, drijvende doodkist tegen het verweerde cement van het brugdeel. Ik kon zien dat het een lage zeejol was, die de vissers op de Ringkøbing Fjord in mijn jeugd net zo goed hadden kunnen gebruiken om op de fjord te vissen, maar ze zouden er niet over peinzen om hem mee te nemen op open zee.

'Wat gebeurt er?' vroeg ik een dikke man die er met zijn net zo dikke vrouw stond. Ze hadden ieder een blikje cola in hun hand en zij zat uit een chipszak te eten. Haar mond maalde en door het krakende geluid kwam mijn oude kater bijna weer terug, maar zoals de meeste Amerikanen waren ze vriendelijk en direct, en ze accepteerden de natuurlijke nieuwsgierigheid van een onbekende, zoals kinderen dat zouden doen.

'Cubanen', zei hij en hij veegde zijn kleine mond af, die leek te verdwijnen in het vet. 'Cubaanse vluchtelingen van het communisme van Castro. *Poor devils.*'

'Hoezo? Ze zijn toch aan land gekomen?'

'*No, Sir.* Hun voeten zijn nog steeds nat.'

Ik wist niet wat hij bedoelde, maar voordat ik het kon vragen, begon er op zee bij het brugdeel van alles te gebeuren. Er zweefden twee helikopters boven ons. Op de ene stond: POLICE. Op de andere: NEWS. Het ritmische geluid van de propellers deed me denken aan een oorlogsfilm. Er lag een groot patrouillevaartuig van de Amerikaanse kustwacht op zo'n vijftig meter afstand van de schamele jol, waarvan de afgebladderde verf tussen de opgeblazen autobanden dreef. Daarmee hadden de vluchtelingen hun jol zeewaardig proberen te maken. Ze hadden geluk gehad, want het weer was rustig geweest. De jol had nog geen zuchtje wind aangekund, maar doordat hij zo klein was, hadden ze onopgemerkt kunnen uitvaren langs de Cubaanse radar en onopgemerkt langs de patrouilles van de Amerikaanse kustwacht kunnen komen.

Maar de jol was aan het zinken. Hij lag diep in het water. Ik kon niet goed zien hoeveel mensen er aan boord waren geweest. Het leek een redelijk groot gezin. Er zaten blijkbaar een paar bijna volwassen kinderen in de jol, terwijl een volwassen man op de oude spoorwegbrug was geklommen, waar hij met zijn T-shirt stond te zwaaien alsof hij een trotse zeerover was die een fort van de vijand had veroverd. De voortdurend aanwezige pelikanen zaten op de brug ongeïnteresseerd mee te kijken hoe een speedboot van de politie naar de vluchtelingen voer, die bij een stuk van de oude brug tussen twee eilandjes in de Florida Keys waren aanbeland.

Er stapte een vrouw op het brugfundament en ze trok een tamelijk groot kind met zich mee, het leek een tiener te zijn. Daarna kwam nog een groot kind. Uiteindelijk nog een vrouw, die last leek te hebben van haar ene arm. Ze kwam ook ouder over. Misschien kwam het door de gebloemde jurk? De eerste vrouw had alleen shorts en een topje aan. Er was nog een man aan boord. Hij gaf de eerste vrouw een klein kinderlichaam aan. Kon ik in de verte gehuil horen? Of verbeeldde ik het me alleen maar, omdat de groep mensen om me heen de verwachtingsvolle beroering veroorzaakte die je ook in stadions hoort. De jol zonk steeds dieper in het water. Alleen door de opgeblazen autobanden bleef hij drijven. Er ging een collectieve beroering door de groep mensen, toen de vrouw zich ver vooroverboog en samen met het kind in het water viel. De man in de jol sprong over de rand en greep het kind, dat in paniek om zich heen sloeg en het blauwe water in wit schuim veranderde. De vrouw leek te kunnen zwemmen en al spetterend kwam ze bij de zinkende jol en hield zich vast aan de reling. Daardoor kwam de jol nog lager te liggen. Het was een wonder dat ze zo ver waren gekomen.

De speedboot van de politie kwam dichterbij, voer langs de brug en bleef stilliggen, en er sprong een man in een duikpak in het water. Er werd een rubberboot te water gelaten en twee mannen peddelden naar het brugdeel. Ze trokken de vrouw, het kind en de man in de boot, voordat ze helemaal naar de oude spoorwegbrug roeiden en de oude vrouw en de twee grote kinderen in de rubberboot zetten. Op de brug hield de man op te zwaaien met zijn T-shirt en hij ging in kleermakerszit zitten wachten, terwijl het geluid van de propellers boven ons hoofd het noodzakelijke dramatische decor creëerde.

Ik reed verder, merkwaardig goed gestemd door het feit dat de Amerikaanse werkelijkheid televisie leek, en dacht banaal dat de wereld vreemd was. Je wordt op een toevallige plek op de wereld geboren en dat bepaalt of je problemen existentieel zijn in de zuiverste betekenis van het woord of alleen maar normale uitdagingen, die ieder verstandig mens in een moderne welvaartsstaat kan oplossen, zoals mijn vader gezegd zou hebben in zijn onveranderlijke betweterigheid. Ik had geen medelijden met de Cubaanse vluchtelingen. Ik was jaloers op hen, terwijl ik me afvroeg wat de dikke Amerikaan bedoelde toen hij zei dat hun voeten nog nat waren.

Ik probeerde of de radio het mij kon vertellen. Ik zapte van zender naar zender om het nieuws te vinden tussen alle muziek en de eindeloos herhaalde reclames, waar uitgelaten stemmen me het eeuwige geluk en talrijke belevenissen beloofden als ik een of ander product zou kopen.

Ik vond uiteindelijk een zender met plaatselijk nieuws over de keuze van een sheriff en een bijeenkomst van de plaatselijke Rotary. Na nog een reclame vertelden ze kort dat het gezin dat ik had gezien bij de zevenmijlsbrug uit zeven mensen bestond: vader, moeder, oma, een zwager en drie minderjarige kinderen. Ik begreep dat ze teruggestuurd zouden worden. Ze hadden natte voeten. Wat betekende dat toch? Er waren eerdere gevallen. Er waren precedenten. Wat ik ervan begreep was dat ze niet als aangekomen in de vs werden beschouwd, omdat ze alleen maar de oude spoorwegbrug hadden bereikt. De brug, die nergens naartoe leidde, die niet iets met iets anders verbond, hoorde bij het natte element en niet bij het Amerikaanse vasteland. Ze waren niet in Amerika beland, maar in het luchtledige. Ze konden net zo goed in een fata morgana zijn beland of zijn opgepakt op open zee. Ze hadden zo ver gevaren zonder te zinken, maar de laatste paar honderd meter had de jol niet aangekund.

Ik geloofde mijn eigen oren niet, maar zo was het blijkbaar. Mijn jaloezie leek naïef en verwaand. Ik was op zoek naar gebeurtenissen, iets waardoor ik voelde dat ik leefde. Maar ik deed het als een toerist in het leven en niet met het leven als inzet. Ik had een ontevreden gevoel over mezelf, waar ik me niet aan wilde onderwerpen en ik zette de oude vertrouwde zender OneOtwoPointseven weer op, die liever geen muziek speelde die na 1980 was gecomponeerd.

Ik kon het niet laten om te denken aan de Cubanen en hun vele angstige uren op open zee, terwijl de radio The Doors draaide, en de restanten van de oude spoorwegbrug werden een fata morgana in het felle zonlicht. Zo hadden ze de brug zien opduiken. Ze hadden gedacht: we zijn er. Het is ons gelukt. Ze hadden elkaar omarmd en de kinderen tegen zich aan gedrukt. De vader was op de brug geklommen en had zijn T-shirt als overwinningsvlag gebruikt. Ik realiseerde me dat de wereld zo in elkaar stak. Mensen vluchtten van de ene naar de andere plek. Er verscheen een beeld voor mijn ogen dat veel te echt was en het bleek een oude drijvende doodkist te zijn die voor de kust van Gran Canaria met zwarte mensen aan boord zonk en het leek alsof ik ze ver weg op zee voor de kust van Florida zag, wat totaal nergens op sloeg.

Door het felle licht dat boven het blauwgroene water schitterde, kreeg ik tranen in mijn ogen achter de dure zonnebril, die niet kon verbergen dat de horizon in de verte dichterbij kwam en lichamelijk aanwezig was, verbonden door menselijke ingenieuze kunst. Ik was alleen niet meer met iets verbonden. Ik verbond alleen mijzelf met mijzelf en ik was verlaten als een brug zonder begin en zonder einde. Het paste heel goed dat The Beatles nu zongen dat ik geen hulp nodig had toen ik jonger was, maar die tijd was voorbij en nu had ik iemand anders nodig om de deur te openen.

5

Calle Ocho was een lange, rechte straat in Miami. Ik reed er op donderdag naartoe vanuit mijn hotel in South Beach Miami terwijl de zon hoog aan de hemel stond, die slechts korte tijd verdween wanneer er witte wolken langsdreven die het licht boven het blauwe water en het overweldigende stadslandschap dempten. De wolkenkrabbers verrezen als gebergtes toen ik over de MacArthur-brug reed, downtown, en ik voelde me groot en klein op een en hetzelfde moment. Groot, omdat ik hier alleen was. Klein, omdat de flats boven me uittorenden en me insloten. Er jogden mensen in een park of ze wandelden met hun gemanicuurde handen, terwijl ze aan hun grote kartonnen bekers koffie nipten. Er was de gebruikelijke combinatie van zeer elegant geklede mensen en dikke, vormeloze wezens, die waggelden als gestrande nijlpaarden. Zo was het bijna overal in de wereld. Iedereen lurkte aan een kop koffie of kauwde op wat eten, terwijl ze zich in het openbaar begaven. Wat deed men voordat de wegwerpverpakkingen en kartonnen bekers waren uitgevonden? Bij een bankje stond een oudere, zwarte man in een prullenbak te wroeten. Een poedel met een roze strikje trippelde langs hem met hoog opgeheven kopje.

Het was iets na elven en ik had de afgelopen dagen niets uitgevoerd. Niets anders dan luieren. Ik werd er steeds beter in om met de stroom mee te gaan. Ik had gegeten en gedronken, in de mensenmassa over de strandpromenade gewandeld, naar de rijken en hun grote auto's gekeken, en twee keer per dag gezwommen in de zee. Mijn hotel, dat een beetje oud was, lag in de tweede rij vanaf zee gezien en het rook er naar goedkope desinfecteermiddelen, alsof men probeerde te verbergen dat hier vroeger rokers hadden overnacht, wat in dit gebied nu verboden was, maar de geur ervan zat verweven in de pluche van de meubels en de versleten pool van de vloerbedekking, en vertelde over de normale lasten van vervlogen tijden.

Mijn oog viel op een man van wie ik eerst dacht dat het Carlos was. Hij stond aan de kant van de weg en leek zijn blik op mij te hebben gericht. Hij droeg een donkerblauwe guayabera, lichte slacks en een panamahoed op zijn hoofd, die een schaduw over zijn smalle gezicht wierp en toen hij zijn hoed optilde om zijn kale schedel af te vegen, zag ik dat het Carlos niet was. Hij was veel jonger, zijn gelaatstrekken waren krachtiger en hij had een vreemde brutale uitdrukking in zijn ogen, die een kleine rilling van angst over mijn rug liet lopen. Met diezelfde angst werd ik wakker, totdat ik 's ochtends had geplast. Net als de angst die ik 's ochtends had, verdween hij net zo snel als dat hij was gekomen. De man zette zijn strohoed weer op zijn hoofd en stapte een sigarenwinkel binnen. Ik geloof niet dat Papa voor kleine dingen of voor zijn eigen schaduw bang was geweest of dat hij had gevochten om een knagende angst op afstand te houden.

Ik was 's ochtends wakker geworden met een harde erectie en de naweeën van een droom over Merete, waar ik me niet veel van kon herinneren, maar ze had naar me gezwaaid en het leek alsof ze boven een veld met blauwe bloemen had gezweefd. Eerst dacht ik dat ze kon vliegen, maar ik zag tot mijn schrik dat ze geen voeten had. 'Neuk voor de allerlaatste keer met me', had ze geroepen en ik zag de zin als een tekstballon boven haar hoofd.

Calle Ocho liep recht en er stonden okerkleurige gebouwen. De meeste uithangborden voor de winkels waren in het

Spaans. Op een hoek stond: LIBRERÍA CERVANTES: Elke dag geopend. De etalages waren echter gedicht met brede, kale planken. In de parallelstraten lagen kleine, goed onderhouden huizen die werden omgeven door tuintjes met palmbomen en groene gazons. Calle Ocho was als hoofdstraat in Klein Havana meer afgeleefd dan de nette zijstraten waar de Cubaanse ballingen hun Amerikaanse middenklasseleven in materiële veiligheid leidden. De meesten leken het goed te hebben gedaan. Ze hadden Cuba verlaten in de hoop deel uit te kunnen maken van de Amerikaanse droom en dat was velen gelukt. Ze droomden alleen nog wel steeds over Cuba. Ze waren een politieke machtsfactor in de Amerikaanse politiek. Wat wilden ze? Deze verkleinde weergave van de Amerikaanse bekrompenheid meenemen over de zee naar Havana? Ik wist het niet. Ik moest anderen niet veroordelen. Ze leefden hun eigen versie van het leven dat ik in Denemarken had geleid, dacht ik toen ik door de straten achter Calle Ocho reed om het plein te vinden waar de oude mannen domino speelden, kaartten en schaakten.

Klein Havana was aan de ene kant van Calle Ocho heel netjes en aan de andere kant meer afgeleefd en armer met vier verdiepingen hoge, grijze gebouwen, waar de afvalcontainers uitpuilden. Dat zag ik toen ik aan de verkeerde kant kwam en rondreed om het Máximo Gómez-plein te vinden. Ik was vergeten om de gps aan te zetten. Het was eigenlijk ook leuker om het zelf te vinden. Carlos had me verteld dat het bij S.W. 15th St. lag. Op Calle Ocho was het eenrichtingsverkeer en het duurde enkele honderden meters voordat ik een lege parkeerplaats vond. Ik stopte munten in de oude parkeermeter en wandelde terug naar het Gómez-plein langs cafeetjes, videotheken en een sigarenwinkel, waarvan de geur van goede tabak ervoor zorgde dat ik voor het eerst sinds jaren weer zin had om te roken. Er hing een groep jongeren voor een hamburgertent. Drie mannen met lichte overhemden aan stonden voor een café sigaren te roken. Twee jonge zwarte vrouwen in shorts slenterden met wiegende heupen voor me uit, voordat ze een kledingzaak binnenstapten.

Carlos stond op het plein een sigaar te roken toen hij me zag, en op zijn gezicht verscheen een grote glimlach. Hij zwaaide en begon iets te zeggen, hoewel de wind zijn woorden meenam. Hij droeg zijn gebruikelijke witte guayabera, lichte slacks en blauwe bootschoenen. Naast hem stond een man van mijn eigen leeftijd of misschien iets ouder. Hij vertoonde overeenkomsten met Carlos, maar was forser en zijn gezicht was rond onder de blauwe pet met het logo van de Miami Dolphins. Hij had gespierde bovenarmen en een brede glimlach, toen Carlos mij eerst een hand gaf en mij daarna voorstelde aan de man: 'Dit is mijn zoon, Juan Carlos. Carlitos, mijn vriend John. Hij komt uit het verre land Denemarken, maar hij spreekt onze taal.'

Hij gaf een stevige en droge hand ondanks de warmte. Hij had donkere ogen en een pokdalige huid. Zijn stem was diep en wat hees, toen hij mij welkom heette in Klein Havana. Het haar dat ik onder zijn pet uit zag komen, was grijs.

'U bent misschien het oudste kind?' vroeg ik.

'Ja, dat klopt.'

'Uw vader heeft over het gezin verteld.'

'Ik weet dat u hebt beloofd een brief mee te nemen voor Clarita. Dat doet mijn vader heel goed.'

'Misschien kunnen jullie er snel zelf naartoe. Ik heb gehoord dat Castro heel ziek is.'

Juan Carlos zei spottend: 'Zo gemakkelijk gaat dat niet. De Baard heeft te lang gezeten. Veel mensen denken dat als De Baard weg is, dat alles dan oké is. Zo gemakkelijk gaat dat niet. Je hebt die klootzak van een broer. Er zijn anderen. Zo gemakkelijk zal het niet gaan.'

'We gaan wel terug', zei Carlos.

'Ik zeg niet dat dat niet zal gebeuren, *dad*. Ik zeg alleen dat het niet zo gemakkelijk is als jullie denken', zei hij met enigszins scherpe stem. Het korte woord 'dad' in plaats van 'papa' maakte duidelijk dat hij net zo graag Engels als Spaans sprak, dat hij het laatste tegenover mij gebruikte uit respect voor zijn vader. Juan Carlos ging verder in het Engels: 'Er zijn veel dromen in deze straat. Ik hoop alleen niet dat het nachtmerries worden. Het zal niet gemakkelijk worden. Die klootzakken komen niet van hun plek.'

Carlos negeerde hem en zei in het Spaans: 'Kom, John.' Hij kneep zacht in mijn arm. 'Er is een man die je moet ontmoeten. Hij verheugt zich erop je te zien.'

We liepen een overdekt, maar open pleintje op, waar mannen domino speelden, kaartten en schaakten. Met een handbeweging vroeg Carlos me te wachten, terwijl hij zelf naar een van de tafels liep die centraal in het paviljoen stonden. Er zaten vooral oudere mannen te spelen, onder een bord waarop in het Spaans stond dat lelijke taal niet werd getolereerd, dat er niet mocht worden gespuugd en dat je niet in het bezit mocht zijn van een handwapen of pistool. De straf was blijkbaar hetzelfde: een aantal dagen geen toegang. De gehele muur aan het einde van het pleintje werd bedekt door een verfraaiende fresco van donkere, Cubaanse mannen, die bij elkaar waren voor een wereldcongres. De kleuren waren helder en scherp, en daardoor leken ze op deelnemers aan een vrolijke operette.

Aan de tafels hadden de mannen het erg druk met hun spel. De schakers zaten stil met gebogen hoofd, de kaartspelers gooiden de kaarten op tafel en ik kon het geklik horen wanneer de dominostenen hard werden neergelegd. Aan het geroep kon je horen of een spel was beslist.

Ik keek naar Carlos. Hij wachtte respectvol totdat een andere oudere man in een wit overhemd klaar was met het spelen van zijn laatste witte dominostenen. Het spel leek bijna afgelopen te zijn. De oudere man stond in elk geval op en knikte naar de andere mannen aan tafel, voordat hij naar me toe liep. Hij was heel mager en had een smal gezicht. Zijn haargrens was omhooggekropen, waardoor het hoofd erg lang leek, met bovenop de laatste haren zorgvuldig gekamd. Zijn mond was klein en smal en zijn ogen waren bruin en uitdrukkingsloos toen hij me formeel een hand gaf. Die was droog en glad, ondanks de warmte en zijn leeftijd.

Carlos zei: 'John, dit is señor Pelayo Duran. Hij kende Franqui, een van de patriottische helden, God hebbe zijn ziel. Dit is señor Juan Petersen uit Denemarken. Hij spreekt onze taal, *comandante*.'

Zoonlief stond er met een sigaar in zijn mond naar te kijken. Een kleine ironische of zelfs verachtelijke glimlach rond zijn pokdalige kin kon me niet ontgaan. Alsof woorden als 'helden' en 'commandant' woorden waren die voor een Amerikaan van Cubaanse afkomst uit de middenstand niet meer iets betekenden. Alsof het woorden waren die tot het verleden en de oude mannen behoorden, die alleen konden putten uit de dromen van hun jeugd, terwijl zijn eigen leven bestond uit deadlines, schulden en een vrouw van wie hij misschien niet meer hield. Dat kon ik niet weten, maar ik dacht het, toen Pelayo Duran zei: 'Ik begrijp dat u bereid bent om naar het vaderland te gaan en een brief mee te nemen voor de dochter van mijn vriend, die zich blijkbaar nu heeft gerealiseerd dat ze een fout heeft begaan. Dat is goed. Dan moet je vergiffenis schenken. Als het lam terugkeert naar huis, moet het ontvangen worden met liefde en niet met woede.'

Hij sprak met zachte stem en keek me niet aan terwijl hij sprak, maar Carlos leek hem met het grootste respect te behandelen. Er was geen angst in zijn respect te bespeuren, eerder een wederzijds begrip en de uitstraling van een jarenlange vriendschap. Pelayo was niet echt groot, maar ondanks zijn leeftijd kwam hij toch pezig en taai over. Van dichtbij kon je zien dat zijn gezicht en handruggen vol levervlekken zaten, die je eerst niet opvielen op zijn bruine huid.

'Laten we een stukje gaan wandelen, señor Petersen', zei hij en hij pakte mijn elleboog zacht vast, terwijl hij naar zijn vrienden knikte. Carlos en zijn zoon liepen vlak achter ons. Pelayo Duran liep langzaam en leek enigszins te slepen met zijn ene been. Hij liep de straat op en zei ondertussen: 'Carlos is een goede man. Een ware patriot, dus ik ben blij dat u wilt helpen.'

'Dat stelt niets voor.'

'U bent nog een jonge man ...'

'Ach, señor. De vijfenveertig jaar komt met rasse schreden dichterbij. Over slechts een paar jaar ...' Ja, wat dan eigenlijk? Vijftig jaar en onderweg naar de dood?

Hij lachte en keek me aan.

'En ik ben bijna vijfentachtig. Dus voor mij bent u een jonge man.'

'Oké.'

'Ja, dat is oké, zoals we hier zeggen. Het is oké dat u een brief meeneemt voor Clara. Deze zaak is belastend voor mijn goede, oude vriend. Hij wil graag vrede sluiten voordat hij ons gaat verlaten. Dat is menselijk en zeer begrijpelijk. Het ziet er ook naar uit dat Clara voor rede vatbaar is.'

'Het lijkt erop dat het regime daar zijn beste tijd heeft gehad', zei ik.

'Tja, misschien wel, maar wat komt er dan?'

'De vrijheid. Zoals op de meeste plekken waar het communisme is gevallen.'

'Tja, misschien wel, maar misschien zullen alleen wij oudjes weer teruggaan. De jongeren zijn Amerikanen geworden en die zijn blij met hun leven hier.'

'Dat maakt toch niet zo veel uit?'

'Tja, misschien niet. Mijn generatie putte kracht uit de droom om ooit Cuba bevrijd te zien van de communistische tirannie. We moesten echter ook leven, dus we balanceerden met ons leven op de scheiding tussen het Cubaanse en het Amerikaanse. We pasten het aan, net zoals we deze stad veranderden. Die werd nooit meer hetzelfde. Wij werden nooit meer hetzelfde. Ik heb een zoon die advocaat is. Hij is getrouwd met een Amerikaanse vrouw. Twee kinderen. Allebei Amerikaans. Hij wil en kan niet naar Cuba gaan wanneer Cuba wordt bevrijd.'

'Dan kan hij toch samen met zijn gezin op bezoek komen?'

'Dat zegt iedereen. Ze zullen natuurlijk allemaal het eiland bezoeken, maar ernaartoe verhuizen?' Hij spreidde zijn armen.

Achter ons zei Juan Carlos: 'Dat is goed te begrijpen. Velen van ons hebben een behoorlijk goed leven hier. We weten hoe het er daar uitziet: vervallen, arm, vol gebreken. Waarom zouden wij en onze kinderen ons goede leven verruilen voor een leven op een plek waar het wel mooi is, maar waar je ook een grote inspanning moet leveren om het er normaal te laten worden? Wat moeten onze kinderen op zo'n plek? In zo'n ontwikkelingsland?'

'Misschien uit plicht', zei Pelayo Duran.

'Dat kun je niet verkopen', zei Juan Carlos. 'Dat is net als wanneer de ouderen zeggen dat ze terug willen en hun winkel weer terug willen krijgen. Ze willen hun boerderij terug. Ze willen het vee terug dat de gebroeders Castro hebben afgepakt. Wat moet je ervan zeggen? De koe is allang dood.'

Hij richtte zich tot mij, alsof hij me indirect wilde waarschuwen: 'Señor Petersen. De generatie van mijn vader weet het wel. Ze weten wel dat het bijna vijftig jaar geleden is en dat we misschien bijna aan het einde zijn gekomen van die klootzak van een Fidel, maar betekent dat dat we allemaal naar Cuba moeten afreizen om het land weer op te bouwen? Nee. We gaan ernaartoe. En dan gaan we weer naar huis.' Hij legde de klemtoon op huis, herhaalde het woord en ging verder: 'De generatie van mijn vader heeft er jarenlang mee gewacht om een huis te kopen. Dat zou hetzelfde zijn als toegeven dat je er niet in geloofde dat je terug zou keren. Nu bezit iedereen een woning. Het leven hier is goed. En De Baard heeft tien Amerikaanse presidenten naar het graf gebracht. Doe alstublieft de groeten aan mijn zus als u haar ziet en zeg tegen haar dat ze mag thuiskomen of niet, maar het is niet meer zoals vroeger. Aan beide kanten. Het heeft geen zin om betrokken te raken. Zoals ik al zei: de koe is allang dood.'

'Dus ze zijn vergeefs doodgegaan', zei Carlos en hij keek zijn zoon aan met een blik die misschien ooit respect had ingeboezemd bij zoonlief, maar nu maakte het hem niets uit. Ik wist niet helemaal wat voor spelletje de drie mannen speelden.

We waren bij een beeld aangekomen van een man met een machinepistool. Er waren ook andere monumenten. De Cubaanse ballingen hadden blijkbaar hier hun gedenktekens en de basis van hun dromen. Zoiets lijkt op elkaar. Er was een eeuwig brandende vlam die in het midden van een cirkel van granaten stond. Het gedenkteken met de man met het machinepistool was vrij nieuw, uit 2001; de ouderen probeerden blijkbaar voortdurend vol bezieling te blijven. Er was ook een witte madonna om eraan te worden herinnerd dat God met hen was en verder een reliëf dat Cuba toonde. Een paar jonge mannen hingen rond bij het reliëf en staarden ons aan.

De oude man vertelde nog een keer het verhaal over de mislukte invasie lang geleden in 1961 en over het verraad van Kennedy, maar ik luisterde slechts met een half oor. Ik geloof dat hij dat merkte, want hij gaf me plotseling een hand om afscheid te nemen. In plaats daarvan nam Carlos me verder mee op de kleine bedevaart. Zijn zoon gaf me ook een hand en zei dat we elkaar later wel weer bij de lunch zouden zien.

Carlos en ik liepen langs een soort cultureel instituut, waar een paar vrouwen een mooi berglandschap schilderden. Het deed denken aan een soort avondschool of een ochtendgroep van het plaatselijke cursuscentrum in Ringkøbing.

'Viñales', zei Carlos. 'Dat is een erg mooie plek in Cuba. Misschien de mooiste. De vrouwen hebben de mooie bergen nooit gezien, maar ze schilderen ze toch. Op basis van vage foto's of de verhalen van hun familie. Kijk, er is hoop en een droom, wat mijn zoon helaas niet begrijpt.'

'*Cuba linda*', zei ik.

Hij glimlachte warm naar mij: 'Ja, John. Mooi Cuba.'

We liepen nog wat verder. Het was een mooie en heerlijk warme dag, maar het was niet te warm. Er waaide een briesje, dat ervoor zorgde dat de wimpels en bladeren een luchtballet dansten. Zijn kleine rondleiding had een bedoeling, want we stopten bij nog een gedenkteken. Het vertelde het verhaal over de mensen die onderweg van Cuba naar de vs waren verdronken, over een schip dat werd beschoten door de communisten, zodat iedereen aan boord verdronk. Het stond tamelijk onopgemerkt op een hoek in de buurt van een oude industriewijk en er leken niet veel bezoekers te komen.

'Zo veel tragedies', zei Carlos. 'Zo veel doden …'

'Ze komen nog steeds', zei ik en ik vertelde hem het verhaal over het gezin dat ik had zien aankomen bij de oude spoorwegbrug, toen ik van Key West naar Miami reed. Hij luisterde, schudde zijn hoofd en zag er verdrietig uit, maar zei niets. In plaats daarvan haalden we mijn auto en reden naar zijn zoon. Hij woonde in een redelijk groot huis aan de goede kant van Klein Havana. Het bestond uit twee verdiepingen, het hout met de witte luiken was goed onderhouden, er was een groot terras en er stonden twee auto's op de oprit. De tuin was groot en er stond geen heg omheen, zoals in Denemarken altijd het geval is. Er stonden grote rode bloemen, waarvan ik de naam niet wist en kleine palmbomen op het grote gazon. Ik parkeerde achter de twee auto's op de oprit.

Juan Carlos kwam ons tegemoet en gaf me weer een hand. Naast hem stond een kleine gezette vrouw met een merkwaardige onderbeet. Dat was zijn vrouw. Haar handdruk was slap en vochtig. Net als Juan Carlos had ze een schort voor en ze verontschuldigde zich snel, liep het huis binnen en kwam vrij spoedig naar buiten met een schaal sla. Achter haar liep een zwijgend tienermeisje met een kan en een andere schaal, die gevuld leek te zijn met een soort aardappelsalade. Ze dekten de tafel in de tuin. Of liever gezegd: ze zetten plastic glazen en kartonnen bordjes met bier en cola, mosterd en ketchup neer. Er was salade en zwarte bonen, waar de Cubanen zo van houden.

Er waren een paar andere mannen die een hand hadden gegeven, maar die verder niets zeiden. Ze waren rond de dertig en droegen een spijkerbroek, polohemd en dure jassen, en ik kreeg de indruk dat ze mij bekeken en keurden. Ze hielden hun donkere zonnebrillen op en leken een beetje op karikaturen van Cubaanse gangsters. Carlos en Juan Carlos behandelden hen beleefd en vriendelijk. Waren het bodyguards? Ik ving in elk geval bij een van hen een glimp op van een pistool in een huls. Toen ik een gesprek op gang probeerde te brengen, antwoordden ze met eenlettergrepige woorden en ze deden demonstratief een paar stappen opzij en praatten op zachte toon met elkaar. Ik vroeg Carlos wie ze waren. Hij antwoordde 'vrienden van de zaak' en begon in plaats daarvan over de gouverneur van de staat te praten, over een uitspraak die hij een paar dagen eerder had gedaan en die me blijkbaar was ontgaan. Het ging zoals gebruikelijk over Castro en de toekomst en de ontbrekende steun en hulp. Vlak daarna kwamen Pelayo en een paar oudere mannen en vrouwen van middelbare leeftijd, aan wie ik op Amerikaanse wijze ook werd voorgesteld, maar hun namen ontgingen mij.

Het was een gezellig tuinfeest. Het was bijna alsof ik thuis was. Hier werd alleen Spaans en Engels gesproken. Mannen kwamen naar me toe, wisselden een paar woorden met me en liepen verder met de natuurlijke beleefdheid en bijna kinderlijke nieuwsgierigheid van de Amerikanen. Ik voelde me op mijn gemak, hoewel ik ook het gevoel had dat ze me testten. Wat was ik voor iemand? Dat had ik ze zo kunnen vertellen: een leraar van middelbare leeftijd van het Deense platteland, die tot zijn strot vast zat in het leven.

We stonden allemaal met een blikje bier in onze handen naar Juan Carlos te kijken, die bezig was hamburgers en hele maïskolven te grillen op een grote Weber-barbecue. Van de andere kant naast hem kwam de geur van kip. Dat deed me denken aan mijn eigen barbecue, die in mijn garage stond te wachten op de lente. Voor het eerst voelde ik een gemis naar mijn oude normale leven en naar Merete. Ik realiseerde me plotseling dat het leven zoals ik dat jarenlang had geleid, het normale leven in een bungalow op het platteland, definitief was afgelopen. Kon ik het herstellen? Kon ik het me voorstellen om het weer samen met een andere vrouw op te bouwen? Wat deed ik in Miami? Dacht ik echt dat ik mijn leven kon veranderen? Dat ik van koers kon veranderen? Of misschien eigenlijk: wilde ik het veranderen? Had ik daar het lef voor? Of was het alleen maar iets wat ik me verbeeldde? En in welke richting? En had ik daar überhaupt zin in? Want hoorde ik niet gewoon thuis in de tuin van het huis waar ik jarenlang had gewoond? Ik dacht aan mijn buurman Tom, die van mijn leeftijd was, en aan zijn vrouw Helene, met wie we de afgelopen bijna vijftien jaar de heg hadden gedeeld. Ik kon me plotseling niet herinneren of ik ooit met Tom over iets anders had gesproken dan de kleur van zijn carport, zijn nieuwe auto, voetbal of het nieuwste Weber-gerei, dat we al hadden gekocht of van plan waren te kopen. Het was zo verschrikkelijk banaal, maar ik miste het. Ik miste een tijd die tot het verleden behoorde. Maar hoe kon ik een tijd missen die de afgelopen periode vooral leek op een enorm gat in het universum? Miljoenen seconden gevuld met niets. Net als wanneer The Beatles zongen over de gaten in Albert Hall.

Ik hoorde het geluid van spetterend vlees en snoof de gerookte lucht op en kreeg zo'n brok in mijn keel dat ik bang was dat ik in huilen zou uitbarsten. Ik werd door mijn eigen geschiedenis uit deze pijnlijke situatie gered. Carlos vertelde wat ik hem had verteld bij het gedenkteken voor de verdronken vluchtelingen. Ik voelde hoe de tranen achter mijn ogen prikten, wendde mijn hoofd af en nam een slok van het dunne, koude bier. Ik hoorde Juan Carlos herhalen, blijkbaar deze keer in het Engels: 'Nee, dad. Clinton maakte het nattevoetenbeleid. Dat was natuurlijk een democraat, maar

Bush heeft het niet veranderd. De brug is geen land. Dat nieuwe gezin heeft natte voeten. Zo is dat. Ze worden teruggestuurd.'

'Wat is dat voor iets?' zei ik en mijn stem klonk normaal.

Carlos begon in het Spaans, maar Juan Carlos nam het van hem over en legde het uit in het Engels. Het was alsof de begrippen beter bij die taal pasten en de uitleg leidde mijn gedachten van het leven thuis af.

Duizenden mensen waren in de loop der jaren van Cuba naar de vs gevlucht, die hen met open armen ontving, omdat ze voor een communistische dictatuur waren gevlucht, maar in het begin van de jaren negentig, toen duizenden Cubanen zich met goedkeuring van het regime weer op zee begaven, wilde de vs een regeling treffen. Fidel Castro maakte ook van de gelegenheid gebruik door de criminelen uit zijn gevangenissen te bevrijden en ze samen met gewone vluchtelingen af te schepen naar Miami. Ze kwamen in allerlei drijvende doodkisten aan en zetten de lokale bevolking in Florida onder druk.

President Clinton maakte een afspraak met Cuba. De vs zou niet langer automatisch asiel verlenen aan Cubanen die door de Amerikaanse kustwacht of particuliere zeilers op open zee werden aangetroffen. Ze zouden worden teruggestuurd naar Cuba, of naar een derde land, als ze konden aantonen dat ze in Cuba vervolgd zouden worden. Alleen als de vluchtelingen droog land bereikten, zou hun asielaanvraag in behandeling worden genomen. Anders moesten ze terugkeren naar Cuba om vanuit daar een verzoek in te dienen om toestemming te krijgen naar de vs te mogen reizen. De gemeenschap van Cubaanse ballingen protesteerde, maar het werd doorgevoerd. Het werd het *wet-feet-dry-feet*-beleid genoemd. In de hele wereld begonnen de rijke landen hun grenzen te sluiten.

'Dus ze worden teruggestuurd?' vroeg ik. 'Het gezin dat ik heb gezien?'

Carlos ging verder in het Spaans: 'We hebben natuurlijk onze advocaten op deze zaak gezet, maar ze zijn niet optimistisch. Er zijn precedenten. Als je op de oude spoorwegbrug terechtkomt, ben je technisch gezien nog niet aan land. Dan word je teruggestuurd en moet je vanuit Havana een verzoek indienen.'

'Dat klinkt niet rechtvaardig.'

'De wereld is niet rechtvaardig', zei Juan Carlos en hij legde elegant en ervaren een hamburger op het halve geroosterde bolletje. 'Wil je graag relish op je hamburger? Eet, je ziet eruit als iemand die wel wat eten kan gebruiken.'

Hij was een goede en snelle kok, en hij gaf iedereen die langskwam met zijn kartonnen bordje een hamburger of kip. Ik had trek gekregen en at met veel eetlust. Carlos liet me alleen en liep naar een paar oudere dames en ik kon zien dat ze het fijn vonden dat hij hen probeerde te charmeren.

Een van de jongere mannen met de zonnebril en het pistool in een huls onder zijn arm liep op mij af. Hij zoog op zijn vingers, een voor een, voordat hij onderweg zijn kartonnen bordje en zijn blikje bier in een zwarte plastic zak gooide.

'Señor Petersen,' zei hij. 'Mag ik even uw aandacht …'

'Natuurlijk … señor?'

'Noem mij maar Jorge.'

'John.'

'Oké, John. Wanneer ga je naar Cuba?'

'Waarom vraag je dat?'

'We willen je misschien vragen om ons een dienst te verlenen', zei hij.

'En wat zou dat dan zijn?'

'Kunnen we morgen iets afspreken? Meer privé.'

Ik keek hem aan. Het gesprek maakte me een beetje zenuwachtig, maar het fascineerde me ook. Het lag zo ver van mijn normale leven. Een man met een pistool, maar wel in een tuin waar hamburgers en kip op de barbecue lagen.

'Ik wil graag weten waar het om gaat', zei ik.

'Dat spreekt voor zich. Dat vertellen we je morgen. Het stelt niet zo veel voor. Net zoiets als het fijne wat je voor Carlos doet.'

'Carlos heeft mij geholpen.'

'We zeggen niet dat je het gratis moet doen.'

'Ik weet niet zeker ...'

Er kwam nog een man bij staan. Hij was me eerder niet opgevallen. Hij was van mijn leeftijd, maar fors, als ik het netjes moet zeggen. Hij was dik op de zeer Amerikaanse manier, bijna vierkant met een dikke pens, maar hij had ook brede schouders en stevige, gespierde benen in gymschoenen en witte sportsokken. Zijn gezicht was ook breed onder een hoog voorhoofd en gemillimeterd haar. Zijn ogen waren klein en scherp. Hij had een blauw polohemd en een lelijke geruite broek aan, die tot vlak over zijn knieën kwam, met een brede riem, maar zijn glimlach was net zo breed als zijn gezicht en net zo warm als deze dag, en zijn stem zacht en diep, toen hij in het Engels zei: 'Hallo John. Mag ik mezelf voorstellen? Ik heet Dylan Thomas, maar ik ben geen dichter. Ook al hebben mijn voorouders de weg gevonden van hetzelfde eiland naar de mooie kusten.' Toen lachte hij, ook al kon ik merken dat hij dit veel vaker had gezegd. Hij ging verder: 'Ik werk voor Uncle Sam. Ik kan zien dat je een goed gezicht hebt. Ik heb even naar je gekeken, hier en daar geïnformeerd, niets ernstigs, gewoon even rondgesnuffeld. Je wilt toch graag weten met wie je samen bent. Heb vooral gesproken met mijn goede vriend Carlos. Ik ben geen Cubaan, maar ik werk graag samen met onze Cubaanse vrienden. Wie zou dat niet willen? Het zijn leuke mensen. Ze weten hoe je een goede sigaar maakt en rookt, ze drinken een lekkere mojito en ik weet dat je daarvan houdt. Dansen een salsa en halen het beste uit het leven. Zoals ik zeg: echt leuke mensen.'

Hij legde zijn zware, behaarde hand op mijn arm en keek in mijn ogen. Een beetje zoals ik heb gelezen dat Clinton doet, wanneer hij echt iemand wil charmeren of overhalen, en hij zei: 'Luister eens, John. Er zijn geen verplichtingen. We willen alleen even met je praten. Jij bent de joker in een spel dat je nog niet kent. Je komt als gezonden uit de hemel in een situatie die elke dag scherper en verder toegespitst wordt. Carlos is een vriend. Jij kunt een vriend worden.'

'Het klinkt wat merkwaardig', zei ik, maar ik was ook gefascineerd. Het kriebelde over mijn rug en ik kreeg een vreemd gevoel in mijn buik.

'Dus ik weet het niet zeker', herhaalde ik.

'Kunnen we morgen niet gewoon een kop koffie drinken? Daar is toch niets mis mee?' Dylan Thomas hield mijn arm vast. Zijn hand was warm.

'Oké. Daar is vast niets mis mee ...'

'Om tien uur in jouw hotel.'

'Oké. Dat heet ...'

'Ik weet wel in welk hotel, John. We zien elkaar om tien uur.'

Hij liet mijn arm los en liep samen met de jonge man naar een derde man, die naar me knikte. Ze liepen naar Juan Carlos en zeiden iets tegen hem, voordat ze hem een hand gaven en vertrokken zonder afscheid te nemen van de anderen. Ik wist niet echt wat ik van de situatie moest denken. Ik had dan wel alleen ja gezegd om met hen af te spreken, maar waarom eigenlijk? Ik was gemakkelijk te lokken. Merete zei vaak dat ik blij moest zijn dat ik met haar was getrouwd, anders was ik in de ergste onzin beland.

Ik liep naar Carlos en vroeg hem: 'Wie zijn die drie mannen, Carlos?'

'Wie?'

'Carlos, stop daarmee. Jorge met het pistool en die ander die ook op iets uit *Miami Vice* lijkt. En Dylan Thomas, die geen dichter is, maar iets bij de regering.'

Carlos lachte: 'Vrienden van de zaak, John. Vrienden van de familie.'

'Ze willen graag met me praten. Morgen.'

'Dat is prima.'

'Ze willen dat ik hun een dienst verleen. In Cuba.'

'Prima, John. Ik vind dat u dat moet doen. U zou me een plezier doen als u Jorge, Fernando en Dylan een dienst verleent. Nu u dat ook voor mij doet. Daar is toch niets mis mee? Toch, mijn vriend?'

'Ik kan altijd met hen praten.'

'Dat vind ik een heel goed idee', zei hij en hij kneep even in mijn arm en keek me aan met zijn donkere ogen, die meer verborgen dan dat ze prijsgaven.

6

Dylan Thomas en Jorge zochten me zoals afgesproken de volgende ochtend op in mijn hotel in South Beach, maar ze waren te vroeg. Ze zaten in de ijskoude lobby, waar de airconditioning op volle toeren werkte, toen ik terugkwam van mijn zwemtochtje in de Atlantische Oceaan. Ik was vroeg opgestaan omdat ik wakker was geworden door een domme droom, waarin ik Merete de hele tijd moest uitleggen dat ik het niet meende wanneer ik zei dat haar gezicht begon te vervagen. Maar het was wel zo dat het de hele tijd vervaagde. Het werd wazig en verdween, zodat alleen haar haar als een stralenkrans om haar ontbrekende gezicht hing. Dan kwamen haar gelaatstrekken weer tevoorschijn. Het was eigenlijk niet zo erg dat haar gezicht de hele tijd vervaagde, maar het was veel erger dat ik het haar niet durfde te vertellen en het dan toch deed. Ik werd al zwetend en klam wakker, ook al stond de airconditioning zoemend aan. Ik had net zo'n klamme smaak in mijn mond en een beetje hoofdpijn. Na de barbecue bij Juan Carlos was ik van café naar café gegaan en ik had bij diverse dames geprobeerd om ze mee te nemen naar mijn hotel, maar ik straalde waarschijnlijk iets te veel uit dat ik een man was die wanhopig de vijftig jaar naderde. Ik raakte aan de praat met vrouwen, maar kwam niet verder dan dat. Misschien was Key West gewoon een *lucky punch* geweest. Het ontbrak me aan charme, zelfvertrouwen en mooi haar, zoals men op de televisie zei toen ik eind twintig was.

De ochtend bleef vreemd alsof iemand mijn zintuigen had ingepakt in huishoudfolie, terwijl ik lag te slapen. Ik liep naar de Atlantische Oceaan. De Amerikanen stonden vroeg op. Ze haastten zich op weg. Of met een kartonnen beker met koffie in de ene hand en met snelle stappen naar het werk. De jonge mannen zagen er vastbesloten uit. Dat deden de vrouwen die een soort uniform droegen ook: donkere rok, wit bloesje en een elegant jasje. Of ze jogden over de promenade in strakke shorts, een bijpassend shirt en een horloge. De auto's kropen voort, glimmend chroom en lak, bumper tegen bumper, zoemend zacht geluid uit de motoren. Ook de automobilisten hadden een kartonnen beker in de ene hand, de andere op het stuur.

Ik liep langzaam rond. Ik had heimwee. Als mijn gevoelens en gedachten zo konden worden genoemd. Ik miste de stad waarin ik was opgegroeid en waar ik bijna mijn hele leven had gewoond. Er waren niet echt bepaalde mensen die ik miste, maar misschien meer het dagelijks leven dat nu definitief was afgelopen. Gewoon het groeten van de buurman over de heg of tegen Merete zeggen dat ik even naar de supermarkt zou gaan, omdat we geen brandhout meer hadden. Ik had geen behoefte aan de warmte in Miami, maar wel aan het voelen van de koude kinderkopjes op de Øster Strandgade en de wind die de geur van de fjord over het stadje verspreidde. Ik zou naar de markt gaan en naar de goede slager en onderweg de vele mensen in het stadje begroeten die ik kende of in elk geval gewend was te groeten. We zouden elkaar aankijken, misschien een paar woorden wisselen en de vele Duitsers negeren, die bijdroegen aan het creëren van onze welstand. Ik dacht aan de fjord in de winter wanneer hij er bleek als blik bij lag, of in de herfst wanneer de wind ervoor zorgde dat de bootjes bij de monding van de rivier lagen te schommelen. Ik miste plotseling de vlakke weilanden langs de duinenweg na Søndervig in de richting van Vester Husby en een hemel die zich als een gewelf boven mijn hoofd uitspande, wanneer ik in een duinpan ging liggen en in gedachten verzonk. Ik miste de zwermen ganzen, die als een levende verendeken op het weiland naast het museum Strandgården landden.

Ik legde mijn hoofd achterover, keek naar de wolkenkrabbers en miste de lage, rode huizen in het centrum. Ik was in zo'n huis geboren, net als Merete, maar zoals zo veel anderen kochten we een bungalow aan de rand van de stad toen we er genoeg geld voor hadden en meer ruimte wilden hebben. In Miami vond ik het niet ironisch of belachelijk dat er ooit bij het binnenrijden van mijn stadje vlak achter de brug over de rivier, die uitmondt in de fjord, een bord had gestaan met WELKOM IN RINGKØBING. DE GELUKKIGSTE STAD VAN EUROPA. Die ochtend in Miami, waar ik me onrustig en vreemd voelde, sloeg het bord ergens op. Het knagende gevoel van onzekerheid en een vreemde angst waar ik door werd overmand, verdwenen pas toen ik in het zoute, lauwe water van de Atlantische Oceaan dook. Ik hield mijn adem lang in en keek met open ogen in het troebele groene water voordat ik met zware, langzame halen langs de kust crawlde met aan de linkerkant de eindeloze zee en aan de rechterkant de bergen van de wolkenkrabbers.

Toen ik terugkwam in het hotel, leek alles weer normaal, zonder dat ik bang was dat het stadslandschap zou veranderen in een surrealistisch schilderij. Ik had honger en had mijzelf beloofd om snel naar mijn dochter te bellen. Mijn mobiele telefoon werkte niet in de vs, maar ik zou een telefoonkaart kopen en haar later op de dag bellen wanneer het tijdsverschil dat mogelijk maakte.

'Goedemorgen, John', zei Dylan Thomas en hij stond op om me een hand te geven. 'Ochtendmens, hè? Het is goed om te zien dat je je in vorm houdt. Daar krijg je trek van.

Mogen we je op een ontbijt trakteren? Jorge kent een plek waar ze het beste ontbijt van Miami serveren.'

'Ja, graag', zei ik. 'Ik kom zo. Ik zal me even omkleden.'

Dylan droeg een lichtgroen polohemd en een lichte lange broek, terwijl Jorge een licht pak aanhad, zodat hij het pistool halverwege onder zijn jasje kon verstoppen. Jorge had een markant, smal gezicht met kleine ogen onder een volle, zwarte haardos. Zijn ene oor was enigszins vervormd alsof hij vroeger bokser was geweest. Ik vermoedde dat hij ergens in de dertig was, net als de andere man in de tuin die zich Fernando noemde.

Fernando zat buiten achter het stuur van een grote, zwarte auto met gekleurde ruiten te wachten. Jorge ging voorin zitten en Dylan naast mij op de brede achterbank. Het was ijskoud in de auto, maar het was maar een kort ritje om over de brug Miami in te rijden, door de schaduwen van de wolkenkrabbers en via een zijstraat naar een wijk die ik natuurlijk niet kende. Fernando parkeerde de auto voor een restaurantje, waar boven de deur met afbladderende verf een uitgeschakelde neonbak hing met daarop de tekst BEST BREAKFAST IN THE STATE. Er waren vier kleine ramen. De houten gevel was ooit lichtblauw geweest, maar die was nu bijna grijs. Het was koel binnen, maar niet zo koud als in het hotel en in de auto. Het was niet echt een grote ruimte, misschien stonden er tien tafels. De wanden waren licht, maar bijna helemaal bedekt met zwart-witte honkbalfoto's. Achter een brede bar stond een dikke, zwarte man met een wit schort voor. Hij was bezig met het ontbijt, dat zo lekker rook dat mijn maag begon te knorren. Alle tafels waren bezet. Dylan stevende meteen op een plek achter in de ruimte af, waar vier boxen schuilgingen. Er was er een vrij en Dylan ging zo zitten dat hij de deur kon zien. Jorge nam naast hem plaats en Dylan maakte me met een handbeweging duidelijk dat ik moest gaan zitten. Ik kon me alleen zijwaarts naar binnen wurmen en meteen kwam er een serveerster met glazen water en dampend hete, slappe, Amerikaanse koffie. Zij was ook zwart en had brede heupen in blauwe shorts en zware wenkbrauwen, die ze tot vraagtekens vormde. Ze glimlachte om de overdreven complimenten en het openlijke, maar nogal stupide geflirt van Dylan. Dit hadden ze veel vaker gedaan. Het rook er naar eieren, bacon, worstjes, pannenkoeken en koffie op een manier dat ik me bijna gelukkig voelde bij de gedachte dat ik over korte tijd alles zou krijgen.

'*Fucking great breakfast, John*', zei Dylan en hij glimlachte naar de serveerster, die hij Joe-Ann en 'honey' noemde. 'Geef mijn Deense vriend John en mij maar het grote menu. Joe-Ann, dit is John. John, dit is Joe-Ann.'

Hier sprak hij in elk geval de waarheid. Van de rest van wat hij die ochtend zei, kun je je gerust afvragen hoeveel ervan waar was, maar aan het ontbijt waar hij me op trakteerde, mankeerde niets. Het was niet onderworpen aan de fanatieke strijd die de Amerikanen tegen cholesterol en vet voerden. Ik begreep het niet. Wanneer je een supermarkt binnenliep, zag je op de meeste producten met grote letters 'geen suiker, geen vet, geen cholesterol' staan. Toch waggelden de dikke Amerikanen op straat rond alsof ze niets anders binnenkregen. Dylan was geen uitzondering, maar hij at in elk geval goed.

Hij liet er geen gras over groeien, maar tastte meteen toe toen het ontbijt op tafel kwam: bacon, spiegelei, worstjes, toast met jam, *hash brown potatoes* en pannenkoeken die glommen van de ahornsiroop en smolten op je tong. Dylan at net als ik met veel eetlust. Zijn brede mond kauwde op bacon en worstjes, en hij spoelde na met sinaasappelsap en koffie. Jorge was de bescheidene onder ons. Daar was Joe-Ann blijkbaar van op de hoogte. Ze had hem een bagel met iets erop gegeven wat leek op smeerkaas, en een groot glas sinaasappelsap. Dylan gaf er geen commentaar op. Jorge zei niets. Het leek alsof hij mee was als bodyguard en niet als iemand die het als zijn taak zag om iets te zeggen. Dylan en ik spraken Engels samen. Ik had liever Spaans gesproken, maar Dylan gaf duidelijk de voorkeur aan Engels.

Dylan zei: 'Jorge eet niet zoals wij.'

'Ik eet geen dieren die in hun eigen stront rondlopen.'

'Dat doen varkens tegenwoordig helemaal niet meer. Ze staan in steriele boxen. Ze zien hun leven lang geen varkensdrol. Wat ben jij? Een verdomde moslim? En het dier smaakt goed', zei Dylan en hij pakte nog een stuk knapperig bacon. 'Jij vreet toch wel koeien?'

'Ja, en?'

'Die laten zo veel scheten dat ze meer broeikasgas produceren dan alle klotefabrieken in de hele wereld samen.' Dylan lachte met veel lawaai, negeerde Jorge, keek naar mij en zei: 'Hoe zit dat in Denemarken, John? Eten jullie varkens?'

'Er zijn meer varkens in Denemarken dan mensen', zei ik.

Dylan lachte weer.

'Meer varkens dan mensen, zegt hij. En mensen zijn vaak zelf varkens, dus we hebben het echt over heel veel varkens zeker, John? Toch, Jorge? Maar Denemarken is een prima land.'

Ik keek hem vragend aan en hij ging iets serieuzer verder: 'Denemarken is onze beste bondgenoot. We kunnen tegenwoordig op Denemarken rekenen. Denemarken staat tegenwoordig achter Uncle Sam. Je denkt misschien dat we dat niet weten, omdat jullie een piepklein landje zijn. Jullie staan achter ons in Irak, in Afghanistan en jullie inlichtingendienst is loyaal en bereid tot samenwerking. Ik zeg tegen Jorge dat je kunt rekenen op de Denen. Dat je op jullie kunt rekenen. Dat kunnen we toch, John?'

'Daar weet ik niets van.' Ik keek een andere kant op. De zaak draaide goed. Een tafel was nog maar net leeg, voordat Joe-Ann hem afnam en nieuwe mensen met verwachtingsvolle blikken liet plaatsnemen. Niet alle Amerikanen vonden een slappe koffie en een vetarme yoghurt 's ochtends voldoende.

'Zoals nu, John. Je reist in de voetsporen van Hemingway …'

'Hoe weet jij dat?'

'Je wilt graag je vrienden leren kennen. Erachter komen waar ze zich voor interesseren. En ik ken Carlos natuurlijk.'

'Je hebt vast ook andere methodes?'

Dylan legde zijn mes en vork neer. Hij at op die vreemde Amerikaanse manier. Ze weten niet hoe ze met de vork in hun linkerhand moeten eten. Ze snijden een stukje af met het mes in de rechterhand, leggen het neer voordat ze de vork overpakken naar de rechterhand en het eten in de mond stoppen. Dat was een flinke omweg. Het was een vreemd gevoel om gecontroleerd te worden. We praten altijd over elkaar, maar om nu systematisch in de gaten te worden gehouden, was bijzonder en merkwaardig aantrekkelijk.

'Jazeker, mijn vriend.'

Ik pakte de laatste aardappels en het laatste ei en zei: 'Ik heb eigenlijk nooit je identiteitskaart gezien.'

'Nee, dat zal wel niet.'

'Heb je die bij je?'

Hij pakte zijn portemonnee uit zijn achterzak en deed hem open. Ik pakte hem aan en keek naar de foto. Het klopte, hoewel de identiteitskaart er nieuw uitzag. Er stond met mooie, sierlijke letters: CENTRAL INTELLIGENCE AGENCY. LANGLEY. VIRGINIA. DYLAN THOMAS. DEPUTY DIRECTOR. OPERATIONS.

Ik gaf hem terug. Waarom zou dat ook geheim moeten zijn? Dat hij voor de CIA werkte. Ze hadden een website en telefoonnummers die openbaar waren. Er waren vast agenten die als mollen onder de grond werkten, maar niet in de VS. Ik wist dat de CIA niet in de VS mag opereren.

'Dank je wel.'

'Geen dank.'

Hij pakte zijn mes en vork weer.

'Wat weet je verder nog?' vroeg ik.

Hij legde zijn bestek weer neer. Hoewel hij Deputy Director of Operations was, kon hij blijkbaar niet meerdere dingen tegelijk doen.

'Ik weet dat je onlangs je vrouw hebt verloren. Moge God haar ziel hebben. Ik weet dat je een goed mens bent, maar dat je misschien op een punt in je leven bent aanbeland dat je een richting mist. Dat je inhoud mist. Misschien zeg je nu tegen jezelf, bewust of onbewust: Ik heb geleefd, maar ik heb niet een verschil gemaakt. Dat willen we allemaal graag. Een verschil maken.'

Hij keek me aan.

'Je hebt wel veel met Carlos gesproken.'

'Carlos is een man die goed kan luisteren.'

'En spreken', zei ik.

'Carlos kletst niet. Carlos kiest uit tegen wie hij praat.'

'En dat ben jij?'

'Dat ben ik onder andere. Omdat ik een kans kan zien, wanneer ik hem krijg aangeboden. Omdat ik een aas benut, wanneer de croupier de kaart op tafel omdraait. Jij kunt mijn aas worden. Want ik denk dat je me graag wilt helpen, omdat ik jou een richting kan aanwijzen. Je bestaan een betekenis kan geven. Ervoor kan zorgen dat je je bloed in je aderen voelt stromen, zoals wanneer je samen bent met een knappe vrouw.

Je de kans kan geven om een verschil te maken. Je kan vertellen: bewandel mijn pad en je zult voelen dat je leeft.'

Ik nam een slok koffie en zei: 'Wat je zegt is dat ik me verveel. Dat ik dat altijd heb gedaan.'

'Dat zeg je zelf. Dat zeg ik niet, maar je bent op zoek naar een dode schrijver in plaats van dat je op jacht bent naar het leven. Je wilde Carlos helpen zonder erover na te denken en zonder ervoor betaald te krijgen. Als je mij helpt, staat daar wel een wat substantiëlere beloning tegenover, ook al denk ik dat de spanning jou meer trekt. Maar misschien heb ik het verkeerd?'

'Dat denk ik niet', zei ik en ik staarde voor me uit in de leegte die de toekomst was, alsof mijn ziel me even verliet en uitvloog over de wolkenkrabbers van Miami. Hij zweefde hoog daarboven rond, waar het uitzicht weids was en alles eronder klein en zinloos.

We aten even in stilte, totdat onze borden leeg waren. Joe-Ann kwam met haar genereuze koffiekan en schonk in. In het restaurant zaten langzamerhand bijna geen mensen meer. De tafels werden niet automatisch ingenomen door nieuwe klanten. Het was al laat geworden. Het was een dag als alle andere en toch zeker ook helemaal niet. Ik voelde een merkwaardige euforie. Misschien had Dylan gelijk? Misschien had ik nooit geleefd, maar was ik er alleen geweest. Misschien had een andere dichter met een andere naam het helemaal bij het verkeerde eind gehad: je moest niet van het dagelijks leven houden, want die dagen liepen alleen maar in elkaar over tot een grote pap. Of tot een oneindig grijze zee, die zich uitstrekte tot de horizon van de dood.

Dylan Thomas zei: 'John, hoeveel weet je van de binnenlandse politiek van Cuba?'

'Niets eigenlijk. Alleen wat ik in de krant lees. Fidel Castro ligt op sterven. Zijn broer heeft de leiding overgenomen. Raúl Castro. Hij is ook oud. Iedereen lijkt de adem in te houden. Wachtend op het onvermijdelijke.'

'Cuba wordt geleid door het leger. Fidel ligt in bed lange, saaie, ingezonden stukken voor de partijkrant te dicteren, terwijl Raúl en het leger het eiland besturen. Samen met de veiligheidsdienst. Er zijn er twee. Daar zal ik je later meer over vertellen. De ene valt onder het leger. De andere, Dirección General de Inteligencia, de DGI genoemd, is de belangrijkste. De posities worden nu uitgevochten. Ze weten dat De Baard op sterven ligt. Dat kan nu gebeuren. Dat kan morgen gebeuren. Of over een jaar. Dat maakt niet zo veel uit. Wat er daarna gebeurt, maakt wel iets uit. Welke richting gaan ze op in Cuba?'

'Dezelfde als de rest van de communistische wereld', zei ik. 'Waarom niet? Toen de Muur viel in Berlijn, deden allerlei theoriceën de ronde dat de communistische landen een derde weg zouden vinden. Daar hebben we veel over gepraat, maar ze kozen unaniem voor kapitalisme en democratie. Dus waarom zou Cuba niet hetzelfde doen?'

'Omdat het Cuba is', zei Dylan. 'Omdat Cuba uniek is. Omdat Cuba ligt waar het ligt.'

'Als jij dat zegt.'

'Dat zeg ik, John. Dat zeg ik. En het gaat niet om systemen, maar om mensen. Wie wint de machtsstrijd? Wie is de leider wanneer de bom barst? Dat wil ik weleens weten.'

'Ik dacht dat de CIA alles wist.'

'We weten het meeste.'

'Maar niet alles?'

'Niet alles nee. Toch, Jorge?'

'Vast niet, Dylan', zei Jorge op een merkwaardig indolente manier, alsof het hem allemaal niets kon schelen. En toch leek hij tegelijkertijd gespannen als een veer, die wachtte totdat hij mocht springen. Ik realiseerde me dat hij eigenlijk best afschrikwekkend was en dat hij me bang maakte. Zijn ogen waren de hele tijd in beweging, de ruimte afzoekend, stoppend bij de deur, naar het raam, als een radarstraal door de ruimte. Er was niet meer zo veel te zien. We waren eigenlijk alleen over in onze discrete box, die duidelijk was uitgezocht voor dit doel. Hier waren we onzichtbaar in een zijstraat ergens in Miami. Het kriebelde in mijn buik.

Dylan boog zich over de tafel en zei: 'Zegt de naam Ana Fernandes jou iets, John?'

'Niet echt.'

'De zaak was hier redelijk veel in het nieuws. Hij is niet geheim verklaard, maar is misschien nooit in Europa bekend geworden?'

'Ik weet het niet', zei ik.

'Die gore trut zou afgeschoten moeten worden', zei Jorge plotseling. Zijn stem siste als een slang en zijn ogen werden smal en kwaad. Ik zou niet graag zijn vijand willen zijn.

'Misschien is dat iets te mild, Jorge', zei Dylan. 'Laat haar maar wegrotten waar ze zit.'

'Ik volg het niet helemaal', zei ik alleen.

Dylan strekte zijn armen boven zijn hoofd, boog zich weer over de tafel en zei op zachte toon: 'Ana Fernandes heeft zestien jaar voor de CIA gewerkt. Ze was een van de belangrijkste analytici in onze Cuba-sectie. Ze had tot alles toegang. Ze was ook onze contactpersoon met de uniformen in het Pentagon. Elke week wisselde ze informatie uit met de Cuba-mensen in de Defense Intelligence Agency. Ms Fernandes is vierenveertig jaar, kwam hier als vierjarige naartoe met haar ouders, die wegvluchtten voor Castro en zijn bloeddorstige duivels. Ze is knap, ze is intelligent en ze is een verrader. Al die jaren was ze een dubbelagent. Al die jaren was ze het knappe schoot-hondje van de DGI. Fuck her!'

'Die gore trut zou met een mes in stukken moeten worden gesneden', fluisterde Jorge.

Ik keek van de een naar de ander. Er was hier sprake van echte haat. Het was een wereld die ik alleen kende uit films en boeken. Het was een wereld die eerst exotisch en aantrekkelijk had geklonken zoals het spel van kat en muis, maar zo'n haat kon gemakkelijk omslaan in een geweld dat totaal niet aantrekkelijk of avontuurlijk klonk.

'Hoe hebben jullie haar te pakken gekregen?' vroeg ik na een tijdje, toen ze allebei hun koffiekopje leegdronken.

Dylan zuchtte en ging verder: 'Je moet even een beetje achtergrondinformatie horen. Als geschiedenisleraar moet je dat interesseren. De grote geschiedenis in het klein. En de kleine in het groot, nietwaar?'

Hij wachtte op mijn gebruikelijke knik en ging verder: 'Ana Fernandes was een extraatje dat we kregen van onze vrienden in Spanje. Aan het begin van de jaren negentig na het instorten van de Sovjet-Unie verplaatste de DGI het Europese hoofdkantoor van Praag naar Madrid. De Tsjechen waren al eind 1989 bij ons gekomen. Ze reorganiseerden hun veiligheidsdienst in 1990 en de nieuwe pro-Amerikaanse contraspionagedienst begon de grote Cubaanse ambassade met groot succes in de gaten te houden. Dus de DGI pakte de koffers en verhuisde naar Spanje. Het werd te lastig in Praag, nu de Russki's eruit waren gegooid. Onze Spaanse vrienden hielden hen natuurlijk meteen in de gaten. De Cubanen hadden op dat moment waarschijnlijk zo'n honderd agenten in Madrid onder diplomatieke dekmantel. Dat is het grootste aantal buiten het VN-gebouw, waar meer dan de helft voor de DGI werkt, maar de FBI houdt hen in de gaten.'

Hij seinde naar Joe-Ann, die met meer koffie kwam, maar ik legde mijn hand op mijn kopje en wachtte tot Dylan verder zou gaan. Dat deed hij zodra Joe-Ann op een afstand was dat ze het niet meer kon horen: 'Een half jaar geleden begonnen de CDIS-mensen in Madrid zich zorgen te maken ...'

'Wie?'

'Je luistert goed. Prima. Je bent scherp. Zo hoort het te zijn. CDIS is de militaire veiligheidsdienst van Spanje. Ze voerden enkele bewakings- en afluisteroperaties uit op de Cubanen. Dat is heel normaal. Maar plotseling begon het normale beeld te veranderen. Het werd moeilijk om de Cubaanse agenten onder controle te houden. Vergeet niet dat er honderd in de gaten gehouden moesten worden. De verborgen microfoons werkten niet meer. Verdachte agenten ontweken plotseling bewaking. Vreemd, hè? Agenten die al lang geleden waren geïdentificeerd, spraken niet meer over gevoelige onderwerpen wanneer ze elkaar tegenkwamen op de gebruikelijke plekken. In plaats daarvan voorzagen ze ons van desinformatie, die niet alleen voor Spaanse oren was bedoeld, maar ook aan ons was gericht. Om een lang verhaal kort te maken, er werd een intern onderzoek opgesteld. Elke steen werd omgedraaid en een man die we Luis kunnen noemen, werd ontmanteld als Cubaanse dubbelagent. Je kunt gemakkelijker geheimen bewaren in Spanje dan hier, dus Luis is goed opgeborgen. Hij is gaan praten in de hoop dat hij een lagere straf zal krijgen of op een bepaald moment zal worden uitgeleverd.'

'Hoe vind je zo iemand?' vroeg ik, gefascineerd door deze nieuwe wereld.

'Luis werd in 1991 naar Havana gestuurd, maar voor die tijd was hij tot inkeer gebracht door een vrouwelijke, Cubaanse agent. Ik weet niet of je het je kunt herinneren, maar in 1991 werd de Spaanse ambassade in Havana overspoeld door Cubaanse dissidenten. De Cubaanse regering eiste dat ze werden uitgeleverd, ze dreigden de ambassade te gaan bestormen. Dat gebeurde niet. Luis heeft sindsdien voor de Cubanen gewerkt. Hij heeft de NAVO bespioneerd, hij heeft informatie geleverd over het privéleven van politici, hij heeft de geheimste gedachten van de Spaanse regering onthuld en omdat hij enige tijd bemiddelaar voor de NAVO was, slaagde hij erin informatie in te winnen over de plannen die we met Cuba hebben. Van de economische tot de militaire ...'

'Jullie willen Cuba toch niet binnenvallen? Hebben jullie het niet druk genoeg in Irak?'

'Je maakt altijd plannen. Dat heeft hier niets mee te maken. Het gaat erom dat Luis mensen in dit land heeft gerekruteerd. Ana Fernandes was een van hen. Er zijn meer mensen, weten we, maar tot nu toe houdt hij zijn mond. Hij wil ervoor betaald worden en je kunt nooit weten of hij alles vertelt. Informatie is een te goede valuta om alles in één keer te gebruiken. Nu Cuba elk moment kan instorten, zijn we wel kwetsbaar. We hebben jou nodig, omdat je totaal geen onderdeel uitmaakt van het spel. Niemand weet wie jij in hemelsnaam bent.'

Ik keek hem lange tijd aan, terwijl ik nadacht over wat hij zei. Ik ben altijd goed geweest in analyseren en dingen in perspectief zetten. Op de universiteit waren diverse professoren van mening dat ik de wetenschap in zou moeten gaan, maar ik zag het gevecht om subsidies niet zitten, zei ik tegen mijzelf. De waarheid lag meer in de richting van dat ik terug wilde naar mijn geboorteplaats Ringkøbing en het veilige leven dat me met Merete te wachten stond.

Ik boog me ook over de tafel en zei op bijna fluisterende toon: 'Je spreekt geen Spaans. Dat is vreemd wanneer je te maken hebt met Cuba, maar hebben ze jou en misschien ook

Jorge en Fernando van een heel andere plek gehaald?'

Dylan liet zijn hand tot halverwege de tafel zakken in een beweging die ingestudeerd leek, alsof hij Marlon Brando in *The Godfather* was, maar hij glimlachte breed en zei: 'Wat zei ik je, Jorge? Zei ik je niet dat hij slim was? Zei ik je niet dat John uit Denemarken slim was?'

'Dat klopt, Dylan. Dat klopt.'

'Ik was net met pensioen. Mijn gebied was het Midden-Oosten. Ik heb nooit iets met Latijns-Amerika te maken gehad. Ik ben zo onbezoedeld als een maagd. Er kwam een man naar mijn boerderij in Montana, waar ik me vermaakte met het fokken van 's werelds beste vleesvee. Ik ben die man iets schuldig. Zijn naam is niet van belang. De man vroeg me om een gunst. Je betaalt voor wat je iemand schuldig bent. Ik ben teruggekomen. Dus hier ben ik …'

'En Jorge en Fernando?'

'Zij spreken Spaans, maar ze hebben niets met het milieu te maken. Op geen enkele manier. Ze komen uit Californië. Ik heb hen binnengehaald via een vriend in de DEA. Je weet wel, die drugsgangsters achternazitten.'

'Een autonome groep?' vroeg ik.

'*Yeah*. Met slechts plek voor een. Want we willen graag in contact komen met iemand en jij kunt onze boodschapper zijn. Je kunt niemand verraden, want je hebt geen kennis en je hebt nooit onderdeel van het spel uitgemaakt. Niemand mag weten dat we met de desbetreffende persoon spreken. Daarom kunnen we de gebruikelijke mensen niet inschakelen of laat staan iets opschrijven. Wie weet hoeveel rotte appels zich in Langley of het Pentagon schuilhouden. Je verhaal is perfect: een nette Deense leraar die de wereld afreist op onderzoek naar Hemingway. Bij toeval ontmoet hij Carlos, die een dochter heeft die graag in contact wil komen met haar vader. Daarmee kan onze Deense vriend in contact komen met de kolonel met wie we graag willen spreken, omdat hij blijkbaar bereid is om over te stappen voordat alles voorbij is.'

'Ik begrijp niet ...'

'Clara is getrouwd met kolonel Hector Morales. Hij is een van de belangrijkste mannen in de Cubaanse toeristenindustrie, maar hij is ook een man die blijkbaar van mening is dat Cuba moet veranderen en het mislukte communistische experiment achter zich moet laten.'

'Toeristenindustrie? Een kolonel?'

'De toeristenindustrie in Cuba wordt geleid door het leger. Er staat ontzettend veel buitenlandse valuta op het spel en de toeristen eisen dat alles goed werkt.'

'Hoe weet je dat hij mij wil spreken? Jullie wil spreken?'

'Dat weten we gewoon. Het maakt niet uit hoe we dat weten.'

'Misschien wel', zei ik. 'Want als er tussen jullie eigen mensen verraders zitten die het vermoeden krijgen dat de man van Clara zelf een verrader zal worden, zullen ze hem extra goed in de gaten houden, nietwaar?'

'Ja, waarschijnlijk wel.'

'Wat gebeurt er met hem als hij wordt ontmaskerd?'

Dylan hing achterover, keek eerst naar het plafond, keek me recht in de ogen en zei: 'Dan zal hij bij het krieken van de dag worden doodgeschoten of worden opgehangen nadat hij is verhoord op een manier waarvan jij de details niet wilt weten.'

'Bedankt voor je eerlijkheid. Maar hoe zit het met mij?'

'Met jou zal er niets gebeuren. Jij bent niets. Een toevallige toerist die bij toeval een oude man in Key West heeft ontmoet die zijn dochter graag een groet wil sturen. Daarom ben jij perfect.'

'De perfecte spion.'

'Dat is echt iets voor jou, John. Een aarzelende, maar perfecte spion.'

7

Ik voelde me niet echt een bijzonder perfecte spion toen ik met Finnair naar Helsinki vloog, een paar weken nadat Dylan in Miami in het beste ontbijtrestaurant van de staat mij was begonnen in te palmen. Ik voelde me niet echt op mijn gemak, maar de koers was gezet en ik was van plan om die te volgen. Toen we elkaar de dag erna weer zagen, deze keer in een strandhuisje in Miami Beach met uitzicht op een groene zee en mooie palmbomen, accepteerde ik zijn voorstel.

Het werden enkele van de merkwaardigste weken van mijn leven. Ik werd voorgesteld aan een wereld van dubbelspel en verraad, een spiegelwereld, waar je niets of niemand kon vertrouwen. Dylan Thomas bleef maar herhalen dat we weinig tijd hadden. Ze konden me niet echt veel leren, maar ze zouden me enig inzicht geven in de wereld en de werkwijze van spionnen. Ik moest wat *tradecraft* leren, zoals hij zei. Fernando en Jorge waren twee zwijgende schaduwen om ons heen. Ze kookten, vulden en leegden de wasmachine, deden de noodzakelijke boodschappen en hielden me in de gaten, wanneer ik elke ochtend en late namiddag zwom in de zachte omarming die Atlantische Oceaan heette, maar ik bleef slapen in mijn hotel. Dat was onderdeel van mijn dekmantel, zoals Dylan zei. Sommige dagen reed ik zelf in mijn huurauto naar het strandhuisje, andere keren werd ik opgehaald door Fernando, die met mij in het Spaans praatte over Europees voetbal. 's Avonds bezocht ik de cafés in Miami Beach, maar ik deed lang over één biertje. Ik keek naar vrouwen, maar maakte er geen werk van.

Ik dacht er vaak over na hoe ik me had laten overhalen. Dat was niet moeilijk. Ik zag het als een avontuur, een padvinderkamp voor volwassenen. Het zou mijn reis naar huis uitstellen, dat als het zwaard van Damocles boven mij hing. En verder was er het geld. Dylan zou in totaal vijftigduizend dollar overmaken naar een rekening in een land dat ik mocht uitkiezen, wanneer ik contact had gehad met Hector Morales. Ik zou een bonus krijgen als hij zou overstappen. Dat was veel geld, waar de belastingdienst nooit iets van zou horen. Mijn onrustige reis naar Hemingway slurpte mijn opgespaarde geld op. In de toekomst moest ik zien rond te komen van één salaris. De hypotheek van het huis was bijna afbetaald en het vermogenspensioen van Merete zou een flinke tijd een goed vangnet zijn, maar het zou niet eeuwig duren. Alle uitgaven gerelateerd aan de operatie zou Dylan betalen. Dat was een goed aanbod.

Ik belde naar Helle vanuit het strandhuisje, dat vrijstaand lag met een breed zandstrand als enige overbuur en een afgesloten huis aan beide kanten. Een muur hield effectief elke nieuwsgierige blik buiten. Het strand was privé. Dylan had het huisje van een vriend geleend. Alles kwam blijkbaar via de een of andere vriend. Hij vermeed zorgvuldig alle officiële kanalen. Ik moest een visum hebben voor Cuba, maar dat kon ik niet aanvragen in de vs. Ik stelde zelf Mexico voor. Canada was ook een optie, maar Dylan wilde niet dat ik iets deed wat ongebruikelijk kon overkomen op de Cubaanse veiligheidsdiensten. Ik moest de aanvraag indienen in Denemarken, maar dat wilde ik niet. Ik wilde niet naar huis. Ik wist niet zeker of ik nog steeds durfde als ik op de luchthaven van Kopenhagen was geland, maar dat was slechts één reden. We werden het eens over Helsinki. Ik had gezien dat er directe vluchten waren van Miami naar Helsinki. Van daaruit kon ik een vliegtuig nemen naar Parijs en direct verder met Air France naar Havana. Op internet reserveerden we een kamer in het oude Hotel Ambos Mundos van Papa in Calle Obispo, waar de schrijver jarenlang in kamer 511 had gewoond. Ik betaalde de eerste twee nachten met mijn creditcard, maar reserveerde voor een week. Ik kende het hotel natuurlijk van verhalen en Dylan vond het een uitstekend idee. Het was belangrijk dat ik *'stayed in character'*, zoals hij zei. Dat ik mijzelf bleef? Daarvoor was het nodig dat ik precies wist wie ik in werkelijkheid was.

Ik vond het heerlijk om niets te doen, geen verplichtingen te hebben en geen verantwoording af te hoeven leggen. Ik hield van mijn onzinnige bezigheden. Toen belde ik naar mijn dochter om haar te vertellen dat ik toch niet thuiskwam zoals gepland.

'Waarom niet, papa?' vroeg ze.

'Ik ben er gewoon nog niet klaar voor, schatje.'

'En je werk? Het gymnasium?'

'Dat is geen probleem. Ik ben ziek gemeld. Rasmussen heeft het geregeld.' Peter Rasmussen was een jeugdvriend en mijn huisarts. Ik had hem opgebeld. Hij zou een nieuwe ziekmelding naar mijn werk sturen en zei dat ik gewoon moest genieten van de warme landen. De school bleef wel staan en de eisen die werden gesteld aan de huidige leerlingen waren zo miniem dat ze best een paar weken zonder leraar konden. Peter werd net als de meeste anderen met de tijd steeds reactionairder, maar het was een prima vent. De eerste maanden na de dood van Merete was ik gewoon aan het werk gegaan en had ik geprobeerd om normaal te functioneren. Ik had de jonge mensen door hun examens geloodst en vond eigenlijk dat ik de situatie behoorlijk goed onder controle had. Ik vermande me. Je moet je vermannen en moeite doen, zei mijn vader altijd. Dat deed ik, maar plotseling op een dag, toen ik langs de fjord fietste, begon ik te huilen en ik kon niet meer ophouden. Het bleef maar doorgaan. Ik moest denken aan Steffen Brandt van de popgroep TV-2, die zingt dat hij ijs eet en hij houdt de 'ij' heel lang aan, en de tranen kwamen toen ik de eenzame man met zijn hond op mijn netvlies zag. Ik kon de gedachte niet weerstaan dat hij daar alleen met zijn hond wandelde, die hij de laatste hap van zijn ijsje gaf. Helle stuurde me naar de huisarts. Ze zag er geschrokken uit, omdat ik de hele tijd snifte. Rasmussen schreef antidepressiva voor. Ze hielpen, want ik hield op met huilen, maar ze maakten me ook sloom en zorgden ervoor dat ik nergens zin in had. Ik kon de hele dag in mijn werkkamer naar de muur zitten staren, terwijl het Spaanse huiswerk dat ik nog moest nakijken me verwijtend aankeek. Rasmussen meldde me ziek en ik kocht een vliegticket naar Miami en spoelde de laatste pillen door de wc op de luchthaven van Kopenhagen. Een paar dagen lang was het alsof ik in mijn eigen wereldje leefde, daarna ging het over. Ik weet niet waarom. Op een ochtend werd ik wakker en ik voelde dat ik zowel mijzelf was als een nieuwe persoon die ik niet kende.

Ik geloof niet dat Helle me echt begreep. Ze had het begrepen als ik vlak na de dood van Merete was ingestort, maar dat dat acht maanden later gebeurde, begreep ze niet. Ze had zelf bij de begrafenis ontzettend gehuild, maar eigenlijk had ze redelijk snel haar leven weer opgepakt. Nu zei ze op haar praktische manier: 'Oké, papa, maar toch … ik bedoel … het kan zo toch niet doorgaan?'

'Het zal waarschijnlijk maar een paar weken duren. Ik heb altijd graag Cuba willen bezoeken.'

'Ja, maar wat ga je dan doen?'

'Vakantie houden. De plekken bezoeken waar Hemingway

heeft gewoond en gewerkt. Het is heel interessant. Cuba was belangrijk voor hem en voor de boeken die hij heeft geschreven. Het is ook heel historisch.'

'Wat een onzin, papa', zei ze en ze klonk als haar moeder en ik kreeg een brok in mijn keel.

'Dat doet me aan iets anders denken', zei ik na een tijdje.

'Mis je mama ook, papa? Al is het niet de hele tijd, maar wel vaak?'

Ik voelde de brok in mijn keel groeien. Maar miste ik haar? Of werd ik aan haar herinnerd? Aan het leven dat we samen hadden?

'Ja, ik mis je moeder heel erg.'

'O, papa, het is toch ook verschrikkelijk dat ze zomaar van ons werd afgepakt. En veel te vroeg en nu ligt ze daar in de grond naast mijn broertje!'

Ik kon Helle horen huilen en kreeg een slecht geweten.

'Stil maar, schatje. Het komt wel goed. Het zal niet lang duren voordat ik thuis ben.'

'Oké, papa', snikte ze. 'Wees voorzichtig, niet te veel onzin, hè?'

'Daar zal ik me ver bij vandaan houden.'

'En je belt me, hè?'

'Dat zal ik doen, Helle.'

'En een kaartje sturen. Een met Hemingway erop vanuit Cuba.'

'Dat zal ik doen, Helle.'

Ze hield op met huilen en we praatten wat over haar studie en haar leven met haar verstandige vriend. Daar wilde ze liever over praten dan over Hemingway. Eigenlijk klonk ze wel vrolijk. We hebben een gemakkelijk kind gekregen. Helle was tamelijk ongecompliceerd en had een ongecompliceerde vriend gevonden. Ze leidden net zo'n rustig leven als Merete en ik hadden gehad. Ik durfde haar niet te zeggen dat ze moest uitkijken dat de tijd niet plotseling verstreken zou zijn en dat het enige wat je zag wanneer je terugkeek, een grijs, vlak woestijnlandschap was. Je had het gevoel gehad dat je door de bergen had gewandeld en dan bleken het niet eens heuvels te zijn geweest.

Ik voelde me vreemd na het gesprek. Ik had een leeg gevoel in mijn maag en voelde een onrust in mijn benen, waar een zwemtochtje niet echt veel aan veranderde. Jorge maakte ijsthee en Dylan zette me in een rieten stoel op de veranda en vertelde me over Hector en Clara en daarmee ook over de déroute van de Cubaanse revolutie.

'John, je moet je niet in de val laten lokken door de rum, de salsa en de vrolijke toeristen. Je bent op weg naar een keiharde dictatuur die misschien zijn beste tijd heeft gehad. Castro en zijn metgezellen zijn bruut en meedogenloos. Dat moet je niet vergeten. Ze klampen zich vast aan de macht. Ze zijn bang voor de toekomst en de wraak van de bevolking. We hebben het zo druk gehad met Irak, Afghanistan en Osama fucking Bin Laden dat we niet voldoende aandacht hebben geschonken aan het kommie-Cuba van Castro. We moeten onze focus veranderen, want anders …'

'Waarom laten we het de Cubanen zelf niet oplossen? Misschien zouden jullie je er niet mee moeten bemoeien.'

Hij staarde me met dode ogen aan en zei: 'Yeah, waarom niet? Ik zal het de volgende keer dat ik hem zie tegen de president zeggen. In de tussentijd hebben we te maken met een klootzak van een Chávez in Venezuela, die het werk van Fidel heeft overgenomen. Het is een goed idee, John. Laten ze het zelf maar oplossen. Ik zal het bespreken met de president.'

Ik keek hem aan en nam een slok van de koude thee, die heerlijk naar mint en citroen smaakte. Hij deed hetzelfde. Op die manier verbraken we het oogcontact, zonder dat het on-aangenaam werd.

'Vertel eens wat over Hector en Clara', zei ik.

Hij leunde achterover. Hij kon goed en levendig vertellen, en ik genoot van zijn verhaal. Achter de koele woorden kon ik het drama voelen. Ik was niet zo oud toen het gebeurde, maar ik kon me vaag herinneren dat het in de media was en hoe Afrika op de agenda was komen te staan, toen de Portugese dictatuur tussen 1973 en 1975 instortte en de koloniën Mozambique en Angola zelfstandig werden, waar meteen brute en langdurige burgeroorlogen om de macht losbarstten. Het begrip 'oorlog bij volmacht' werd bekend. De supermachten van de Koude Oorlog vochten hun dodendans op vele fronten uit. In Angola vond de strijd voornamelijk plaats tussen de guerrillabeweging MPLA, die door de Sovjet-Unie en Cuba werd gesteund, en de UNITA, die hulp kreeg van de VS en Zuid-Afrika. De oorlog eindigde pas in 2002 na zevenentwintig jaar, toen de leider van de UNITA, Savimbi, overleed.

'Castro stuurde duizenden soldaten en burgers naar Afrika', zei Dylan. 'Velen kwamen om, maar het waren ook helden. Er waren soldaten, maar ook artsen en verpleegsters. Een van de artsen, die tevens officier was, was Hector Morales. Hij kwam naar Angola om de MPLA te helpen. Hij is aan het begin van de revolutie in Cuba geboren, toen het idealisme groot was, en hij meldde zich reeds op veertienjarige leeftijd aan bij de communistische partij. Het leven is vreemd, nietwaar, John? De muziek van het toeval speelt noten die je niet kent. Hier hebben we te maken met een gelovige communist die strijdt voor de wereldrevolutie en hij ontmoet de dochter van een man die met een wapen in zijn hand de man wil bestrijden die Hector heeft uitgezonden.'

Het verhaal over Clara kende ik gedeeltelijk van Carlos,

maar Dylan kon er nog een aantal aspecten aan toevoegen. Ze was nog maar net twaalf jaar, toen Pinochet op 11 september 1973 in Chili een staatsgreep pleegde tegen de democratisch gekozen president Allende. Ze was verslagen geweest, niet zozeer over de staatsgreep op zich en de steun van de vs, maar over het feit dat haar vader, zijn vrienden en de overige familieleden hadden gejuicht dat een communist er flink van langs had gekregen. Wat was dat voor wereld, waar je plezier had om geweld en onrecht? Wat was dat voor wereld, die toeliet dat het lijden van gewone, arme mensen maar door bleef gaan, terwijl de rijken in overvloed leefden? Clara begon het eiland van haar ouders met andere ogen te bekijken, probeerde de beweegredenen te achterhalen van de woorden die haar naasten gebruikten over de revolutie van Cuba. Waarom voelde de grote vs zich bedreigd door een klein eiland dat ervoor streed fatsoenlijke omstandigheden te creëren voor heel gewone mensen? Ze hield haar gedachten voor zich. Ze keerde in zichzelf, misschien, maar ze was ook een gewone vrolijke meid. Ze werd arts en meldde zich aan bij het Amerikaanse Peace Corps, dat haar uitzond naar Angola, waar ze de helpende hand moest bieden bij het verlichten van de nood en het lijden in de gebieden die onder controle stonden van de UNITA, maar ze weigerde daarmee genoegen te nemen. Mensen moesten boven ideologieën staan. Ze weerstond de hitte, de stank, de malariamuggen, het risico op tyfus en de mijnen die werden geplaatst door de Zuid-Afrikanen en die handen en voeten bij kinderen en volwassenen afknalden. Ze weerstond het omdat ze een doel voor haar bestaan had gevonden. Ze voelde dat ze iets kon betekenen, wanneer ze zachtjes de pus uit een etterende wond waste van weer een kind met dode ogen of met ogen die angst en pijn uitstraalden.

Het is niet duidelijk hoe en wanneer precies ze Hector ontmoette, maar ze vonden elkaar in de hel van de burgeroorlog. Hij was al meer dan een jaar in Angola. Ze werden verliefd en toen Hector na zijn twee jaar in Afrika werd teruggeroepen naar Havana, ging Clara met hem mee als zijn echtgenote. Ze brak het hart van haar vader, terwijl ze zelf van mening was dat ze juist met haar hart had gekozen. Ze werd nooit een communist, er bestaat in elk geval geen registratie van een lidmaatschap, maar ze vond dat Cuba recht had een eigen pad te ontwikkelen. Dat een machtige en sterke natie als de vs geen moreel of politiek recht had om de Cubanen een ander systeem op te dringen. Het communisme was misschien geen perfect systeem, verre van dat, maar welk systeem was dat wel? Ze was ervan overtuigd dat Hector en zij een huwelijk konden aangaan waarbij hun kinderen zich altijd veilig en omringd door liefde zouden voelen, omdat ze bij een vader en een moeder leefden die rechtvaardigheid belangrijker vonden dan de drang om geld te verdienen. Die voor het gemeenschappelijke gingen en niet voor het egoïsme.

'We weten dat Clara Morales na vijf jaar de Cubaanse nationaliteit kreeg', zei Dylan en hij keek uit over de zee. Die lag er blauw, uitnodigend en glimmend bij, en er vlogen grote meeuwen over, wat me deed denken aan de Noordzee. 'Op het moment dat het hele kaartenhuis in elkaar begon te storten. Gorbatsjov was in Moskou aan de macht gekomen, de Berlijnse Muur viel, de Sovjet-Unie hield geen stand en de Russen gaven Castro geen geld meer. Alles zakte in: de economie, de vriendschappen tussen de volkeren, de ideologie, de toekomstperspectieven, maar ze bleef verdorie bij haar standpunt en reisde niet samen met de anderen over de zee naar Florida. Ze bleef bij Hector.'

Dylan keerde zich even in zichzelf, voordat hij verderging: 'We hebben het gevoel dat de geheime jongens van Castro haar misschien niet helemaal vertrouwden. Het ging te gemakkelijk. De verliefdheid was te aangenaam. En Hector was niet zomaar iemand. Hij had toen een vader die aan het hoofd stond van het ministerie van Olie en een oom die kolonel bij de grenstroepen was en de wacht hield bij de yankees van Guantanamo. Dus wie was die kleine Clara? Was ze een van onze meisjes die we probeerden te plaatsen in een wespennest? Of was ze echt zo goed en zoet als de Cubaanse rum? *Quién sabe?* Weet jij veel wat die motherfuckers dachten?'

Het viel me op dat hij de Spaanse uitdrukking gebruikte en dat zijn uitspraak prima klonk, maar ik besteedde er niet veel aandacht aan. Er zijn veel mensen die haar gebruiken, omdat ze haar zo vaak in films hebben gehoord. Dylan ging ook onverstoorbaar verder: 'Het maakte ook niet uit. Clara bleef. Ze specialiseerde zich en kreeg samen met Hector twee kinderen. Een jongen en een meisje. Hun zoon, José Manuel, is net achttien geworden en heeft net als vele anderen zijn studie tandtechnicus niet afgemaakt, wat hem tien dollar per maand zou opleveren wanneer hij zou afstuderen. In plaats daarvan werkt hij als ober in Hotel Nacional, waar hij hetzelfde bedrag per dag aan fooi verdient. Hun dochter heet Rosales, ze is zestien jaar en gaat naar het voortgezet onderwijs. We hebben het idee dat moeder Clara bang is dat hun dochter zich snel zal laten verleiden door het gemakkelijke geld, dat knappe jonge Cubaanse *chicas* kunnen verdienen aan gezette toeristen zoals jij en ik, als we daar op in zouden gaan.'

'Dat is een tragedie', zei ik.

'Zo is het Cuba van vandaag de dag', zei Dylan en hij zag er veel te tevreden uit.

'Ik zie geen reden om te gniffelen over de tegenspoed van anderen.'

'Je hebt wel wat van een padvinder, John, een kleine reiziger, maar dat is alleen een positieve karaktertrek van je. Ik wil je christelijke naastenliefde niet aanvallen, maar de Cubaanse revolutie is aan lagerwal geraakt door corruptie en discriminatie, samen met het machtsmisbruik dat er altijd is geweest. De revolutie overleefde het instorten van de Sovjet-Unie, maar het ziet er niet naar uit dat het land de toestroom van de toeristen en het vele geld dat ze meenemen aankan. Waarom zou je arts zijn voor tien dollar per maand als je het tiendubbele kunt verdienen als taxichauffeur?'

'Het leven heeft meer te bieden dan geld alleen …'

Dylan lachte en zei: 'Dat zeggen alleen mensen die hun schaapjes op het droge hebben.'

Ik voelde me enigszins beledigd en stond op. Hij begreep het en ging er niet verder op in. Ik kon hem op sommige punten moeilijk vatten, terwijl hij op andere punten een open boek was: de typische Amerikaan die ervan overtuigd was dat hij altijd gelijk had. Het is een soort naïef idealisme. Ik spreek niet uit persoonlijke ervaring, maar als historicus. Amerikanen zijn bovenal idealisten die ervan overtuigd zijn dat iedereen wil leven als zij. Ze zijn ervan overtuigd dat de hele wereld droomt van de Amerikaanse way of life. Ze zijn eigenlijk slechte imperialisten, omdat ze wel macht gebruiken, maar niet cynisch genoeg zijn om de diepere betekenis ervan te begrijpen, die controle en verdeel en heers is. Dat zei ik op een dag tegen hem, nadat we een oefening hadden gedaan. Hij zat zoals altijd te vreten, deze keer een broodje tonijn. Hij droeg van die lelijke, grote shorts en een blauw polohemd dat strak om zijn pens zat. Hij was dik, maar toch bewoog hij zich soepel en in zijn ledematen zat dezelfde vitaliteit als in zijn snelle, intelligente ogen.

Hij keek me op een speculatieve manier aan, zoals zo vaak wanneer hij met en tegen me sprak, en zijn ogen straalden vaak iets uit waarvan ik niet goed wist wat het betekende. Was het minachting of verbazing? Het laatste misschien. Dat ik de naïeveling in het spel was dat niet om macht ging, maar om verleiding en nooit om het winnen van de grote slag, maar alleen van de volgende kleine. We stonden in de achtertuin van de bungalow en keken uit over de zee. Er gleed een groot cruiseschip voorbij, dat lokte met dromen en vergetelheid.

'John', zei hij. 'Jij en ik moeten gewoon onze focus bewaren. Wij zijn soldaten in het veld, geen generaals achter het bureau. Wij zijn stukken in een eindeloos spel. Het heeft al sinds jaar en dag bestaan en zolang er mensen op deze aarde zijn, zal het blijven bestaan. Het berust op verraad en veinzerij, en de brandstof is teleurstellingen, onbeantwoorde liefde en inhaligheid. Als er een geheim is, is er in de regel iemand bereid om hetzelfde geheim te verkopen. Informatie is onze valuta, die we onze heren en meesters moeten aanbieden, als ze ons loon moeten blijven uitbetalen.'

'Dat klinkt zo cynisch.'

Hij verhief zijn stem toen hij de laatste hap van zijn broodje had doorgeslikt en zei: 'Natuurlijk is dat cynisch, niet altijd, maar nu wel ja. Er zijn ook enkele principes.' Hij legde pathetisch zijn hand op zijn hart. 'De vlag en dat allemaal, maar hier gaat het erom dat we zouden willen weten wat er gebeurt en wie graag onze jongens willen zijn, wanneer Fidel ermee ophoudt. Dan worden de klootzakken in Langley blij, dan worden ze blij in het Witte Huis en de belastingbetalers krijgen iets terug voor het vele geld dat we uitgeven.'

Ik had hem meerdere malen gezegd dat ik gewoonweg niet begreep dat ze iemand als ik nodig hadden. De vs was de sterkste macht ter wereld met veiligheidsapparaten die sinds 11 september 2001 alleen maar waren uitgebreid. Ik zei het nog eens en hij antwoordde opnieuw ongeduldig met woorden die ook een herhaling waren van eerder genoemde standpunten. Misschien versprak hij zich daarom toen hij zei: 'Twee situaties, John. Als we een Cubaanse mol hebben, en dat vermoeden heb ik persoonlijk, dan is het te gevaarlijk. Dat zou Hector of anderen ter plekke verraden. Dat zou onze agent verraden …'

'Dus jullie hebben er een …?'

'Dat zei ik niet.'

'Prima.'

Hij deed een stap naar achteren, krabde op zijn buik en zei: 'Je kunt veel goeds over de Cubaanse ballingen en hun netwerk zeggen, maar ze zijn ideologisch. Fantasten. Ze bekijken de zaken niet objectief. Ze denken de hele tijd dat ze bijna teruggaan naar hun geboorte-eiland. Ze rapporteren datgene waarvan ze denken dat wij het graag horen, maar geen feiten.'

'Wie is het?'

Hij keek me alleen maar aan.

'Wat is de tweede situatie?' vroeg ik na een pauze.

'Dat is de tweede situatie. En jij vormt de tweede situatie. Diep van binnen, zo diep dat het pijn doet, weet ik dat jij naar mij bent toegezonden met een doel. Je kunt Spaans, je bent een toerist, je bent een Hemingway-pelgrim, wat de beste dekmantel in Cuba is. Je verveelde je en wilde graag testen of het leven er nog steeds voor kan zorgen dat je bloeddruk en je hartslag omhoog kunnen vliegen.'

Ik negeerde het en zei in plaats daarvan: 'Maar sinds 11 september hebben jullie je veiligheidsdiensten bijna griezelig erg uitgebreid.'

'De concentratie heeft niet in dit gebied plaatsgevonden, maar in Osama-land.' Hij pakte mijn arm beet, trok me naar zich toe en zei: 'Begrijp je het dan niet? Er is een verrader in ons midden, een Cubaanse verrader. We staan tegenover de mogelijke ineenstorting van het Cubaanse systeem en we weten niet op wie we kunnen rekenen en of onze vriend Hector echt meent dat hij onze man wil zijn, zoals we via geruchten hebben vernomen. Je kunt via zijn vrouw met hem in contact komen, omdat je niet door mij wordt gestuurd, maar door de oude vader van kleine Clara. Je weet wat je hem kunt bieden als hij met ons wil spelen, toch?'

'Jij denkt dat alles en iedereen te koop is voor geld.'

'Als het een goede prijs is, is dat ook zo. Hector is niet duur. Zoals ik eerder tegen je heb gezegd: hij is blut.'

We hadden het diverse malen doorgenomen. De inlichtingen van Dylan zeiden dat de financiën van Hector Morales, die meerdere hotel- en appartementencomplexen aan de kust bestuurde, een buitengewone rotzooi waren. Er was zo'n groot verlies dat zijn goede relaties niet langer in staat zouden zijn om hem te beschermen tegenover de aanklagers van corruptie en verduistering. Het was nieuw voor me dat het leger de belangrijke toeristenindustrie leidde, omdat het beslissend was voor de valuta-inkomsten van het land. De generaals en hun ondergeschikten stonden aan het hoofd van de hotels en restaurants, de musea en casino's, de hoeren en zakkenrollers. De harde valuta vormde een verleiding die de revolutie van binnenuit opvrat, omdat die de hoogste handlangers van de macht corrupt maakte.

'Oké', zei ik. 'Maar het is gevaarlijk om mensen als vanzelfsprekend aan te nemen.'

'Vast, padvinder. Ben je klaar voor een opdrachtje?'

We waren bij de oprit aangekomen. Hij stak zijn vingers in zijn mond, blies erop en Fernando reed een van de gewone, nietszeggende, Amerikaanse auto's voor. Het was tijd voor een van de oefeningen die we af en toe deden.

Ze zetten me ergens in Miami af met het bericht dat ik een bepaalde steen of een boom of een lantaarnpaal moest markeren met een krijtje. Dat betekende dat ik een ontmoeting wilde met Dylan, Jorge of Fernando. Ik moest ervoor zorgen dat ik niet werd geschaduwd. Dat was lastig. Het was vooral lastig om een schaduw van je af te schudden op een manier die niet al te duidelijk liet zien dat je wist dat je werd geschaduwd. Dylan gebruikte nu mensen die ik niet kende om mij te schaduwen, terwijl Jorge of Fernando het de eerste paar keer deden, toen ik moest leren om ze van me af te schudden. Dat was moeilijk in Miami omdat ik het openbaar vervoer niet kende, en Dylan had me uitgelegd dat dat de beste manier was om een achtervolger kwijt te raken. Iets anders wat ze me leerden, was het gebruiken van 'dode brievenbussen'. We vonden plekken in Miami die je kon gebruiken: er waren een holle ruimte bij het meer downtown, en een kuil bij een pier in South Beach die we gebruikten. Een markering met een krijtje vertelde me dat er post was en dat ik er moest komen zonder te worden geschaduwd, of mijn schaduw moest zien kwijt te raken, of een nieuw bericht moest ophalen, of een bericht moest neerleggen. Het was eigenlijk wel leuk en ik had er enige aanleg voor. Dylan zei dat ik er zo gewoon uitzag dat ik kon opgaan in de massa. Ik weet niet of dat een andere manier was om te zeggen dat ik saai was, maar ik heb een normaal postuur, ik heb geen bijzondere kenmerken en ik draag kleding die de meeste andere mensen ook dragen, dus ik val niet op in een groep.

Op een dag was ik bijzonder goed geweest en ik had zowel een bekende als een onbekende schaduw van me weten af te schudden. Jorge en Fernando gedroegen zich als twee gorilla's, die me alleen met hun aanwezigheid moesten laten schrikken. Dylan zei dat dat een zeer gebruikelijke tactiek was, als het systeem iemand wilde laten zien dat je bent verraden, vriend. We houden je in de gaten. Gedraag je. Of nog beter: ga terug naar waar je vandaan komt, want we willen de moeite niet nemen om je te arresteren. Ik kon ze van me afschudden door een van de zeldzame fietsen in Miami te stelen. Een jonge vrouw parkeerde haar fiets bij een Starbucks en deed haar kettingslot niet op slot toen ze naar binnen ging voor haar koffie. Zonder erover na te denken, pakte ik de fiets en was vertrokken voordat de twee mannen zich realiseerden wat er gebeurde. Ze hadden geen kans gehad om me in te halen. Het bleek dat ik ook de onbekende schaduw van me had afgeschud.

Dylan gaf me complimenten, maar hij was ook kwaad. Mijn handeling had laten zien dat ik wist dat ik in de gaten werd gehouden. Het was ook een strafbare handeling, waardoor er niets op aan te merken zou zijn als er stappen tegen me zouden worden ondernomen, maar de handeling liet ook zien dat ik me snel kon voortbewegen, zoals hij zei.

'Hoe wist je dat er twee onzichtbare schaduwen voor je waren?' vroeg hij.

'Dat weet ik niet', antwoordde ik. 'Dat wist ik gewoon. Het was net alsof het kriebelde in mijn buik, een gevoel dat ik in gevaar was en dat het Jorge en Fernando niet waren. Die had ik immers al gespot.'

Dylan sloeg me jongensachtig op mijn schouder en zei: 'Je hebt talent, John. Het is jammer dat ik geen half jaar aan je opleiding kan besteden, want daar is geen tijd voor. Maar vertrouw altijd op je gevoel. Je hersenen liegen vaak, maar je buik heeft gevoel en dat misleidt je niet.'

Ik voelde me trots, maar het liep me ijskoud over de rug toen hij verderging op een toon die plotseling metaalachtig en hard was: 'Maar vergeet niet dat je een amateur bent, John, en dat het geen spelletje is. Als dit in Havana was gebeurd, hoop ik dat je een noodplan had gehad, want anders zou je nu misschien aan een vleeshaak aan het plafond hangen in een kale, vieze cel, terwijl een van Castro's jongens je tot bloedens toe tegen de onderkant van je voeten zou slaan.'

Ik wist niet hoe ik moest reageren, dus ik zei niets, maar ik liep naar het water, keek uit over de zee en overwoog om terug te gaan naar Ringkøbing. Plotseling was het een fijne gedachte om op een ochtend dat het had gesneeuwd wakker te worden en dat het riet er bij de fjord bij stond als fijn, geciseleerd feeënhaar tegen een kristalheldere lucht. De aarde was hard en er begon zich ijs te vormen op de fjord. Het licht was zo scherp dat het pijn deed aan je ogen en je kon voelen dat je bloed als nieuw werd door al die frisse zeelucht. Ik miste een koude zee plotseling zo erg, maar ook de geur van de rook van goed brandhout.

Dylan stond achter me en zei: 'Ik zei het op een wat harde manier. Ik vergeet dat je zo groen bent.'

'Fuck you, Dylan.'

'In plaats daarvan heb ik een cadeautje voor je', zei hij.

Hij gaf me toestemming om de dag voordat ik naar Helsinki zou vliegen naar Key West te rijden om Carlos te bezoeken. Carlos maakte kip voor me klaar en we dronken weer Chileense wijn en spraken in het Spaans over van alles en nog wat. Toen de korte schemering bijna verdwenen was, stonden we op de meest zuidelijke punt van de vs over de zwarte zee naar de onzichtbare kust van Cuba uit te kijken. Carlos gaf me een brief en hij zei: 'Hier is mijn brief voor Clarita. U mag hem wel lezen, hoewel het waarschijnlijk erg sentimenteel is voor een rationele man als u, maar ik ben een oude man en ik mag net als kinderen mijn gevoelens laten …'

'Ik hoef uw brief niet te lezen, Carlos.'

'U moet hem meenemen door de paspoortcontrole. Het is toch begrijpelijk dat u ...'

'Ik hoef uw brieven niet te lezen.'

'Oké. Geef hem aan Clara. Hier is een adres in Havana. Het zijn goede mensen. Zij zullen u vertellen waar u haar kunt vinden. Het is niet zo'n goed idee om direct naar haar woning te gaan.'

'Wat bedoelt u?'

'Ik ben bang dat ze in de gaten wordt gehouden. Waarom zou een toerist naar haar huis komen? Het is beter wanneer u met haar afspreekt op een openbare plek. De mensen die op het adres wonen dat ik u net heb gegeven, zijn goede mensen. Ze kunnen hun mond houden. Ze kunnen u naar een plek sturen waar Clarita zich veilig zal voelen bij jullie ontmoeting.'

'Misschien komt Castro snel te overlijden, dan kunt u er zelf naartoe.'

'Daar geloof ik niet meer in. Ik denk dat hij het langer volhoudt dan ik.'

Carlos gaf me een foto van zijn dochter. Het was een knappe vrouw met sensuele lippen en grote, bedroefde ogen. Ze glimlachte een klein beetje. Als een Mona Lisa, slechts een glimp van een glimlach. Haar mond stond een beetje scheef. Haar leeftijd was moeilijk in te schatten, maar het was een volwassen vrouw die in de camera keek. Ze had een paarse bloes aan en droeg een zilveren ketting. Haar haar was opgestoken in een knoetje achter op haar hoofd of was het een paardenstaart? Haar ogen waren bruin en ze had een klein litteken bij haar ene neusvleugel en fijne rimpels bij haar ogen en mondhoeken. Carlos had niet gezegd waar hij de foto vandaan had. Ik haalde hem tevoorschijn en keek er meerdere malen naar in het vliegtuig, dat vol Finnen en Zweden zat die op de vlucht voor de Scandinavische winter in Florida op vakantie waren geweest.

Het was ook wel een shock om vanuit de vijfentwintig graden van Florida aan te komen in de min vijf graden van Helsinki. Ik kwam rechtstreeks uit een stad waar de lichte kleding van de mensen bijna alles prijsgaf, in een stad waar de inwoners flink waren ingepakt in zware jassen en donkere dikke mutsen. Het was een reis van het licht de duisternis in, waar de inwoners zich een weg baanden door de straten, met voorovergebogen hoofd tegen de wind in die om een hoek kwam. Sneeuwvlokken dansten in een ballet in de koplampen van de auto's en de bomen waren kaal zoals bij de Noordzee, dus ik begon Denemarken te missen toen ik met een taxi van de efficiënte, moderne luchthaven naar het hotel reed dat ik via internet had geboekt. Het lag in het centrum, op loopafstand van de Cubaanse ambassade, waarvan ik het adres ook op internet had gevonden. De ambassade lag in een straat waarvan de naam exotisch en toch ook herkenbaar klonk: Fredrikinkatu.

Ik was plotseling dichter bij Denemarken. Het zou zo gemakkelijk zijn om het ticket naar Parijs om te boeken naar een ticket naar Kopenhagen. Ik kon in no time thuis zijn. Ik kon de deur van mijn huis openen, de geur inademen en denken dat het er wat bedompt rook, maar niet erger dan wat het vuur van droog brandhout in de open haard zou kunnen verdrijven, terwijl ik boodschappen deed in de supermarkt, voordat ik naar de rector zou bellen om te vertellen dat ik er weer klaar voor was. Als het moest, zou ik morgen kunnen beginnen. En hij zou zeggen dat ze me hadden gemist en dat de leerlingen zich erop verheugden dat ik terug zou komen. Want ik was een goede leraar. Ik zag mijn vader voor me. Ik was vijftien jaar en had hem net mijn rapport gegeven. Ik was in twee vakken achteruitgegaan en in drie vakken vooruit. Hij keek in het rapport, gaf het aan me terug en zei: 'Zo, John. Er is ruimte voor verbeteringen. Met een grotere inzet kan het er prima uit komen te zien. Je moet je best doen. Dat is het minste wat je kunt verlangen.'

De auto draaide de bocht om, waar een gezellig licht uit een aangenaam en goed verlicht gebouw kwam. Ik kon de mensen zien zitten achter de beslagen ramen. Ze zaten in het café koffie te drinken. Een vrouw boog zich over de tafel en glimlachte naar een man die haar hand pakte, toen een rammelende tram in mijn gezichtsveld kwam.

Ik voelde me plotseling heel eenzaam en alleen op de wereld. We kwamen in de stad. Ik kon de winterbanden van de auto's op het bevroren asfalt horen. Achter de beslagen ramen in de trams en bussen zaten mensen als stijve poppen in de stilte van de duisternis. De schaduwen bewogen op straat in het dansende licht in de Scandinavische duisternis, toen we langs een groene gevel van een huis met een reliëf van het bebaarde gezicht van Hemingway reden. HEMINGWAY'S BAR stond er, maar de afbeelding leek niet op Papa. Zijn baard was donker en daarmee verkeerd. Toen Papa zich echt begon te vertonen met een volle baard, was die wit. Toen was de aftakeling allang ingetreden. Toen was de mythe al groter dan de man, en terwijl de mythe groter werd, kwijnde de man weg. Het restaurant was een illusie, nog een commerciële uitbuiting van de man van wie ik beweerde zijn sporen te volgen. Het was een verjongde, valse Papa, die helemaal in Finland was beland en nu met open armen op gasten wachtte, die van vier tot twaalf uur welkom waren.

Maar ik zag het als een teken. Als een teken dat ik op het goede pad was en dat ik het niet moest onderbreken en me niet moest laten vangen door een nostalgisch verlangen naar vervlogen tijden. Het kon geen toeval zijn dat Hemingway, zonder dat ik naar hem op zoek was geweest, een kort moment opdook, voordat hij achter me verdween, alsof hij een fata morgana in de vorstige nacht was. Want ik zag hem niet weer. Toen ik twee dagen later met mijn Cubaanse visum in mijn paspoort weer naar de luchthaven reed, moet de jonge taxichauffeur een andere route hebben gekozen vanaf Hotel Arthur, waar ik had overnacht. Ik vroeg hem in het Engels of hij het restaurant kende, maar hij begreep me verkeerd en antwoordde dat hij geen boeken van Hemingway had gelezen.

Ik ging er niet op door. Ik had vreemde dromen gehad in mijn Finse hotelkamer na een avond waarop ik in een café bier had zitten drinken. Buiten gierde de wind. Het was een café dat in de tijdgeest allerlei soorten bier van allerlei brouwerijen presenteerde. Wat wilde je hebben? Een lagerbier, een ale en wat voor soort? Een witbier uit Duitsland? Of ging je voorkeur meer uit naar het Engelse, het Schotse, het Belgische of het Finse? Ik zat aan de bar in de vorm van een halvemaan pinten te drinken, die door een goed getrainde barman in een zwart jasje en een overhemd met een blauwe spijkerbroek en een rood gestreepte stropdas werden geserveerd. Het was er tamelijk stil. Een televisie die in een hoek was opgehangen, stond wel aan, maar zonder geluid. Finse mannen en enkele vrouwen kwamen binnen. Ze namen de kou met zich mee. De weinige woorden die ik hoorde, klonken vreemd en onbegrijpelijk. Ze zwegen ook meer dan dat ze spraken. Er kwam damp uit hun kleren en uit hun haar. Hun bier dronken ze met grote, gulzige slokken op.

Ik keek naar hen en had medelijden met hen. Ze leken op mensen die net als ik niet wisten wat ze wilden en waarom ze juist op deze plek en op dit moment in de geschiedenis hier waren beland.

Ik keek naar de foto van Clara en troostte me met de gedachte dat ik over niet al te lange tijd in Havana zou landen, waar van alles kon gebeuren.

8

Ik besloot een paar dagen in Havana te gebruiken om te acclimatiseren, voordat ik aan mijn opdrachten begon, zoals ik mijn kleine missie noemde. Ik maakte me er wel wat zorgen over waar ik aan was begonnen. Ik had behoefte aan een paar rustige dagen, waarop ik beheerst aan de opdrachten kon werken en waarop ik probeerde te bepalen wat ik moest doen en op welke manier. Dat was eigenlijk niet zo ingewikkeld.

Mijn ene opdracht was het bezorgen van een brief met daarin de liefdesverklaring van een vader aan zijn dochter. De andere opdracht was het afleveren van een bevel van een agent aan de man van dezelfde dochter om zijn land te verraden. Carlos wilde dat zijn dochter terugkwam naar de vs, graag met echtgenoot en kinderen als zij dat wilde, of misschien zou hij tevreden zijn met een tegenbericht dat het hem werd vergeven, terwijl de cia-agent wilde dat Hector de man van de vs zou worden, wanneer de oude leider zou komen te overlijden en de achtergeblevenen in de kliek van de macht onderling als wilde honden begonnen te vechten, die wisten dat de macht nu vrij ter beschikking was.

Wanneer oude, totalitaire systemen instorten, verloopt het zelden zoals politici of waarnemers verwachten. Dat had de lange loop van de geschiedenis me allang geleerd. Tijdens mijn tijd op de universiteit domineerden jonge sprekers die voortkwamen uit en waren opgeleid in de materialistische opvatting van de geschiedenis die hoorde bij de jaren zeventig, maar ze waren niet meer zo ideologisch dat ze iets deden. Ik kwam erdoorheen met redelijke cijfers, hoewel ik qua karakter en opvatting bij de ouderwetse empirische kijk op het verloop van de geschiedenis bleef. Ik zag er geen historische wetmatigheden in, maar alleen door mensen gecreëerde crises, waar het toeval vaak bepaalde of het de ene of de andere kant op ging.

Als Hitler was vermoord in 1942, Stalin een hersenbloeding had gekregen of Mandela niet de persoon was geweest die hij was toen hij werd vrijgelaten uit de gevangenis en verzoening in plaats van wraak predikte, zou de wereld er niet hetzelfde uit hebben gezien. Dat waren zinloze speculaties. Als ik Merete niet had ontmoet en op het voortgezet onderwijs niet een relatie met haar was aangegaan, was mijn leven heel anders geworden. Misschien. Het is waarschijnlijker dat ik een andere Merete had ontmoet, wat mijn theorie over het toeval in mijn persoonlijke leven meteen volledig ontkracht. Het geloof in het determinisme kan echter ook een aangename zijn, als je overgaat tot het analyseren van de fouten en ontbrekende of verkeerde keuzes die je hebt gemaakt in het leven.

Havana was de meest armoedige plek waar ik ooit in mijn leven was geweest en daarbij ook een van de meest schaamteloze, waar zelfs de suppoosten in het nationale museum met de pracht en praal van de revolutie bedelden om muntgeld, toen ik moederziel alleen rondliep. Je leerde het snel. Er waren twee soorten geld: waardeloze peso's, die de gewone mensen op zak hadden, en de converteerbare peso's waar wij als toeristen ons geld voor moesten omwisselen en die het enig mogelijke betaalmiddel waren in restaurants of winkels. De taxi's namen ook niets anders aan. De straatverkopers keken je vol minachting aan als je hun een gewone munt of een gewoon briefje gaf. De converteerbare peso's waren gangbaar. Ook voor de vele, knappe, jonge, gekleurde vrouwen die zichzelf aan elke man aan leken te bieden, ongeacht hun leeftijd of uiterlijk. Wanneer je alleen rondliep, was het alsof je je in het grootste openluchtbordeel van de wereld bevond.

Havana was ook merkwaardig mooi in zijn vervallen toestand en in de tropennacht kon er een sprookjesachtig, duister schijnsel over komen te liggen, wanneer de ellende van de bouwvallige huizen in een zwarte mantel werd gehuld, die de zwakke straatlantaarns met veel moeite konden verlichten. Toen ik aankwam, was het vreemd koel geweest, maar de ochtend erna was de hitte alweer flink aanwezig. Hoewel het waaide, was ik nat van het zweet, omdat de wind als een heteluchtoven in de felle zonneschijn werkte.

Op een ochtend stond ik in de bar van mijn hotel op een hoek van Calle Obispo. De bar in het oude hotel van Papa lag in de lobby en had uitzicht op de drukke winkelstraat, waar de toeristen voortdurend op spitsroeden moesten lopen tussen bedelaars en hoeren, begeleid door de terugkomende thema's van de salsamuziek. Aan de wanden hingen foto's van Hemingway. Jonger en ouder, met en zonder baard. Manhaftig aan het vissen bij Cojimar, waar hij het verhaal hoorde over de oude man en de zee. Op kroegentocht met vrienden op de plekken waar de Amerikanen in de jaren veertig en vijftig rondhingen, toen Havana de plaats was waar je naartoe ging om te drinken, te gokken en hoeren te bezoeken. Ik was uiteraard in de oude kamer 511 van Papa geweest. Het was natuurlijk een bedevaart en ik moest aan mijn dekmantel denken, waar Dylan me van had doordrongen. Er was niet veel te zien, maar het oude bed van Papa stond er wel en een oude Corona-typmachine. Die was zwart, uit vroeger tijden en was waarschijnlijk niet eens van de schrijver geweest, maar dat maakte eigenlijk niet zo veel uit. Het deed me denken aan mijn eigen eerste reistypmachine, die ik voor mijn veertiende verjaardag kreeg, toen ik er nog steeds in geloofde dat ik dichter zou worden.

Het bed was net als de kamer kleiner dan ik had verwacht. Je kon de straat vanuit de kamer zien en het lawaai ervan kon je in de kamer horen. De dubbele deuren waren half dichtgetrokken om de warmte buiten te houden. Er was een aantal boeken tentoongesteld en aan de muur hing een foto van Hemingway samen met Castro. Die was genomen tijdens de enige ontmoeting tussen de schrijver en el Comandante. Hemingway was scheidsrechter bij een viswedstrijd die Castro won. Op de foto zijn de glimlachen breed onder de respectievelijk zwarte en witte baard. Castro rookt een sigaar. Papa lacht dom en hij houdt de grote marlijn vast.

Ik probeerde een gevoel te krijgen bij Papa, maar dat lukte niet echt. Misschien omdat ik gezelschap had van vijf à zes andere toeristen. Het leek sowieso alsof hij niet meer dezelfde magie had als eerst. Niet meer dezelfde macht over mij had. Of misschien was ik ook nog gewoon moe na de vlucht. Een jonge vrouw hield in de gaten of we niets aanraakten of stalen. Ik praatte even met haar over Papa, die zoals zij zei een vriend van het Cubaanse volk was. Ik denk dat ze er een beetje van onder de indruk was dat ik zo veel wist. Ze was rond de dertig met een kleine mond en een fijne, olijfkleurige huid, maar het duurde niet lang voordat ze niet meer in me was geïnteresseerd, naar buiten keek en naar me fluisterde: 'Kunt u een munt missen?' Ik gaf haar zo'n vijf converteerbare peso's, wat voor mij niets voorstelde, maar het was meer dan een arts in een week verdiende, ontdekte ik later. Ze glimlachte naar me, maar er zat alleen maar minachting in haar ogen.

Het was elf uur in de ochtend, maar ik had al een mojito besteld. Het was warm op een plakkerige manier en ik voelde me niet op mijn gemak en niet lekker. Ik had niet echt goed geslapen en maakte me zorgen over waar ik aan was begonnen. Mijn kamer was er een die uitkeek op de patio, dus het was donker, maar wel vrij rustig. Toch sliep ik slecht in de warmte en ik begon Jutland te missen en dat ik de tuin in kon lopen met voer voor de vogels. Ik was ook wakker geworden met de naweeën van een afschuwelijke droom, die ik niet uit kon wissen. Ik moest samen met Merete door een soort antichambre van de dood. We waren nog niet zo oud en toch waren we ouder dan nu. 'Het is alleen maar een kortere weg', zei een oudere vrouw met een zwarte, enkellange jurk aan. Ze nam ons mee door iets wat op een waskelder leek. Er waren geen geuren. In een hoek van de donkere ruimte stond een grote wasketel, net zo een als wij in de kelder hadden gehad, toen ik nog heel jong was. In het warme water van de wasketel lagen kleine mensen, totaal misvormd met zwarte maskers op. Er zaten ook kinderen tussen, die afgezien van het geheel bedekkende masker naakt waren. Ze waren niet misvormd, zoals de kleine volwassen mensen. Niemand legde me iets uit, maar ik wist dat ze in het water van de dood lagen en dat ze op die manier uit de weg werden geruimd. Ik hoopte dat Merete niet had gezien dat ons zoontje er ook lag. Hij glimlachte heel even. We wisten dat iedereen wist dat het vandaag de dag zo werd geregeld. Op die manier werd het onbruikbare uit de weg geruimd. In mijn droom wist ik dat dat door de hoogste instantie was bepaald. Ik zag de rug van Merete samen met de vrouw in de enkellange jurk door een lage deur verdwijnen. Ik wist niet waar we naartoe gingen, maar toen ik wakker werd, realiseerde ik me dat Merete in de kwellende wasruimte zou achterblijven, waar de damp wit en stilletjes boven de eindeloos vele spoelbaden wervelde, waar overal mensen in zaten die de dood in gingen.

Er stond een vleugel in de lobby, waar een grote man aan plaatsnam en de eerste akkoorden aansloeg. Ik werd een beetje duizelig door het koude drankje en de smaak van suiker, rum en munt. Papa kon er tien per dag aan. Ik vond een meer dan genoeg. Vanaf de straat kwamen de stemmen samen met de hitte en de vreemde geur van verval die in de stad hing. Ik kon de opgepropte stroom toeristen zien, die zich langs de open ingang van het hotel drong. Ze hadden een grote foto van Hemingway in de hoek van de lobby boven een bank opgehangen, waar drie jonge, Duitse toeristen me irriteerden met hun kinderachtige gedrag terwijl ze pathetisch een poging deden om een foto te maken. Wat moest de wereld met die miljoenen snapshots die door de digitale techniek konden worden gemaakt? Waar bleven al die foto's? Wie keek er ooit nog naar? Waarom gedroegen jonge mannen zich in de hele wereld even irritant? Waarom maakten ze zo verdomde veel lawaai?

De rammelende lift kwam naar beneden. Zoals altijd stond er een groepje toeristen te wachten om ermee naar kamer 511 te gaan. Ik weet niet hoeveel mensen nog steeds Papa lezen, maar hij leeft als een mythe. De schrijver is groter geworden dan zijn werk. Hij past bij de tijdgeest, waar het event altijd belangrijker is dan waar het event om gaat. Ik was de afgelopen dagen op dezelfde plekken geweest. Had een mojito gedronken in Café Bodeguita del Medio, waar een neerbuigende barkeeper ze met een verachtelijke blik in sneltreinvaart klaarmaakte voor de grote groep toeristen die aan de bar en tot op straat rondhing. Aan de wand hing een foto van Hemingway. En een daiquiri in Floridita, waar ik een foto had genomen van drie Zweedse, mannelijke toeristen samen met het standbeeld van Papa dat aan het einde van de bar op zijn stamplaats was neergezet. Het standbeeld leunt over de bar en de uitdrukking van het bronzen gezicht ziet er wat zot uit. Misschien moest het de dag symboliseren dat hij veertien dubbele daiquiri had gedronken, ongezoet, zoals hij het graag wilde. Het standbeeld zou van levensecht formaat zijn. Hij was kleiner dan ik dacht, toen ik naast hem ging staan en met de Zweden proostte, terwijl ik mijn best deed om niet te geïrriteerd arrogant over te komen toen ze met de barkeeper in slecht Spaans probeerden te communiceren. Hij antwoordde hen verstandig in het Engels. Je hoefde niet lang in Cuba te verblijven, voordat je in de gaten had dat er maar twee mannen waren die een zeker respect genoten. Dat waren Hemingway en Che Guevara, van wie overal portretten te zien waren. Je moet jong sterven, want dan krijg je nergens de schuld van wanneer revoluties op niets uitlopen.

Er stapte eerst een man uit de lift, toen het metalen hekje opzij gleed. Hoe heette hij ook alweer? Lars nog wat. Uit Odense, iets met *shipping*. Hij was rond de veertig, verbrand door de zon en best wel slank, maar met een buikje dat hij inhield, toen hij het meisje met wie hij samen uit de lift kwam een intiem tikje op de wang gaf. Hij volgde haar billen met zijn ogen, toen ze heupwiegend met haar shorts en haar blote, gebruinde rug onder een kort topje door de deur kwam. Hij glimlachte haar na. Zijn mond leek op een kippenkontje, had ik al gedacht toen hij vanaf de luchthaven naast me in de bus zat. Er was een grote groep Denen het Air France-vliegtuig in Parijs ingestapt, waar ik een overstap had gemaakt na mijn vlucht vanuit Helsinki. Het was heel raar geweest om de Deense taal weer te horen, maar ik hield mijn mond. Mijn buurman was een stille Fransman, die al die uren naar Cuba geen woord tegen mij of tegen de bemanning zei.

Lars nog wat kwam op me af en ging naast me zitten.

'Hallo. John, toch? Lekker ding, hè?'

Ik knikte.

'Die Cubaanse meisjes zijn fantastisch. Ze zijn niet duur en het zijn geen echte hoeren. Ze willen gewoon een iets beter leven hebben. Wat kleding en goed eten, iets te drinken. Ze gaan niet met je mee als ze je niet leuk vinden. Dat vind ik wel fijn. Wat drink je? Een mojito? Goede keuze. Ik neem hetzelfde. Je krijgt dorst van al die seks 's ochtends.'

Hij lachte met zijn kleine kippenkontjesmond en zijn lach irriteerde me, maar ik lachte plichtmatig mee, hoewel mijn geforceerde lach gelukkig verdronk toen de man achter de vleugel hardere akkoorden aansloeg. Vanaf de straat kwamen de stemmen samen met de hitte en een geluid van salsamuziek die in de verte door straatmuzikanten werd gemaakt.

'En jij? Doe jij hier aan seks?' hoorde ik Lars vragen en ik mompelde iets, wat van alles kon betekenen en gelukkig kwam het drankje van Lars. Hij betaalde en zei: 'Ik ga hier een paar keer per jaar naartoe. Gewoon voor dat doel.'

'Oké.'

'Maar het is niet zo dat ik met iedereen neuk. Zo ben ik niet. Ik heb veertien dagen een vriendin. Misschien een paar om mee te beginnen. Tot ik de juiste vind ...'

'Oké.' Ik had geen idee waarom ik absoluut meer moest weten over het seksleven van Lars. Hij was zo'n man die ervan hield om op te scheppen. En dacht dat liefde te koop was, wanneer het alleen om seks ging. Ik had het gevoel dat ik dwars door hem heen keek. Hij was een eenzame stakker die in Cuba lekker belangrijk kon doen, omdat hij geld had en de vrouwen alleen hun lichamen bezaten. Misschien was ik gewoon jaloers? Omdat ik zelf niet wilde, durfde, zin had of om wat voor reden dan ook. Ik betaal er niet voor. Als Beth vanaf het begin geld had geëist, was ik ervandoor gegaan. Zei ik in elk geval tegen mezelf.

'Dat is heel fijn', zei hij. 'En je hoeft niet zo veel te praten als in Denemarken. Ik kan de taal toch ook niet spreken.'

'Dat geloof ik graag.'

'Yes. Heel goed. Proost. En jij?'

'Wat bedoel je?'

'Ben je hier eerder geweest? O, dat heb ik je al in de bus gevraagd. Eerste keer, toch?'

Ik knikte. De lift kwam naar beneden en er begon een nieuwe groep toeristen aan de bedevaart naar kamer 511.

'Maar niet voor de seks, toch?'

'Wat zegt je vrouw ervan?' vroeg ik.

Lars keek de andere kant op.

'Niets. Ze is er een paar jaar geleden vandoor gegaan.'

'Wat vreemd', zei ik en ik keek ook de andere kant op.

'Rotwijf. En ze zorgde ervoor dat de kinderen haar kant kozen. En jij? Ben je getrouwd?'

'Mijn vrouw is bijna een jaar geleden overleden. Aan kanker.'

'Jemig, shit zeg', zei Lars en hij dronk zijn glas leeg. De ijsblokjes bleven als koude lijken in het glas liggen. Uit ervaring wist ik dat als je zei dat je vrouw was overleden aan kanker dat een veilige methode was om een gesprek met een man als Lars tot een einde te brengen. Hij sloeg me dan ook zacht op mijn schouder en verdween in de mensenmassa buiten op straat. Dat kon je gemakkelijk doen in Havana: opgaan in de massa. In feite vormde de toevallige ontmoeting met Lars de aanzet tot mijn besluit om de vrienden van Clara op te zoeken. Ik wilde het achter de rug hebben. Ik wilde naar huis.

Ik liep de mensenmassa in en bracht in de praktijk wat Dylan en zijn twee schildknapen me hadden geleerd. Ik moest de hele tijd aan mijn dekmantel denken en tegelijkertijd moest ik me focussen op mijn missie. Ik was een toerist en ik moest doen wat toeristen doen. Ik slenterde, gebruikte de etalages als spiegels, liep een winkel binnen en keek rond. Ging in een café koffiedrinken en luisterde naar de voortdurende salsamuziek, die me al tot waanzin dreef. Waar toeristen ook maar gingen zitten of zich verzamelden, er doken altijd snel een paar muzikanten op met hun liedjes over Che Guevara en met een hoed die rondging. Het waren vaak zwarte, wat oudere mannen met witte guayabera's en zwarte broeken aan, die verbluffend schoon waren. Ze glimlachten, maar hun glimlach was bijna nooit in hun ogen te zien. Ze speelden een paar nummers, lieten de hoed rondgaan en liepen zonder opdringerigheid verder als je niet wilde betalen. Ze kregen in de regel een paar munten. Als je een socialistische revolutie wil aanvallen, moet je gewoon converteerbare peso's invoeren en welgestelde westerse toeristen uitnodigen. Dat ondermijnt de moraal en het systeem effectiever dan de verloren droom over de heroïsche invasie van Carlos en de andere oude mannen.

Ik liep rond tussen de kraampjes met antiquarische boeken op het Plaza de Armas. De meeste boeken waren in het Spaans, maar er zaten ook enkele paperbacks in het Engels tussen. De verkopers probeerden me de hele tijd boeken aan te smeren. Een hit was blijkbaar Harry Potter in het Spaans van een Spaanse of een Mexicaanse uitgeverij. Toen een van de verkopers zag dat ik met een Spaanstalig boek in mijn handen stond over Hemingway op Cuba, kwam hij op me af en zei dat dat boek veel waard was. 'Hij vertrok naar de overkant', zei hij en hij keek veelzeggend naar de zee. Ik begreep wat hij bedoelde. De schrijver was ervandoor gegaan en daarmee was hij een niet-bestaand persoon geworden in Cuba. Ik zei dat ik misschien terug zou komen. Hij keek me teleurgesteld na.

Ik wandelde uiteindelijk naar het water en over de promenade, de Malecón. Ik keek op mijn stadsplattegrond aan de voet van de kaap, waar een oude burcht verrees. Langs de strandboulevard kon ik een aaneengesloten stroom oude, Amerikaanse voertuigen uit de jaren vijftig zien samen met nieuwe, moderne, Koreaanse Hyundai's die gebruikt werden als taxi's of huurauto's. Ze waren gemakkelijk te herkennen, omdat ze rode nummerplaten hadden. Er waren ook kleine, knalgele scooters met drie wielen, die vijf converteerbare peso's kostten om je van Hotel Nacional naar het centrum te vervoeren. Ze werden Coco genoemd en leken misschien ook met een beetje goede wil op halve kokosnoten. Ze lieten uitlaatgassen vrij, maakten lawaai en stonken naar slecht verbrande tweetaktbenzine. De huizen langs de beroemde Malecón van Havana waren merkwaardig verschillend wat hun variërende mate van verval of herstel betreft. Ze hingen voorover naar de zee, alsof ze zich overgaven aan het onvermijdelijke. Jonge mensen liepen hand in hand over de Malecón samen met toeristen die net als ik lange, loszittende shorts en een T-shirt droegen. De zee was groen en rustig. Hij rook flink naar zeewier en bezorgde me een moment heimwee. Er lag een patrouillevaartuig in de baai. Er stonden twee politieagenten in het blauw op het kruispunt samen te praten, maar ze hadden geen oog voor mij. Ik was er behoorlijk zeker van dat niemand zich interesseerde voor John C. Petersen en zijn toeristenplattegrond waar hij ogenschijnlijk naar keek, maar zijn ogen gleden discreet in het rond.

Het adres was in het centrum, eigenlijk niet ver van mijn hotel, maar ik had er een paar uur de tijd voor genomen om er zeker van te zijn dat ik niet werd geschaduwd, zoals ze me hadden getraind. Calle Obispo verbindt de twee centrale pleinen, het Plaza de Armas en Parque Central, met elkaar. Ten zuiden van de straat ligt een web van straatjes en stegen die tot de oudste van Havana horen. Op een hoek in het doolhof lag het adres dat ik van Carlos had gekregen. Ik wuifde twee meisjes in strakke shorts weg en liep terug naar het centrum. Ik kwam langs een lange rij met jonge mensen die wachtten op een plekje bij de computers in een internetcafé. De jongeren dolden en praatten luid met elkaar. Om de beurt belden ze met een telefoon die in een kastje op de hoek hing. Ze hadden geen mobiele telefoons, maar er moest blijkbaar wel gepraat worden. Het was het gebruikelijke tienergeklets over op wie ze verliefd waren en of iemand wist of er ergens een feestje was. Ik voelde me weer op mijn gemak. Ik ergerde me niet eens aan de salsamuziek die van een terras kwam, waar een echtpaar van middelbare leeftijd was gaan zitten. Hij veegde zijn voorhoofd af en zij wapperde met haar zonnehoed om frisse lucht te krijgen en glimlachte vermoeid naar de drie muzikanten. Ik liep verder de nauwe straatjes in. Ik voelde me een beetje een held. Ik wist zeker dat ik niet werd geschaduwd. Ik had niemand gezien en ik had geen vreemd gevoel in mijn maag dat me vertelde dat ik in de gaten werd gehouden, en mijn nare droom was slechts een vage herinnering in mijn bewustzijn.

Het huis leek wel een ruïne. Ervoor werkte een grote, dikke, jongere man in een wit T-shirt aan een oude, knalblauwe Buick model 1957. Hij had hem op vier blokken gezet en zat te sleutelen aan de motor. Twee jongetjes stonden ernaar te kijken. De restanten van een duif lagen in de goot. Een paar schurftige honden keken geïnteresseerd naar de dode duif, maar ze lieten hem liggen. De kinderen waren rond de vijf jaar. Ze leken een tweeling te zijn en net als alle Cubaanse kinderen die ik tot nu toe had gezien, zagen ze er gezond uit met hun witte, goede tanden en frisse huidskleur. De revolutie zorgde goed voor de kinderen, die er net als de volwassenen altijd zo schoon uitzagen als het wasgoed dat overal op de bouwvallige balkons hing. De stad stonk, maar de inwoners van de stad roken schoon, alsof ze hun best deden om zich in het openbaar van hun beste kant te tonen, terwijl het systeem om hen heen aan het instorten was. De jongens keken me nieuwsgierig aan. Hun huid was lichtbruin, net als die van de man die aan zijn oude auto aan het sleutelen was. Misschien was hij hun vader?

Ik keek even naar het huis. Toen de straat in. Niet alleen de geheime politie kon een gevaar vormen. Ik moest ook oppassen voor de CDR, hadden Dylan en Carlos gezegd. De Comités de Defensa de la Revolución bestonden uit mensen die in elk trappenhuis in elke woning in Havana de ogen en oren van de staat en de revolutie waren. Er waren geen andere ogen en oren in de straat te zien dan die van de nieuwsgierige kinderen.

Een van de jongetjes haalde zijn vinger uit zijn mond en zei: 'Kijk, papa. Er staat een yankee naar ons te kijken. Wat doet een yankee hier?'

'*Hola, chicos*', zei ik. 'Hoe gaat het met jullie? Ik ben geen yankee. Ik kom uit net zo'n klein land als Cuba. Mijn land heet alleen Denemarken.'

Ze keken me met grote ogen aan en begonnen toen te lachen. Een van hen hield zijn hand voor zijn neus, omdat hij vond dat ik Spaans sprak als een deftige heer uit Madrid. Hij had het vast in al die romantische series uit Spanje gehoord, die op de Cubaanse televisie werden vertoond.

Hun vader kwam overeind en droogde zijn handen af aan een oude doek. Hij was minstens anderhalve kop groter dan ik en had een brede neus, die eruitzag alsof hij ooit een keer gebroken was geweest. Hij miste een voortand. Zijn haar was zwart en tot vlak boven zijn schedel geknipt. Zijn witte T-shirt zat net als zijn grijze broek onder de olievlekken. Hij had blote voeten in zijn plastic sandalen. Hij had iets van een bokser die niet meer in vorm was.

'Zo, jongens, wees beleefd tegen die meneer uit Europa. Misschien is hij verdwaald. Kunnen we u ergens mee helpen?'

'Misschien', zei ik. 'Ik ben op zoek naar iemand die in dit huis zou moeten wonen. Iemand aan wie ik een groet moet overbrengen. Van een oude man.'

'U spreekt goed Spaans. Zoals Spanjaarden, niet zoals wij.'

'Ik ben docent Spaans in het land waar ik vandaan kom.'

Hij keek me aan.

'We hadden al gehoord dat we misschien bezoek van de overkant zouden krijgen van een professor Spaans. U moet mijn zus hebben. Jongens! Ren even naar binnen om Consuela op te halen.'

De twee jongens renden het donkere trappenhuis in. Het huis leek te hellen, alsof het niet zeker wist of het zou blijven staan of het uiteindelijk opgeven en omvallen. De verf bladderde er in grote stukken af, maar er stonden bloemen op de balkons, er hing wasgoed en het rook er naar bonen en vis.

'Heb je iets te roken?' vroeg de man.

Ik schudde mijn hoofd en bewoog mijn voet heen en weer in het stof dat op het asfalt lag, waar gaten en scheuren in zaten. Hij haalde een sigarenpeuk uit zijn zak en stak hem op.

'Mijn zus komt zo', zei hij en hij blies de andere kant op dan waar ik stond.

Ik knikte. Ik wist niet of hij geld verwachtte, maar ik besloot te wachten met hem iets te geven.

'Zijn dat uw zonen?'

'Ja, meneer', zei hij, duidelijk trots.

'Ze zien eruit als goede jongens.'

'Dat zijn ze ook. Een man kan zich geen betere zonen wensen, dus ...'

Ik wachtte. De honden slopen op het kadaver van de duif af, maar ze trokken zich terug toen de man op de grond stampte.

'Ik heet John', zei ik.

'Ramon', zei hij en hij gaf me een hand. Die was warm en hard.

'Zoals ik zei, goede jongens', zei ik. 'Hun leven wordt anders.'

'We zullen zien', zei hij en hij wendde zijn gezicht af. 'Wij mensen moeten ons niet willen uitlaten over de toekomst.'

De jongens kwamen de deur uit rennen en gingen naast hun vader staan. Achter hen aan liep een vrouw van ergens tussen de dertig en veertig. Ze was niet echt groot en had dezelfde lichtbruine huidskleur als haar broer. Ze had strakke, rode shorts aan die tot midden op haar billen kwamen met alleen een kort topje dat haar zware borsten accentueerde. Ze was eigenlijk te oud voor dat soort kleren, dat haar een w uitdagende, maar ook sexy look gaf. Ze had iets vulgair verleidelijks over zich. Haar haar was kortgeknipt en linksonder in haar mond kwam een kleine, gouden tand tevoorschijn toen ze me glimlachend een hand gaf. Die was ook warm, maar zacht en soepel zonder het eelt van haar broer. Haar pretogen keken me recht aan, terwijl ze mijn hand vasthield.

'Consuela heet ik. We wisten dat je zou komen, John. Welkom in Cuba.'

'Dank je wel. Ik hoop niet dat ik ongelegen kom.'

'Helemaal niet. Wanneer het tijd is, is het tijd en dan komt het helemaal niet ongelegen.'

'Waarom spreekt de yankee Spaans, papa?' vroeg een van de jongens.

Ramon ging liefdevol met zijn handen door het haar van zijn zoon.

'John is geen yankee, knul. Hij komt uit een klein land in Europa.'

'De yankee spreekt goed Spaans. Het is alleen anders', zei de jongen en hij keek me aan met zijn bruine ogen. Ik kreeg een brok in mijn keel, wat me vaker overkwam wanneer ik kleine jongens zag.

'We moeten praten', zei Consuela en ze liet mijn hand los. 'Maar niet hier. Dat is niet zo handig. We kunnen wel naar mijn woning hierboven gaan, maar ik kan je niet echt iets aanbieden, John. Nu in elk geval niet.'

'Ik ruik anders wel eten', zei ik met een glimlach, die liet zien hoe ik me tot haar aangetrokken voelde.

'Dat zijn mijn buren. Je denkt toch niet dat zo'n huis alleen van mij is?'

'Mag ik jou en je familie uitnodigen voor een lunch? Is er niet een restaurant in de buurt?'

Ze glimlachte opnieuw. Haar tanden waren heel wit in een rode mond met een zeer uitgesproken cupidoboog.

'Je kunt mij uitnodigen. Ramon moet ervandoor met de jongens.'

'Ik wil anders graag ...'

'Dat weet ik, John. Carlos heeft over je verteld, maar de revolutie zorgt nog steeds voor de kinderen. Min of meer.'

'Geld voor een ijsje?'

'Dat willen ze graag. Ze zouden een ijsje van het nieuwe Italiaanse restaurant om de hoek wel heel lekker vinden. Daar kunnen we zelf toch niets kopen. Dat is voor buitenlanders met het echte geld', zei ze en ze lachte zonder daar een reden voor te hebben. Haar lach werkte aanstekelijk en zowel Ramon als de jongens lachten met haar mee. Ik glimlachte en wist niet wat er zo grappig aan was. Ik wist ook niet hoeveel een ijsje kostte, maar ik gaf haar een briefje van tien peso's, dat ze doorgaf aan Ramon. Toen pakte ze me als iets geheel vanzelfsprekends bij de arm, hing met haar lichaam zacht tegen me aan en ik voelde haar borst, toen ze me zo natuurlijk door de straat leidde alsof we oude vrienden of misschien zelfs een stel waren.

9

Consuela nam me mee naar een kleine patio, die in een zij-straatje lag verscholen. Het was een zogenoemde *paladar*, wat voor de Cubanen een privérestaurant betekende. Het was meestal ook mogelijk om er te overnachten. Deze *casas parti-culares*, die fungeerden als hotelletjes of pensions, waren net als zo veel andere dingen op dit vreemde, gespleten eiland een halve bastaard en je had geen idee wat ze ermee wilden. Ze waren in strijd met de ideologie, maar noodzakelijk voor het toerisme. Ze werden onderworpen aan allerlei regels en hoge belastingen en beperkingen wat het aantal tafels betreft. Al-les moest met converteerbare peso's worden betaald. De klan-ten betaalden harde valuta en de arme eigenaren moesten het grootste deel afgeven aan de gulzige staat.

Het was duidelijk dat Consuela de gastvrouw kende, een forse vrouw van rond de vijftig met een gebloemde jurk aan en met grote, rode lippen en stevige onderbenen. Haar man, van dezelfde leeftijd, kwam de keuken uit om ons te begroe-ten. Hij was zo dun als een bezemsteel, dus je kon je afvragen hoe hij zijn broek omhooghield. Het leek alsof hij de kok was, met zijn witte T-shirt en een theedoek om zijn middel gebon-den. Ik kreeg plotseling trek. Het rook er goed naar een kruid dat ik niet kende en dat zich vermengde met de bekende geur van een houtskoolgrill in de hoek van het gezellige binnen-plaatsje, dat bijna geheel werd gevuld met vier tafels onder een grote plataanboom. Het was er brandschoon en netjes. Je kon het binnenplaatsje vanaf de straat niet zien, maar toch had een jong, buitenlands stel een tafeltje gevonden. Ik hoorde dat ze samen Nederlands spraken en dat ze met de vriendin van Consuela alleen in het Engels communiceerden, dus we konden ongestoord Spaans spreken.

Ik had moeite om de leeftijd van Consuela in te schatten. Ze was waarschijnlijk dichter bij de veertig dan de dertig, dacht ik, toen ik de fijne rimpels bij haar ogen zag, maar op een wat luie manier was ze zeer sensueel. Ze flirtte en hield mijn hand iets langer vast dan nodig was, toen ik haar sigaret aanstak. Ze boog zich demonstratief over de tafel, zodat ik tussen haar borsten kon kijken, die ze eerder tegen mijn bovenarm had gedrukt, en ze lachte om mijn opmerkingen wanneer ze vond dat ik iets grappigs zei. Ik wist niet goed of ze me wilde verleiden of dat ze me gewoon probeerde uit te vragen en te analyseren. Misschien was het beide. Ze werd heel direct in haar kritiek op het regime, maar ik had ervaren dat veel Cubanen dat deden, maar wel zonder de namen van de leiders te noemen. De gebroeders Castro waren als Voldemort in de Harry Potter-boeken. Hij-die-niet-genoemd-mag worden. In Cuba trok men discreet de hand over de kaak om de zo langzamerhand dunne en bescheiden baard van Castro te symboliseren.

De gastvrouw zette twee ijskoude Cristal-biertjes voor ons neer. Ik schonk de inhoud van mijn flesje in het glas dat erbij hoorde, maar Consuela pakte langzaam haar slanke, groene flesje met haar vingers op, bracht het naar haar mond en sloot haar lippen om de hals, voordat ze grote, gulzige slokken nam. Ze zette het flesje neer en streek zichzelf over haar kin. Ze hield de hele tijd oogcontact met me en zei: 'Er mag in een paladar in Havana geen kreeft worden geserveerd, dat is een van die stomme regels, maar Rosita kent iemand in Cojimar. Ze heeft ook gegrild varkensvlees en een salade. Converteerbaar, natuurlijk ...' zei ze.

'Jij mag het zeggen.'

'Ze mogen ook geen rundvlees serveren. Het is verboden om koeien te doden. Alleen openbare restaurants mogen rundvlees serveren. De melk is bestemd voor de kinderen. Dat is misschien heel slim. Dat krijgen ze op *libretaen*, het bonnenboekje, dus rundvlees kun je niet krijgen.'

'Dat geeft niets. Jij mag het zeggen. Heb je zelf kinderen?'

'Nee, John. Dat had ik wel graag gewild, maar ik kan geen kinderen krijgen', zei ze ronduit, maar er verscheen een schaduw over haar gezicht.

'Heb je wel een man?'

Ze lachte, pakte het flesje bier weer en dronk het in één teug leeg. Rosita kwam meteen met een nieuw flesje.

'Rosita! John uit Denemarken vraagt of ik een man heb!'

Het was blijkbaar erg grappig. Ze lachten allebei overdreven meisjesachtig, zodat de Nederlanders naar ons keken. Ze hadden allebei een kop koffie en leken bijna te gaan betalen.

Rosita liet haar hand rusten op de blote, bruine schouder van Consuela en zei: 'Consuela had een man, maar hij is vertrokken naar de overkant.' Ze wuifde met haar ene hand naar de zee, die vast in die richting lag. 'Hij heeft haar niet eens gevraagd of ze mee wilde, die klootzak. Hij had een hoertje dat hij liever mee wilde hebben. Zo zijn mannen. Ze denken met hun pik.'

Consuela haalde bijna onmerkbaar haar schouders op en Rosita liet haar hand vallen. Die hing een paar seconden in de lucht, voordat ze hem uitstak en het lege bierflesje pakte.

'Ik was ook niet meegegaan', zei Consuela en ze doofde haar sigaret. 'Dat had ik niet gedaan. Ik woon hier. Aan de overkant is het vast niet beter.'

'En je hebt Ramon ook nog', zei Rosita.

'Dat klopt. En de jongens.'

'Consuela zorgt voor de jongens alsof ze haar eigen kinderen zijn', zei Rosita en ze sloeg een kruisje, voordat ze verderging. 'Moge de Onbevlekte Maagd mijn getuige zijn dat onze Consuela voor de jongetjes zorgt alsof ze uit haar eigen schoot zijn gekomen.'

'Waar is hun moeder?'

'Hun moeder is vier jaar geleden overleden. Ze is aangereden door een auto, dus Consuela is een engel, zeg ik je.'

Consuela zei: 'Het is goed zo, Rosita. John uit Denemarken wil graag je kreeft hebben en daarna varkensvlees. En nog wat bier. Veel meer bier.'

Rosita liep weg. Consuela pakte een nieuwe sigaret en ik stak die voor haar aan met de aansteker, die ze op tafel had gelegd. Er stond reclame op van een bedrijf dat zichzelf Propaganda Central noemde. Ik boog me over de tafel en vroeg wanneer haar man haar had verlaten. Ze blies langzaam de rook uit, haar neusvleugels vibreerden zacht toen de grijze rook eruit kwam en opsteeg in de warme lucht. Ze had een fijne neus in het bruine gezicht en leuke wenkbrauwen, die ervoor zorgden dat haar gezicht er voortdurend uitzag alsof ze ergens plezier om had. Alsof de hele wereld het toneel was voor een lange komedie.

'Drie jaar geleden', zei ze.

'Hoe doe je dat?'

'Wat bedoel je?'

'Hoe heeft hij kunnen ontsnappen? Op een opgeblazen binnenband van een tractor of zo?'

'Tegenwoordig betaal je ervoor. Het is niet zoals vroeger, toen de meeste mensen gewoon vertrokken op alles wat kon drijven. Als je geld hebt, kun je professionele mensen vinden die je naar de overkant brengen.'

Ze maakte weer die snelle beweging over haar kin en zei: 'Ze zeggen het officieel niet, maar ik hoorde op de Amerikaanse radio dat de afgelopen drie jaar bijna zeventigduizend Cubanen de reis hebben gemaakt. Onder wie mijn man.'

'Het spijt me.'

Ze ging rechtop zitten en zei: 'Zit daar maar niet over in. Je moet geen medelijden met me hebben vanwege die idioot. Ik was hem toch zat. Ik had ook mijn eigen minnaar. En nu zit ik toch hier met jou? Je bent echt lief, hè? Je trakteert me toch op een goede lunch? Eigenlijk zag ik niets meer in die idioot, maar hij zorgde ervoor dat ik werd ontslagen. Dat kan ik hem niet vergeven.'

'Hoezo?'

Er was een pauze, terwijl Rosita meer bier kwam brengen. Het was koud en smaakte prikkelend, heerlijk bitter. Ik voelde de alcohol, maar het was aangenaam. Ik werd niet moe zoals gewoonlijk of neerslachtig en boos op mezelf. Het Nederlandse echtpaar betaalde en vertrok terwijl het hartelijk naar ons glimlachte.

'Very good food', zeiden ze meerdere malen, toen ze tussen de tafel en de stoel uit kwamen, en toen ze weg waren vertelde Consuela het hele verhaal. Ze hield de aansteker omhoog en zei: 'Dit is de naam van het openbare bedrijf dat mijn man en ik leidden. Het ging heel goed. We mochten contracten sluiten voor dollars met bedrijven in Venezuela, Mexico en Spanje. We drukten kapitalistische reclames, omdat we het goed en goedkoop konden doen. Iedereen was blij, omdat we een gedeelte van het salaris konden uitbetalen in converteerbare peso's; anders heb je alleen wat het bonnenboekje je geeft. Alleen als je werkt voor de toeristen of in de farmaceutische industrie, waar we kunnen exporteren, krijg je een gedeelte van je salaris in converteerbare peso's uitbetaald. Anders verdien je wat gelijkstaat aan tien dollar per maand. Dat is niets. Je gaat er niet aan dood. Je hebt bijna al het noodzakelijke op de libretaen, maar je kunt het niet leven noemen.'

Ik wachtte tot ze zou doorgaan, maar het leek alsof ze even afdwaalde. Ze dronk weer gulzig van haar bier en ik deed met haar mee. Ik was ook overgegaan op het drinken uit de fles.

'Je zei dat je was ontslagen …?'

'Jazeker. Ja. Dat gebeurde.'

'Wat deed je?'

'Ik ben grafisch ontwerper. Mijn man was de directeur en het ging goed. Toen had De Baard een van zijn plannen. Wij Cubanen moesten het grote gevecht tegen de ideeën van Bush winnen. Zij hebben het geld, maar wij hebben de ideeën. Zei hij.'

'Zei wie?'

'Je weet wel over wie ik het heb.'

'Voldemort?'

'Wie?' zei ze verbaasd.

'Hij-die-niet-genoemd-mag-worden.'

Ze lachte en zei: 'O. Nee, hij niet.'

'Oké. Ik volg je. En toen?'

'Toen werden we uitgekozen om een van de speerpunten in het grote plan in de strijd tegen de ideeën te worden, omdat we bekwaam, energiek, effectief en professioneel waren. Alles wat de meeste openbare bedrijven niet zijn. We moesten propaganda maken en dat deden we. Via onze ambassades wordt het in de hele wereld uitgedeeld. Niemand koopt het natuurlijk. Het is propaganda. Het is niets waard. Het wint geen oorlogen op het slagveld tegen de ideeën. Het verslaat Coca-Cola niet in de grote arena tegen de ideeën. Federico. Dat was mijn man. Federico moet enige tijd de boel hebben opgelicht. Dat doet iedereen toch als het mogelijk is. Hij had in elk geval genoeg geld opzijgelegd om door enkele professionele mensensmokkelaars te worden opgehaald samen met zijn hoertje, dat natuurlijk met haar vooruitstekende borsten en kleine kontje direct van de designopleiding kwam en de directeur plat kreeg.'

'Het spijt me, Consuela', zei ik en ik meende het. Ik voelde de biertjes en dan word ik gemakkelijk sentimenteel.

'Laat maar zitten. Ik werd ontslagen, omdat ik was getrouwd met die oen en meegetrokken werd naar die geheime jongens, maar ze konden me nergens van beschuldigen. Ze konden aan me zien dat ik totaal in de war was en van niets wist, dus lieten ze me na een week gaan, maar ik kon natuurlijk niet bij Propaganda Central blijven en speerpunt zijn in de grote strijd tegen de ideeën van George W. Bush, wanneer mijn man het water was overgestoken.'

'Wat doe je nu?'

'Ik maak zelf dingen en probeer ze te verkopen aan de toeristen.'

'Ik dacht dat je een vaste baan moest hebben?'

'Die heb ik ook. Formeel gezien maak ik schoon in een ziekenhuis, maar dat neemt niemand echt serieus. Ze doen alsof ze ons betalen, dan doen wij alsof we werken. Clarita heeft me aan dit baantje geholpen.'

'O ja, de kleine Clara. De persoon om wie alles draait', zei ik. 'Wanneer kan ik haar ontmoeten?'

'Snel.'

'Waar is ze?'

'In de buurt van Trinidad. Hector, een klootzak zoals de meeste mannen, is bedrijfsleider van een vakantiepark in de buurt. Zo een voor buitenlanders. Die corrupte hoerenjongens die zichzelf officieren noemen, leiden zulke plekken en ze worden rijk van de buitenlandse toeristen. Zo is het gewoon.'

'Wat doet Clara?'

'Nu even niets. Officieel is ze ziek gemeld.'

'Officieel?'

'Je vraagt veel, John. Dat is niet zo verstandig in deze stad. In Cuba is het verstandiger om je mond te houden. Vragen loopt slecht af.'

'Oké.'

'Zo is het gewoon.'

'Het spijt me. Ik was gewoon in de veronderstelling dat ze een goede arts was en dat is hier toch ook nodig?'

Ze lachte een beetje geforceerd.

'Zo erg is het nou ook niet. Ze is ook een goede arts. Clara is een zeer goede chirurg en bovendien is Clarita mijn beste vriendin. We ontmoetten elkaar vlak nadat ze hier was komen wonen. Federico was toen leuk, terwijl Hector dezelfde stijve rotvent was als nu. Hij is altijd al een eikel geweest. Ik heb nooit begrepen wat ze in die saaie droogkloot zag, maar wat weet je ervan wat mensen denken wanneer het om seks en liefde gaat?'

'Ach nee, dat is niet altijd duidelijk.'

'In het begin sloeg hij haar tenminste niet.'

'Wat zeg je?'

Ze glimlachte en zei: 'Wat is er? Doen mannen in Denemarken dat niet? Om als het ware duidelijk te maken dat jullie het voor het zeggen hebben.'

'Sommigen vast wel. Ik niet.'

'Je bent een grappige man, John.'

'Zo word ik normaal gesproken niet genoemd.'

'Dat ben je wel. Een grappige man van de andere kant van de wereld, die deftig Spaans spreekt net als de meest deftige mensen op de televisie.'

Ik lachte.

'Het is wel goed met jou.'

'Hector is niet de ergste wat het slaan van zijn vrouw betreft, maar toch is het een eikel. Nu zit ze in Trinidad te niksen. Want hij doet ook niet veel andere dingen met haar en dat bevalt haar eigenlijk uitstekend. Ik snap heel goed dat ze graag nieuws van haar vader aan de andere kant wil horen …'

'Van de aarde?' vroeg ik.

'Zoiets ja. Dat kon het net zo goed zijn. Het is in elk geval over de zee aan de andere kant van de horizon, in een andere wereld.'

Ze zag er een beetje melancholiek uit, ze keek weg en dronk uit haar flesje bier, voordat ze wat dromerig tegen me zei: 'Ik zie gewoon Clarita voor me. Ze staat bij de grote trap in Trinidad met een Cristal in haar hand, terwijl ze wiegt op de muziek en samen is met veel mensen en toch ook alleen. Ze staat daar en de salsa, de juiste, de echte, niet die troep waar de toeristen naar luisteren, vult haar en ze denkt dat alles anders had kunnen zijn en dat je van je dromen moet genieten zolang je jong bent.'

'Ik weet niet wat je bedoelt, maar ik wil je niet uithoren … dat was niet mijn bedoeling.'

Ze boog zich over de tafel, keek opnieuw in mijn ogen, legde haar zachte hand op de mijne en zei: 'Een paar dagen. We moeten een beetje voorzichtig zijn, maar je kunt morgen het huis van Hemingway bezoeken, dan gebeurt er vast heel snel iets.'

'Het huis van Hemingway?'

'Dat soort dingen doen toeristen, domme vent. Je bent toch toerist?'

'Jazeker.'

'Dan is dat vast een goed idee. Hemingway en Che Guevara zijn de enige helden die er nog zijn op het eiland. Ze waren slim genoeg om dood te gaan voordat de triomf van de revolutie verbleekte', zei ze als een echo van mijn eigen gedachten.

Rosita en haar man kwamen met het voorgerecht, dus Consuela hoefde het gesprek niet voort te zetten in de richting die ik was ingeslagen. Het waren twee grote rivierkreeften, die gegrild waren en ingesmeerd met boter en knoflook. Bij elke rivierkreeft lag een stukje limoen. Er zat geen brood bij, maar het rook hemels. De man van Rosita stond lang en mager met zijn theedoek en de donkere broek te kijken hoe het werd geserveerd. Wat zouden ze zelf te eten krijgen? Hij stelde zich voor als Sebastián en was duidelijk trots op zijn blijkbaar illegale kreeft.

We aten en ze begon me uit te horen. Uithoren was misschien een verkeerd woord, want ze leek oprecht geïnteresseerd in mij en mijn leven, terwijl we eerst kreeft en daarna varken van het spit aten met zoals altijd rijst, bonen en een salade. We gingen door met de koude biertjes. De zon brandde, maar op de een of andere manier was de temperatuur in de patio aangenaam. Ik voelde me op mijn gemak, het bloed stroomde door mijn aderen. Consuela at alsof ze dagenlang niets had gegeten. Ze at met haar handen, likte haar vingers af en dronk uit het flesje op een manier waardoor ik de hele tijd aan seks moest denken, terwijl ik praatte en haar nieuwsgierigheid probeerde te bevredigen.

Mijn leven in weinig woorden.

Ik kon vertellen dat mijn vader acht jaar geleden plotseling was overleden aan een herseninfarct. Hij was naar huis gefietst zoals hij altijd deed – na een zomers avondbezoekje aan een oud-collega-advocaat, waar ze gewoontegetrouw hadden geschaakt en hadden afgegeven op de tijdgeest – toen hij een zwaai dwars over de weg maakte, omviel en dood was. We waren natuurlijk erg geschrokken, maar ik miste hem niet. Tijdens mijn hele kindertijd had hij ver bij me vandaan gestaan, iemand die altijd onderweg was van of naar zijn kantoor. Als klein jongetje vond ik het misschien een veilig gevoel om hem in huis te hebben. Hij hoorde erbij, maar ik kan me vooral de rook van zijn pijp, die in de gordijnen en meubels hing, herinneren. Hij behandelde mijn zusje en mij met een onverschillige nonchalance. Ik was in een van de kleine huizen in het centrum van het stadje geboren, maar ik kan me niets herinneren uit die tijd. We verhuisden toen ik nog heel jong was. Ik groeide op in een van de grote huizen bij de fjord. Vanuit mijn kamer kon ik de vluchten vogels zien, de lage schepen van de fuikenvissers die de monding van de rivier in en uit voeren, de hengelaars in hun jol zoals mijn eigen, maar ik zag mijn vader alleen in mijn kamer wanneer ik op mijn kop kreeg of wanneer hij een boodschap moest overbrengen. Bij het avondeten was hij heel vaak niet thuis. Zijn werk of politieke vertrouwensposten bij wat gewoon De Partij heette, namen veel tijd van de drukke man in beslag.

Op zijn grafsteen zou moeten staan: 'Doe je best. Gedraag je beleefd. Zit netjes aan tafel. Stel je niet aan. Hou op met jammeren.' Hij was een merkwaardig autoritaire vader in een tijd waarin vaders in Denemarken vage schaduwen waren van sterke vrouwen, die hun zonen vormden volgens meer vrouwelijke standpunten. Hij had net als ieder ander zijn geheimen. We hadden verwacht dat we een vermogen zouden erven, maar toen hij omviel, bleek dat er geld ontbrak van de cliëntenrekening. Mijn vader was een van de notabelen van de stad en bestuurslid van de conservatieve kiesvereniging, dus het werd in de doofpot gestopt en de necrologie in de plaatselijke krant was natuurlijk netjes. Er was ondanks alles ook nog genoeg geld, zodat mijn moeder er de rest van haar leven van kon rondkomen.

Hij had mijn zusje of mij nooit geslagen, maar mijn oudere broer had diverse keren een pak slaag gekregen. Hij ging de strijd aan en kwam in opstand, terwijl ik me verstopte. Arne was vier jaar ouder dan ik en woonde nu in een groot huis buiten Esbjerg. Hij verdiende nog steeds veel geld aan de olie in de Noordzee. Toen mijn vader tegen hem zei dat hij naar het gymnasium moest en daarna geneeskunde moest gaan studeren, ging hij meteen naar een loodgieter om te vragen of ze een leerling nodig hadden. Hij heeft me later verteld dat dat het eerste uithangbord bij een ambachtsman was dat hij vanaf huis had gezien toen hij naar het centrum liep. Het was een goede keuze geweest. Hij ging veel geld verdienen met zijn sprong in het olieavontuur toen dat aan het einde van de jaren tachtig een grote groei doormaakte. De vrouw van Arne stond net als ik voor de klas op een gymnasium, maar we hadden niet veel gespreksstof. Arne en ik ook niet. Ze hadden twee kinderen, die uit huis waren. We zagen elkaar bij belangrijke familiegebeurtenissen, verder niet. Mijn jongere zus heette Karen en ze was lerares op een basisschool. Ze gaf les op een privéschool in Kopenhagen en was alleenstaande moeder van een twaalfjarig meisje. Haar ex-man zat in de verzekeringsbranche en was een klootzak. Ik verdacht hem ervan dat hij haar sloeg toen ze veel te lang getrouwd waren geweest. Toen Arne een keer dronken was, zei hij, had hij gedreigd de man van Karen in elkaar te slaan als hij haar niet met rust zou laten. Korte tijd daarna gingen ze uit elkaar. Ik zag Karen ook niet vaak. Ze bracht veel tijd door op diverse datingsites op internet en ze verbaasde zich erover dat ik niet wist wat Facebook was.

Aan de buitenkant had alles er normaal uitgezien, want zo moest het op het Deense platteland, maar we waren een tamelijk disfunctioneel gezin. Dat komt waarschijnlijk veel vaker voor dan je zou denken, wanneer je alleen naar de nette buitenkant kijkt. Arne was als kind een kleine schurk geweest. De tikken die hij van onze vader kreeg, gaf hij door aan mij. Ik herinner me onze kindertijd in het grote, mooie huis als een lang gevecht, maar toen ik dat een paar jaar geleden tegen Arne zei, schudde hij minzaam zijn hoofd en zei dat hij zich dat niet kon herinneren. Zijn vrouw Lene zei dat ik zoals altijd waarschijnlijk aan het overdrijven was. Ik had de neiging om gebeurtenissen te dramatiseren. Ik was iemand met een selectief geheugen, vond ze. Lene was een teleurgestelde vrouw, die lesgaf in Deens en godsdienst, maar ooit ervan had gedroomd om af te studeren in de literatuurwetenschap. Ze was een magere, bitse vrouw met felblauwe ogen en meestal droeg ze haar haar strak achterover over het smalle, hoge hoofd. Ze sprak net zo langzaam als een bekende vrouwelijke politicus, met weinig klemtonen en veel eh's, wat me vreselijk irriteerde. Ik weet niet wat ze in elkaar zagen. Misschien keek ze vooral naar het vele geld van Arne. Karen gaf me gelijk en noemde consequent het huis waarin we waren opgegroeid zoiets overdrevens als de gele gevangenis en Ringkøbing noemde ze het gevangenenkamp uit haar jeugd, maar zo keek ze ertegenaan.

Arne wilde zich onze jeugd niet herinneren als de gevoelloze vrieskist die ze was geweest, maar hij zei altijd dat we waren opgegroeid onder goede, solide omstandigheden, die hij doorgaf aan zijn kinderen. Hij wilde niet horen dat ik het grootste deel van mijn jeugd ongelukkig was geweest en er alleen van had gedroomd om weg te komen. Terwijl Arne vocht met mijn vader en zijn vrienden, voetbalde, handbalde en zich vanaf zijn vijftiende bezighield met meisjes, maakte ik lange, dromerige wandelingen langs de fjord of kilometer na kilometer langs de Noordzee met de verzamelde gedichten van Morten Nielsen in mijn schoudertas en een schrijfblok en een potlood om mijn eigen gedachten op te schrijven en ermee te dichten. Of ik ging de zee op met de zeilboot die ik samen met mijn beste vriend had. Dat is mijn jeugd: ik loop alleen met de wind in mijn gezicht en ik hoor het geluid van de lange golven die van zee komen en daarmee van de grote wereld die op me ligt te wachten.

Toen mijn vader overleed, had mijn moeder dat niet in de gaten. Niet echt in elk geval. Haar geheugen was een gatenkaas. Er waren dagen dat ze wist wie ik was. Andere dagen had ze geen idee waarom er een man tegenover haar zat en haar hand wilde vasthouden. De ziekte van Alzheimer was nogal vroeg gekomen en had zich snel ontwikkeld. Ik kon 's nachts badend in het zweet wakker worden bij de gedachte dat het misschien erfelijk was, hoewel ze zeiden dat dat niet zo was. Mijn vader had samen met de thuiszorg voor mijn moeder gezorgd, maar nu zat ze in een verpleegtehuis. Ik ging vaak bij haar op bezoek en af en toe voelde ik me schuldig dat ik gewoon op reis was gegaan, maar het personeel had gezegd dat ze toch geen bijzonder ontwikkeld tijdsbesef had. Ik zat te denken dat ze was afgetakeld tot een soort hondenstadium. Er wordt namelijk gezegd dat honden geen idee hebben of er vijf minuten of vijf uur zijn verstreken als ze alleen thuis zijn.

Dat vertelde ik Consuela allemaal niet. Ik zei dat mijn moeder oud was en in een verpleegtehuis woonde en dat mijn vader was overleden. Dat ik een jongere zus en een oudere broer had, die was getrouwd en twee kinderen had.

'Betaal je in Denemarken om in zo'n verpleegtehuis te wonen?' vroeg ze en ze likte langzaam het vet van haar middelvinger.

'Ja, wel een gedeelte. Dat hangt ervan af hoeveel geld je

hebt. Het is een nogal ingewikkelde rekensom in mijn land.'

'Betaal jij voor haar?'

'Nee, dat doet ze zelf. Van haar eigen pensioen en dat van mijn vader.'

'Dat begrijp ik niet. Is het wel een goede plek? Is het goed voor je moeder?'

'Jazeker.'

'Ben je getrouwd?'

'Geweest.'

'Ben je gescheiden?'

'Nee, mijn vrouw is overleden. Ze kreeg kanker.'

Er verscheen oprecht medeleven in haar bruine ogen en ze zei: 'Dat spijt me, John. Dat spijt me echt. Dat is een ziekte die geen ideologie kent.'

'Nee, en dank je wel. Ja, zo is het gewoon.'

'Heb je kinderen?'

Ik vond niet dat er een reden voor was om de stemming nog triester te maken, dus ik besloot om niets te vertellen over ons zoontje, dat veel te vroeg was overleden. In plaats daarvan zei ik: 'Ik heb een lieve dochter. Ze studeert in een stad die Århus heet.'

'Dat is fijn om te horen', zei ze glimlachend. 'Dat is heel fijn, maar nu moet je me even excuseren.'

Ze stond op, maakte een omweg om de tafel om mijn nek aan te raken en ze liep het huis in, waarschijnlijk om naar het toilet te gaan. Ik keek haar blote, bruine rug en wiegende billen in de strakke rode shorts na en dacht aan de dag dat ik zeker wist dat Merete mij niet trouw was. Ik was door de Algade in de richting van het plein komen aanrijden, toen ik moest wachten voor voetgangers. Toen ik verder reed, zag ik twee auto's voor mij nóg een auto, waar Merete op de passagiersplaats zat. De Algade is smal met veel toeristen in het hoogseizoen. Je kruipt er vooruit. Merete was naar een twee-daagse cursus geweest en ze kwam terug op de dag dat ik toevallig achter haar reed. Ik hoorde het gerammel van de banden op de kinderkopjes, een langzaam, enerverend geluid dat normaal gesproken vertrouwd en bekend klonk. Merete werkte op de Ringkøbing Landbobank. Het was half twaalf. Ik had vrij gekregen, omdat mijn klas moest deelnemen aan de om de maand plaatsvindende bijeenkomst voor alle leer-lingen. Dat was ik vergeten. De auto met Merete op de pas-sagiersstoel stopte bij de bank. Ze gaf hem geen kus. Dat was veel te gevaarlijk in een klein stadje en dan ook nog op het plein, maar Merete legde op zo'n intieme manier haar hand in zijn nek dat ik er buikpijn van kreeg. De manier waarop haar smalle hand een moment op zijn achterhoofd rustte, kwam op mij heel erotisch en zeer privé over. Ik reed er snel langs en sloeg af naar de supermarkt alsof ik boodschappen moest doen, alsof ik degene was die iets geheims had gedaan. Ik ver-vloekte mezelf en mijn angst om hen te confronteren. Waar-om wilde ik er niet achter komen wie hij was? Omdat ik het wist. Ik kende de auto, die van de nieuwe directeur was die uit Århus was gekomen. De rest van de dag dacht ik na over wat ik 's avonds tegen Merete zou zeggen, maar ik heb nooit iets gezegd. Dezelfde avond vrijden we met een intensiteit waarvan ik niet dacht dat we die nog bezaten. We kwamen in die periode zo ver bij elkaar vandaan te staan. We dansten ook niet meer met elkaar. Dat was altijd onze gezamenlijke passie geweest omdat we van dansen hielden en we waren zo goed in het wedstrijddansen dat we prijzen wonnen.

Ik heb nooit iets gezegd. Het gebeurde vier maanden nadat we ons zoontje hadden verloren. Ik had tot nu toe aangeno-men dat Meretes wisselende humeur en het eindeloze gepraat over de kern van de onzin te wijten waren aan het onrechtvaardige overlijden van ons zoontje, maar het ging om liefde en opwinding. Pas toen ze op sterven lag, vertelde ze me dat ze me een paar jaar na zijn overlijden meerdere keren ontrouw was geweest. Toen was ze ermee opgehouden. Ze kon het niet meer. Ze deed het om me te straffen, zei ze en ze keek me aan met haar grijze ogen vanaf het witte kussen. Omdat ik geen kinderen meer wilde hebben. Omdat ik te bang was om het risico te nemen. Ze had haar God vervloekt en had de minnaars genomen die zich aanboden. Ze was in klassieke zin niet knap, maar ze was erotisch zo aantrekkelijk dat je zin had om haar vast te houden en haar te kussen. Je had het gevoel dat er grote passies schuilgingen in haar mollige lichaam.

Ze had me aangekeken en haar ogen vroegen om vergeving. Ik zei niets, staarde haar gewoon aan. Het maakt me niets uit, zei ik. Toen en nu. Je hebt nooit goed kunnen liegen, antwoordde ze. Je vecht niet en je liegt niet. Daarom ben ik met je getrouwd. Met jou zou er nooit gevaar op de loer liggen. Je zou je nooit storten op onzinnige dingen. Daar was voldoende van in mijn familie. Ik wist wat ze bedoelde. Haar ouders hadden twintig jaar lang bijna niets tegen elkaar gezegd. Haar oudere broer pakte op een nacht zijn geweer van de burgerwacht en schoot zijn vrouw, zijn twee kinderen en zichzelf dood. Hij liet geen brief achter. Hij had geen schulden. Zijn vrouw had geen ander. Hij had gewoon een baan. Er was geen rationele verklaring. Haar familie was het archetype van de vele verdrongen zaken onder de idyllische oppervlakte op het platteland. Achter de heggen in de ruim opgezette bungalowwijken lagen allerlei demonen op de loer om de tanden in ongelukkige mensen te kunnen zetten.

Ik had haar aangekeken. Ze lag daar mager en ingevallen, een hoopje botten met eroverheen een dunne huid gespannen, zonder haar, maar met brandende ogen waarvan ik alleen maar hoopte dat ze snel zouden sluiten. 'Ga nou toch dood verdomme', had ik gezegd. 'Ga toch dood!' Toen was ik weggegaan, maar ik was natuurlijk teruggekomen.

Daarom huilde ik misschien niet meteen toen ze was gestorven. Ik. De meester in het verdringen en uitstellen van dingen. De leraar die net als zijn Spaanse broeder vocht tegen onzichtbare windmolens en zich verdiepte in de literatuur in plaats van in het leven. Want ik had geen wapens, rossinant of lans. De Deense literatuur zit vol kosters die net zo zwelgen in medelijden als ik.

Ik pakte mijn biertje en dronk het op. In Havana kon ik me het moordende gevoel van vernedering herinneren en een jaloezie die zo sterk was dat ik bang was dat ik in staat zou zijn om terug te gaan om een hoofdkussen op haar gezicht te drukken, hoewel ik wist dat ik dat toch niet kon. Later had ik vaak gedroomd dat ik het wel deed, het leven uit haar drukte en af en toe ging ik twijfelen of ik het had gedaan, of ik in werkelijkheid Merete had vermoord. Of anders gezegd: haar had verlost door het onvermijdelijke te bespoedigen. Ze kreeg op het einde veel morfine, dus je kunt altijd discussiëren over de vraag waar ze uiteindelijk aan is overleden. En had ik of de verpleegster het infuus hoger gezet? Ik kon het me niet herinneren.

Consuela kwam terug en zag er nog aantrekkelijker uit, en ik realiseerde me dat de hele gedachtereeks op gang was gebracht toen ze langs me was gelopen en haar warme, zachte hand een moment in mijn nek had laten rusten. Het was zo'n snelle en gemakkelijke beweging geweest en tegelijkertijd zo erotisch, dat ik haar fysiek nog voelde. Ze herhaalde haar, ging zitten en dronk van haar biertje. Haar ogen zeiden alles en ik ben blij dat we zover waren gekomen, hoewel dat cynisch en egoïstisch klinkt.

Want de volgende dag was ze dood, alsof ik mensen in die toestand achterlaat, hoewel ik altijd zal volhouden dat ik nooit iets doe om tragedies uit te lokken.

10

Ik werd wakker in een vreemd bed en voelde me domweg gelukkig. Ik werd alleen wakker in het tweepersoonsbed in de grootste van de vier kamers in het casa particular van Rosita en Sebastián. Ik rook naar bier en naar veel seks. Ik zou wel kunnen wennen aan vrijblijvende vrijpartijen met vrouwen die ik nauwelijks kende. Toen ik jong was, had ik nooit zoiets meegemaakt. Merete was mijn eerste vriendin. Ik was haar trouw. Nu lag ik in een bed in een vreemde kamer met de geur van een onbekende vrouw aan mijn lichaam en ik weigerde sombere gedachten toe te laten tot mijn bewustzijn.

Het was buiten niet helemaal donker meer. Er was een spoor van een beginnende dageraad door de smalle opening tussen de gordijnen te bespeuren. Ik wist niet hoe laat het was, wanneer Consuela mij had verlaten of waar ze naartoe was gegaan. We waren vroeg naar bed gegaan met de grote lach van Rosita en de ondeugende glimlachjes van Sebastián die ze ons als afscheid gaven, maar het maakte me niet uit. Ik kon niet met haar mee naar huis gaan, zei ze, en ze wilde onder geen beding mee naar mijn deftige toeristenhotel, dus ik had voor een nacht een kamer gehuurd.

Ik rolde me om op mijn rug en strekte mijn armen boven mijn hoofd uit. Ik hoopte even dat ze in de kleine, veel te schone badkamer was, maar de deur stond half open en het was er donker. Ik bewoog mijn armen naar haar kant van het bed, maar ik voelde geen warmte meer van haar zachte, gulle lichaam. Ik had helemaal niet gemerkt dat ze was weggeslopen. Ik deed het licht aan. Het was iets voor zevenen. Ik had honger en erg veel dorst. We hadden een uitgebreide en lange, luie lunch gegeten, maar geen avondeten. De honger zou me uit mijn bed moeten krijgen, maar ik lag zo lekker. Alles zoemde, alsof mijn bloed vol champagne zat. Mijn lichaam was zwaar en licht tegelijk. Ik bleef even liggen, totdat mijn blaas me naar de badkamer dwong te gaan. Er was alleen koud water, dus ik werd wakker toen ik onder de douchekop ging staan en de kraan opendraaide. Daarna stak ik mijn hoofd in het laken en probeerde haar geur op te snuiven om me de nacht intenser te herinneren dan ik al deed. Zoals gezegd: ik was domweg gelukkig. Ik kon over het water lopen, vooral toen ik op het kleine tafeltje dat onder het raam stond, haar briefje vond. Ze had geschreven, misschien in het schijnsel van de maan terwijl ik voldaan en moe in het bed achter haar lag te slapen: *'Mi professor extraño y dulce. Hasta pronto, amante mia! C.'*

'Geen dank, mijn eigen leerling, die ook merkwaardig en lief is. Hopelijk zien we elkaar snel weer, maar eerst moet ik ontbijten en dan wil ik het huis van Hemingway bezoeken, zoals we hebben afgesproken, en daarna ga ik bij je langs', zei ik bijna hardop tegen mezelf, terwijl ik me aankleedde.

Ik stopte mijn gezicht weer in het laken, snoof krachtig de geur op en liep toen blij de trap af om Rosita of Sebastián te vinden, zodat ik mijn grote rekening kon betalen. Ik besloot dat ik vandaag een kaart naar mijn familie zou sturen. Het was al heel lang geleden dat ze iets van hun globetrotter hadden gehoord. Ik wilde Helle ook gaan bellen. Dat was alleen maar redelijk. Op dat moment wist ik niets, anders had ik mezelf natuurlijk niet toegestaan om me zo verdomd en jeugdig gelukkig te voelen.

Ik at een enorm ontbijt in mijn hotel, dronk heel wat water en nam een lange, warme douche, trok een schoon T-shirt aan en de lichte, dunne broek met de vele zakken die ik in

Key West had gekocht, voordat ik bij de receptie een auto met chauffeur reserveerde, die me naar de *finca* van Hemingway kon rijden. Ze zeiden het niet bij de receptie, maar toen ik achter in de bijna nieuwe Toyota plaatsnam, zei de chauffeur in slecht Engels dat het huis van Hemingway werd gerenoveerd. Dat moest ik gewoon weten, voordat we vertrokken. Het was een oudere, zwarte man met een net, wit overhemd aan, een stropdas en een donkere geperste broek en gepoetste, zwarte schoenen. Hij was bijna helemaal kaal en miste een paar tanden. Hij zag eruit als een man die op het randje van de armoede balanceerde, maar er alles aan deed om het verval zo lang als menselijkerwijs mogelijk was op afstand te houden. Hij had warme ogen, een vriendelijke glimlach en een zachte, gecultiveerde stem.

'Dat maakt niet uit', zei ik in het Spaans. 'Breng me er toch maar naartoe. Er valt vast wel iets te zien.'

'Prima, señor. Met veel genoegen. Is de airconditioning naar wens?'

'Precies zoals hij moet zijn', zei ik. 'Het kon gewoon niet beter.'

'Meneer is vandaag in een goed humeur.'

'Is er een reden om dat niet te zijn?'

'Ik kan veel redenen bedenken om verdrietig te zijn, señor, maar het is niet mijn taak om het goede humeur van meneer te verpesten. Het is mijn taak om de auto te besturen.'

'Doet u dat, dan geniet ik ondertussen van Havana. We hebben geen haast.'

'Met genoegen. Meneer heeft de grote schrijver gelezen?'

'Jazeker. U ook?'

'Ach ja. Ik ben niet altijd taxichauffeur geweest. Er was een tijd dat ik colleges literatuur op de universiteit verzorgde, maar dat doe ik niet meer.'

'O nee, waarom niet?'

'Dat is een lang verhaal, señor. Een van de verhalen die u misschien verdrietig kunnen maken, want ik kan voelen dat u een goed mens bent, dus dat bewaren we voor een volgende keer. Vandaag beperk ik me tot het rijden. Het zou zonde zijn om zo'n goed humeur als het uwe te verpesten. Ik zou denken dat u verliefd bent. Alleen een vrouw kon zo veel geluk brengen. En evenveel verdriet, helaas.'

'Bedankt voor uw oplettendheid.'

'Bedankt voor uw interesse.'

Hij reed rustig. Er was ook niet veel verkeer, maar wat er wel was, was nogal anarchistisch. Er waren oude, Amerikaanse voertuigen die bij elkaar werden gehouden door kauwgom, touwen en de gebeden van de eigenaren aan hun vele verschillende goden, kanariegele, kuchende Coco's, nieuwe Koreaanse huurauto's en – in de voorsteden – kleine, kar-achtige wagens, die voort werden getrokken door paarden. De architectuur was een mix van bouwvallige koloniale stijl in weinige en toch mooie kleuren en een soort Oost-Europese bouwstijl, die eruitzag alsof de Oost-Duitsers de hele boel van de Karl-Marx-Strasse in Oost-Berlijn hadden geëxporteerd. Enorme posters van Che Guevara domineerden samen met uitspraken van Fidel dat de revolutie zal overwinnen, omdat we de beste ideeën hebben. Een bord maakte reclame voor tuKola, dat op het aan blokkades onderhevige eiland in de plaats kwam voor de Coca-Cola van de Amerikanen. Bij een winkel stond een rij mensen tot om de hoek, maar ik kon niet zien wat er te koop was. Zware bussen sleepten zich kreunend voort, volgepakt met mensen. Andere bussen stonden als plan-economische wrakken langs de kant van de weg, terwijl de passagiers geduldig naar de chauffeur keken die aan de motor sleutelde. Vrachtwagens bewogen zich net zo moeizaam voort als mensen met een rollator en produceerden een zwarte, kleverige rook. Het was erg warm. De zon stond rond, gloeiend en geel aan een diepblauwe hemel. De bladeren van de palmbomen bewogen mee op de wind. Het stof wervelde uit de gaten in de weg. Overal waren schaars geklede vrouwen te zien, waardoor ik aan Consuela moest denken.

Hoewel de autoruiten niet omlaag waren gedraaid, kon je de geur van sigaren waarnemen en deze vreemde reuk van verval, zowel zoet als walgelijk, maar ook opwindend en erotisch. Het ging prima met me, maar iets knaagde aan me. Ik realiseerde me dat ik er hoogstwaarschijnlijk niet tegen zou kunnen om voor altijd in de tropen te wonen. Dat kwam niet zozeer door de warmte, maar wel doordat het weer altijd eentonig was met variaties in zon, warmte en wind. Met tussenpozen woedden er angstaanjagende orkanen. Ze veegden over het eiland en legden alles plat. Ik zou niet zonder de wisselende jaargetijden kunnen. Ik zou de kou en de eerste bijtende storm van de herfst missen, die de Noordzee opschuimde en de duinen opvrat. Alleen al door de gedachte verlangde ik naar de geur van een brandend haardvuur.

Dat was niet het enige wat aan me vrat. Het kwam door het gevoel dat iemand me in de gaten hield. Het was slechts een vermoeden, maar ik voelde dezelfde sidderende onrust, hetzelfde gevoel van maagzuur en een hartslag die zonder reden hoger werd, als in Miami wanneer ik had getraind of spion had gespeeld met Dylan, Jorge en Fernando. Ik dacht aan de Cubaanse veiligheidsdienst, de DGI, en aan wat Dylan had verteld over de brutaliteit van de medewerkers, maar ik had niets gedaan. Het was ook maar een gevoel.

'Het is hier wat koud', zei ik.

'We zetten hem wat zachter of misschien zou ik harder moeten zeggen, señor', zei mijn chauffeur. 'Het is zo modern.

Dit is mijn eerste auto met airconditioning. Zeer elegant, maar je mist de geuren. Het wordt wat synthetisch.'

Zijn milde stem werkte zeer geruststellend. Ik keek achterom. Het verkeer was verspreid. Ik leunde achterover. Ik keek weer achterom. Had ik die Hyundai niet eerder gezien? Hij had rode nummerplaten, dus het was een huurauto. Dat zou veel te duidelijk zijn. Het waren gewoon zenuwen.

'Zet hem wat mij betreft maar uit en doe het raam open. Dat zou heerlijk zijn. Het is toch prachtig weer, zoals gewoonlijk.'

'Het klimaat op mijn mooie eiland heeft men niet kunnen verpesten', zei hij en hij zette zijn raam op een kier. De wind waaide warm en vochtig naar binnen en hulde zich rustgevend om mijn gespannen lichaam.

Het huis van Hemingway lag enigszins afgelegen, omgeven door kleine, Cubaanse, houten huizen waar de mensen buiten op hun bescheiden veranda's zaten te kijken of te kletsen. Vooral vrouwen met gebloemde jurken hielden de kinderen in de gaten, die rondrenden en met een bal op de stoffige weg speelden. Vlak na het gebouwtje waar we moesten betalen om naar binnen te kunnen rijden, stond een grote bus geparkeerd. De chauffeur bleef achter bij de auto. Hij pakte een krant en ging zitten met het portier open. Er liep een groep toeristen rond in de grote, schaduwrijke tuin. Ze zagen er teleurgesteld uit. Het huis, dat groot en wit was, stond in de steigers en alle huisraad was weg getransporteerd, hoorde ik hun Cubaanse gids zeggen in een Duits dat ze alleen zo vloeiend en met die uitspraak in de teloorgegane DDR had kunnen leren, toen de socialistische broederschap over de grote zee kwam.

'Alles is nauwkeurig genoteerd en gefotografeerd, zoals het stond toen de grote schrijver zijn geliefde Cuba verliet, zodat het op precies dezelfde plek kan worden teruggezet als deze kostbare renovatie door de overheid is afgerond. Dat gaat om zijn meubels, boeken, schoenen, wapen, trofeeën uit Afrika en zijn kunst van vrienden als Picasso en Miró', zei ze.

Ze was een kleine, ronde dame met veel zwart haar. Voor een Cubaanse vrouw was ze nogal blank en haar tere huid, vastbesloten kleine voetstappen en gedisciplineerde gebaren pasten bij de Duitse taal.

'Hemingway hield van Cuba en van het Cubaanse volk. Hier bracht hij zijn gelukkigste jaren door', zei ze. 'Laten we naar het zwembad gaan, waar de grote Amerikaanse actrice Ava Gardner ooit naakt heeft gezwommen.' Hier stond ze zichzelf toe kort en bescheiden te glimlachen en de groep Duitsers van middelbare leeftijd, voornamelijk vrouwen, sjokte achter haar aan. Ze zweetten in stilte in de hitte en ze deden me denken aan de Duitsers die 's zomers vanuit hun gehuurde vakantiehuizen in Søndervig en omgeving naar Ringkøbing kwamen. Ze leverden het stadje geld op en het waren doorgaans beleefde en vriendelijke mensen.

Ik hing wat rond in de zonneschijn en dacht meer aan het lichaam van Consuela dan aan het proza en leven van Hemingway. Opnieuw leek het erop dat de droom of de verwachtingen van de plek groter waren dan de magie die de plek zou moeten bezitten en mij moest geven. Zijn geliefde vissersboot Pilar lag onder enkele schaduwrijke palmbomen. De boot was kleiner dan ik me had voorgesteld, maar het was een mooie houten boot met fijne, slanke lijnen. Hij was zo blij met zijn speciaal ontworpen motorboot, dat hij de sterke vrouw in de burgeroorlogroman *Voor wie de klok luidt* ernaar vernoemde. Pilar, die moediger en dapperder is dan de meeste mannen, vergeet je niet zomaar. Ik wist dat hij het huis al in 1939 huurde, het een jaar later kocht en er tot 1960 in woonde, toen hij terug verhuisde naar de vs. Hij liet al zijn bezittingen achter. Zou hij ervan uit zijn gegaan dat hij terug zou komen? Of maakte het hem niets uit, omdat hij wist dat hij het jaar erna een jachtgeweer in zijn mond zou stoppen om aan alles een einde te maken? Hij kon niets meer. Hij kon niet neuken en hij kon niet schrijven. Door zijn huidkanker jeukte het overal. De huid van zijn gezicht liet in grote schilfers los. Hij was nog maar eenenzestig jaar, maar hij leek wel een man van tachtig. Hij kon niet meer drinken. Hij was klaar. Hij was ervan overtuigd dat de FBI achter hem aan zat. In zijn badkamer waren meer medicijnen te vinden dan in een hele apotheek. Ik begreep hem wel. Er waren momenten tijdens de ziekte en aftakeling van Merete waarop ik me afvroeg of het niet beter was dat we allebei stopten met het rotleven dat we leidden. Papa bezat de noodzakelijk diepe wanhoop of de moed. Die had ik gelukkig niet.

Ondanks de hitte kreeg ik een koude rilling en ik klom de toren in die zijn laatste vrouw, Mary, liet bouwen. Er was een nieuwe buitentrap van grijs metaal. De toren was gebouwd opdat de schrijver zich kon terugtrekken om in alle rust te werken. Daar had Papa geen zin in. Hij was net zo sociaal als zijn vele geliefde katten en hij schreef in de regel met de hand, staande in de woonkamer op blote voeten in een paar afgetrapte mocassins, terwijl het leven in het grote huis zich om hem heen afspeelde. Er stond een koude fles witte wijn binnen handbereik om de stoomlocomotief gaande en de dorst uit zijn keel te houden.

In de toren was geen renovatie gaande. Er lag een leeuwenvel op de vloer met een bek vol witte, scherpe tanden. Aan de wand hing een schilderij, waar een verfraaide uitgave van Papa als het ware naast een andere grote geschoten kat knielde, deze echter met vlekken. Zijn jachtgeweer stak vooruit uit zijn hand als een soort penisverlenger. Er stonden een schommelstoel, een bureau en merkwaardig genoeg een grote, witte sterrenkijker.

Je had uitzicht op het mooie, groene landschap en een rand van de tuin, die vijftig jaar geleden fantastisch moet zijn geweest, toen San Francisco de Paula een slaperig dorpje buiten Havana was. Ik was nog steeds alleen. De Duitsers zouden vast snel opduiken met de schooljuf van een gids, maar ik nam het risico. Ik stapte over het koord voor de deur, liep de kamer binnen en naar de sterrenkijker, die eruitzag als een standaardsterrenkijker. Zou hij het doen? Dat was het geval, toen ik hem voor mijn oog hield en uitkeek over het landschap en de tuin, waar de schaduwen tussen de palmbomen dansten. Toen trok ik mijn hoofd terug, alsof het oculair plotseling gloeiend heet was geworden en mijn oog had verbrand. Alles duizelde en ik werd ijskoud en toen weer warm. Ik kon horen dat de Duitsers de buitentrap op kwamen lopen. Ik hield de sterrenkijker weer voor mijn oog. De man was verdwenen, maar ik had het me niet verbeeld. Het was Jorge geweest. Jorge uit Miami, die tegen de palmboom had staan leunen bij het kleine sentimentele hondenkerkhof, dat Papa helemaal achter in de tuin had aangelegd. Wat deed Jorge in Havana?

Ik stapte weer over het koord, maar moest netjes wachten, tegen de wand gedrukt, toen de Duitse groep in groten getale de trap op kwam en zo ging staan dat ze in de ongebruikte werkplaats van de schrijver konden kijken. Ik verontschuldigde me meerdere keren en bewoog me langzaam de trap af langs de opdringerige en zwetende mensenmassa. Het kriebelde in mijn maag en de rillingen liepen over mijn rug. Ik voelde me net als in Miami. Iemand zat achter me aan. Maar wie? En waarom? Ik werd plotseling overvallen door een angst die mijn hart sneller deed kloppen.

Van Jorge was geen spoor te bekennen. Ik liep snel een rondje door Papa's oude tuin, om Pilar heen en naar het zwembad, dat er leeg en grauwwit bij lag in de zon en droomde van Ava Gardner en anderen, voordat het huis werd veranderd in een museum. Achterin lag een prieel, waar Papa en zijn vrienden vast een drankje of twee hadden genuttigd. Ik keek ook in de souvenirwinkel, maar daar stond alleen een ouder Brits echtpaar te overleggen of ze een pet zouden kopen met het gezicht van Papa erop. Ik probeerde ook achter de steigers de lege woonkamers in te kijken, maar daar liepen alleen twee werkmannen rond. Misschien had ik het verkeerd gezien? Misschien was het gewoon iemand die op Jorge leek? Want waarom zou hij zich verstoppen? Was hij misschien niet een van de vrienden? Hij zou me toch geen kwaad willen doen? Ik voelde me er niet lekker bij. Ik vertrouwde op mijn intuïtie en mijn eerste reactie had op een angstaanval geleken. Ze zouden niet in Havana moeten zijn en ze zouden me niet moeten schaduwen en zich verschuilen. Toch had ik tegelijkertijd het gevoel dat ik overdreven reageerde. Misschien had ik het verkeerd gezien?

Mijn hartslag werd wat rustiger, maar ik had nog steeds het gevoel dat iemand of iets in de buurt was. Ik liep snel naar de auto. Mijn chauffeur stond te praten met een man van zijn leeftijd. Ze rookten beiden een sigaar en leken het samen erg gezellig te hebben.

'Kunnen we verder?' vroeg ik.

'Natuurlijk, señor. U betaalt, ik rij. Ik stond even met Felipe te praten. Hij is de chauffeur van het Duitse gezelschap. We hadden het over honkbal wat, zoals u misschien weet, de grote passie van elke Cubaan is. Samen met de vrouwen natuurlijk. We kunnen het er niet over eens worden wie er zou winnen als de tijden beter zouden worden en we tegen de beste yankees zouden kunnen spelen. Ik denk Cuba, maar Felipe heeft te veel naar de radio van de overkant geluisterd en hij gelooft dat de Amerikanen winnen. Hopelijk kan het tijdens ons leven worden beslist.'

'Kunnen we verder?'

'Meteen, señor. U ziet eruit alsof u op deze mooie dag een spook heeft gezien.'

'Vamos hombre!' zei ik.

We reden weg. Ik keek diverse malen over mijn schouder. Na een tijdje draaide hij zich half om en zei: 'Niemand volgt ons, als u daarnaar kijkt. Wie zou ook een nette man volgen die zich voor de grote Hemingway interesseert?'

'Een jaloerse echtgenoot misschien', zei ik opgelucht.

Hij lachte.

'Dat is altijd een optie waar je rekening mee moet houden als je een betrekkelijk normaal leven leidt. Mijn naam is Andrés.'

'John.'

Hij gaf me over zijn schouder een hand en ik schudde hem. Zijn hand was droog en vast ondanks de hitte. Hoewel hij de airconditioning aan had staan, had ik het warm. Ik wilde aan iets anders denken, dus ik vroeg hem: 'Waarom geeft u geen colleges literatuur meer?'

Ik kon in de achteruitkijkspiegel zien dat zijn ogen even op me rustten, voordat hij zei, terwijl hij zelfverzekerd invoegde op de hoofdweg die naar het centrum van Havana leidde: 'Dat is een lang verhaal wat ermee te maken heeft dat men me niet geschikt vond om de komende generaties kennis bij te brengen van de wereldliteratuur.'

'Wie is men?'

'U bent een intelligente man, dus dat weet u waarschijnlijk wel.'

'Misschien. Hebt u iets verkeerds gezegd?'

'Ik stond erop dat literatuur boven de politiek is verheven en dat ideologie niet zou moeten verhinderen dat we schrijvers uit andere landen en systemen lezen. De grote natuurlijk. De kunst zou zich niet moeten laten onderwerpen aan de vuile wereld van de politiek.'

'Natuurlijk niet, maar wie was het? Ik bedoel degene door wie u niet meer mocht lesgeven?'

'De lijst is lang, dus daar zal ik u niet mee vermoeien.'

'Iets moet het toch hebben losgemaakt?'

'Jazeker, señor, daar hebt u gelijk in. Eigenlijk hebben Hemingway en een Cubaanse schrijver ervoor gezorgd dat men mij politiek ongeschikt vond en te moreel dubieus om met jonge mensen te werken.'

'Ik dacht dat Hemingway hier in Cuba een held was? Een zuivere man, zoals Che Guevara of Cienfuegos. De vroege overledenen.'

'Hemingway ja, maar we hebben een Cubaanse journalist en schrijver, die Norberto Fuentes heet. Hij was een vriend van Hemingway en schreef een heel interessant boek over de tijd die Hemingway in Cuba doorbracht, dat ik de jonge mensen adviseerde te bestuderen, maar het probleem is dat Norberto, die ook mijn vriend was, dit eiland verliet en naar de overkant vertrok. En toen? Ja, toen was het afgelopen.'

'Dat spijt me.'

'*De nada*. Ik mis de literatuur, maar niet het salaris. Ik verdien duidelijk meer door vriendelijke heren of dames rond te rijden. De klanten rekenen natuurlijk af met het hotel, maar het gebeurt vaak dat ik rechtstreeks een converteerbaar briefje krijg.'

'Dat gebeurt zeer zeker ook vandaag.'

'U bent een vriendelijke man, señor. Mag ik u vragen welke

functie u in uw verre Europese vaderland bekleedt?'

'Net als u ben ik leraar. Ik geef les in Spaans en literatuur.'

'Ik was professor. Nu ben ik chauffeur, maar ik bewonder en respecteer uw keuze. Leraar zijn is een nobel, maar hier wel een brodeloos vak. Bevalt de airconditioning u? Wilt u dat ik het raam open?' vroeg hij op een manier dat ik voelde dat het gesprek was afgelopen.

Ik gaf hem tien converteerbare peso's, een maandsalaris voor een professor, en op zijn gezicht verscheen een grote glimlach, waardoor ik me een schoft uit een bevoorrechte, verwende wereld voelde, maar hij zag er nu zeer tevreden en dankbaar uit.

Calle Obispo is een winkelstraat, dus hij had me afgezet bij het Plaza de Armas. Ik was niet meer zo nerveus, maar ik had nog steeds een vreemd gevoel in mijn buik. Ik stond even voor me uit te kijken en besloot toen langs de woning van Consuela te gaan, omdat ik haar wilde uitnodigen voor nog een lunch en nog meer seks. Alleen al door de gedachte kreeg ik een beter humeur en ik joeg de demonen die op de loer lagen weg.

Ik liep snel door de straatjes en om de slenterende toeristen heen. Ik maakte geen ontwijkmanoeuvres, maar liep rechtstreeks naar haar huis. Toen ik om de laatste hoek liep, zag ik de eerste geüniformeerde agent, daarna nog een en toen een patrouillewagen en een civiele auto die ook van een smeris leek te zijn. Het knipperlicht van de patrouillewagen gaf maar weinig licht in de felle namiddagzon. Ik bleef staan. Er was geen spoor te bekennen van de jongens van Ramon. Er hingen enkele vrouwen uit het raam in de appartementen ertegenover. Een man in burger gevolgd door een geüniformeerde agent kwam uit de voordeur van Consuela lopen. Hij had een notitieblok in zijn hand. Toen kwam Ramon, die mij zag op hetzelfde moment dat ik hem zag. Hij bleef staan en draaide zich demonstratief om, alsof hij aangaf dat ik niet dichterbij moest komen. Het was een duidelijk signaal dat hij me niet wilde herkennen, me er niet bij wilde betrekken. Ik kreeg het warm en koud. Ik wist niet wat er was gebeurd, maar ik wist wel dat het iets ernstigs was.

Ik wilde ernaartoe gaan om te vragen wat er was gebeurd, maar ik aarzelde. Het was alsof ik stond vastgelijmd aan het stoffige asfalt. Het toneel was een tableau, verstijfd in de tijd. Ramon, de agenten, de lange, magere man met het notitieblok dat hij bijna in slowmotion in de binnenzak van zijn jas stopte. De vrouwen die uit de ramen hingen van de appartementen met afgebladderde, zachte kleuren op het houtwerk en de balkonsteunen. De auto van Ramon op blokken, die nog steeds met de motorkap openstond.

Er zijn momenten in je leven waarop je weet dat er iets tragisch is gebeurd, je weet alleen niet wat. Dit was zo'n moment. De jongetjes kwamen de deur uit, zagen mij en wezen. Ik kon zien dat hun monden bijna tegelijkertijd het woord 'yankee' uitspraken. De agent in burger staarde, Ramon haalde moedeloos zijn schouders op en knikte. Ik bleef staan. De agent in burger was lang en mager met plat, achterovergekamd haar. Hij had een wit, openstaand overhemd aan, zodat je duidelijk zijn vooruitstekende adamsappel kon zien. Zijn huid had een zachte olijfkleur en er zaten fijne, rode strepen in het wit van zijn ogen. Zijn pak was licht en zag er comfortabel en nogal duur uit. Hij leek zich vaak te moeten scheren. Je kon zien dat hij moeite had gedaan, maar toch zat er een dichte schaduw over de kaak van zijn smalle gezicht. Zijn stem was merkwaardig hoog, bijna vrouwelijk, toen hij zei: 'Dit zal toch niet señor Petersen zijn? We hadden het juist over u.'

'Waarom?'

'Omdat u blijkbaar de laatste bent die Consuela Lopéz levend heeft gezien, dus we willen graag met u praten. Aangezien u Spaans spreekt, maakt dat de situatie gemakkelijker.'

Ik stond stokstijf. Ik voelde hoe het bloed uit mijn gezicht wegtrok en het duizelde me, dus ik wankelde en voelde dat hij mijn elleboog voorzichtig vastpakte.

'Gaat het, señor?'

Ik stond even stil met gesloten ogen. Ik kon hem ruiken. Hij rook naar een of andere aftershave en naar tabak. Het was een opvallende geur, maar eigenlijk niet onaangenaam.

'Ik heb erge dorst', zei ik en mijn stem klonk alsof ik uit een ton praatte. 'Ik zou heel graag wat water willen drinken.'

'Op het bureau is water. Dat beloof ik u', zei hij en ik voelde hoe zijn greep om mijn elleboog vaster werd en hoe hij me rustig, maar vastbesloten naar de geparkeerde auto's leidde. Ramon keek me met een uitdrukkingsloos gezicht aan. Zijn zoontjes stonden bijna als klonen met een duim in hun mond naar me te staren met grote, open ogen, alsof ze zich nog niet realiseerden wat er met hun reservemoeder was gebeurd. Dat deed ik ook nog niet.

II

Op het bureau verzocht de magere agent in burger me plaats te nemen op een versleten stoel met hoge rugleuning die tegen een vuilgele wand stond, en hij stopte een fles mineraalwater uit Italië in mijn hand. Een jonge vrouw in een lichtblauw uniform zat achter een bureau, waar een ouderwetse, manuele typmachine op stond. Zo een had ik heel wat jaren niet meer gezien. Waar zouden ze hun inktlint kopen? De typmachine was groen en leek op een Hermes, die ik me kon herinneren van het eerste kantoor van Merete. Het exemplaar in Havana zag eruit alsof dat al lange tijd vóór de triomf van de revolutie in dit stoffige kantoor stond. Het had de kerkhoven van de technologie vermeden, net als de vele oude Amerikaanse auto's die in de straten van Havana rondtuften. De wanden in het kantoor zagen er ook uit alsof ze de afgelopen vijftig jaar niet waren geschilderd. De meubels waren versleten en door de vliegenvlekken op het raam onder het hoge plafond drong slechts een beetje van de felle zon binnen. Ze hadden me zo neergezet dat ik naar de vrouw in uniform keek, en de lange, magere man stak een sigaret op en blies de rook in mijn richting, voordat hij zo onaangenaam dicht voor me ging zitten dat ik voelde dat hij inbreuk maakte op mijn privacy.

'Mag ik een legitimatiebewijs zien?' vroeg ik, toen ik een grote slok had genomen. Ik klonk rustig, maar mijn hart bonsde.

'Dit is Carmen', zei de magere man met zijn merkwaardige, hoge sopraanstem en hij wees nonchalant naar de vrouw, die geen spier vertrok. 'Ik heet Ernesto, net als de man naar wie je zo ijverig op zoek bent', zei hij en hij liet hiermee zien dat ze alle tijd hadden gehad om me te controleren. Dylan was ook tamelijk overtuigend geweest, wanneer hij over de effectiviteit van de Cubaanse veiligheidsdienst vertelde. Ik geloofde niet dat zij de gewone politie waren. Er had ook geen officieel bord gestaan bij het nietszeggende, betonnen gebouw waar we naartoe waren gereden, niet ver van het Hotel Nacional vandaan. Ik gedroeg me verrassend rustig, misschien omdat ik een zuiver geweten had, maar dat was slechts de buitenkant. Ik was bloednerveus.

'Ernesto wie?' vroeg ik.

'Ernesto is voldoende', antwoordde hij.

Ik dronk nog wat water en wachtte. Een houten ventilator met nicotine als een historische laag patina over de donkere bladen draaide lui rond aan het plafond. Vanuit mijn ooghoek zag ik een kakkerlak onder een loszittend stukje linoleum kruipen en in een hoek verdwijnen. Een andere vrouw kwam binnen met twee papieren, die computeruitdraaien leken te zijn. Zij droeg ook een lichtblauwe rok en bloes, en ze had net als de zwijgende vrouw achter het bureau met de typmachine haar lippen felrood gestift en een dikke laag op haar oogleden gesmeerd. Ze zei niets, gaf alleen de papieren aan Ernesto en vertrok weer.

Ernesto drukte zijn sigaret uit in een al overvolle asbak en stak een nieuwe op, voordat hij mij het pakje aanbood. Ik schudde mijn hoofd en nam opnieuw een slok water. Ik kon er beter zuinig op zijn en niet alles snel opdrinken. Hij keek in de papieren en liet zijn ogen erover glijden, op een manier waaruit viel op te maken dat de tekst voor hem alleen maar leek te bevestigen wat hij al wist.

'John C. Petersen uit Denemarken', zei Ernesto en hij blies rook uit. 'Waar staat de C voor?'

'Castro.'

'Wat? Vind je dit grappig?'

De vrouw had heel kort gegicheld, dus Ernesto draaide half zijn hoofd om en keek haar woest aan, waarna ze ijverig de oude typmachine ging bestuderen.

'Nee, het spijt me. De C staat voor Carsten. Dat is een Deense naam.'

Hij inhaleerde diep en staarde me aan, maar er zat een verborgen lach in zijn ogen. Hij glimlachte kort en ontblootte zijn tanden, die geel van de tabak waren.

Hij zei: 'Je hebt aangegeven dat je leraar van beroep bent. Dat is in alle landen een belangrijk en respectabel beroep. Door de triomf van de revolutie kan iedereen hier lezen en schrijven. Dat is een unieke vooruitgang. Je bent hier niet naartoe gekomen vanuit je eigen land, maar vanuit Finland, waar je visum is afgegeven. Waarom?'

'Ik heb familie wonen in Finland. Ik was bij hen op bezoek. Het is er erg koud en ik had warmte nodig, dus ik besloot naar Cuba te gaan.' De leugen kwam verrassend probleemloos. Ik dacht aan wat Dylan me had geleerd. Je moest je vooral bij de waarheid houden of er zo dicht mogelijk bij in de buurt blijven. Als het nodig was, moest je de leugens eenvoudig laten zijn zodat ze gemakkelijk te onthouden waren.

'Via Parijs?'

'Dat was het goedkoopst.'

'Is het vakantietijd in jouw land?'

'Ik ben ziek gemeld.'

'Dat spijt me. Mag ik vragen waarom?'

'Ik heb een zenuwinzinking gehad.'

'En dan kun je gewoon op reis?'

'Denemarken is een erg rijk land. We verdienen allemaal

veel geld. We kunnen op reis gaan of we zien ervan af. Dat bepalen we zelf.'

'Je spreekt verbluffend goed Spaans.'

'Ik geef les in Spaans.'

'Dat is een goede verklaring. In elk geval oppervlakkig gezien.'

Ik wachtte. Hij rookte, wachtte enige tijd en vroeg toen: 'Er staat een nieuw Amerikaans stempel in je paspoort. Je hebt maar korte tijd in Finland doorgebracht tussen de vs en Cuba. De familie was niet heel lang interessant, hè?'

Ik had mijn paspoort in mijn hesje, maar hij had natuurlijk informatie opgevraagd bij de luchthaven waar ze mijn paspoort hadden gescand. Daar hadden ze geen oude typmachines, maar moderne computers.

'Ik was onlangs in Florida. Ik wilde graag het huis van Hemingway in Key West zien. Het was erg koud in Finland.'

'Er zijn veel Cubanen in Finland.'

'Is dat zo? Waarom wilt u mij spreken?'

'Zeg maar jij. We zijn hier allemaal gelijk.'

'Wat wil je van me?'

Hij keek naar de vrouw, die met haar uitdrukkingsloze gezicht en haar handen netjes in haar schoot gevouwen zat, alsof ze wachtte op een bevel om haar vingers over de toetsen van de typmachine te laten dansen. Om een arrestatiebevel te schrijven, werd ik plotseling bang.

'Oké, je zegt dat je een toerist bent. We zijn blij met toeristen. We kunnen jullie geld goed gebruiken. Ze zeggen in het hotel dat je zeer geïnteresseerd bent in Hemingway. Je gedraagt je netjes, zeggen ze. Je drinkt niet te veel rum. Je rent niet achter onze kleine, warmbloedige *jineteras* aan. Je neemt ze niet mee naar je kamer. Voor zover ik weet.'

Zijn vreemd dode ogen met de fijne rode strepen erin staarden me aan. Het was onaangenaam, dus zeer tegen mijn zin moest ik mijn blik van hem afwenden. Jineteras of *jineteros* was de Cubaanse uitdrukking voor de vrouwen of mannen die overal op het eiland toeristen probeerden op te lichten. Dat betrof zowel bedelen, mensen lokken om op een bepaalde plek te overnachten, en prostitutie. Alsof hij mijn gedachten kon lezen, zei de man die zichzelf Ernesto noemde: 'Prostitutie is illegaal in mijn land. De eerste keer krijgen de meiden een waarschuwing, maar ze worden geregistreerd als hoeren. De tweede of derde keer worden ze in een heropvoedingskamp gestopt. Zes weken lang voeren ze zwaar lichamelijk werk uit en ze leren over een fatsoenlijke revolutionaire moraal. Er is geen reden om met toeristen mee te gaan. De revolutie zorgt voor iedereen. Het is ongezond voor een land, wanneer een hoer met haar tieten en kut meer geld verdient dan een chef de clinique.'

'Ik weet niet waar je naartoe wilt met je kleine preek.'

'Ik wil naar Consuela.'

Ik boog me voorover op mijn stoel, mijn mond werd weer droog en ik begon te stotteren toen ik zei: 'Consuela is geen hoer. Het is helemaal fout om dat te zeggen. Wat is er met haar gebeurd? Kun je me dat niet vertellen? *Por favor!*'

'Ben je met haar naar bed geweest?'

'En wat als dat zo is?'

'Dat is illegaal.'

'We zijn volwassen mensen.'

'Jullie mogen niet samen in een casa particular overnachten. Of in een hotel.'

'We zijn volwassen mensen.'

'Het is nog steeds illegaal.'

'De revolutie verbiedt liefde? Is dat wat je zegt?'

Hij spreidde zijn armen en rookte het laatste stukje van zijn sigaret op, drukte het peukje uit bij de andere en boog zich voorover naar mij. Deze keer kon ik mijn blik niet afwenden, want hij legde een sterke hand om mijn kin en hield mijn hoofd vast.

'Het maakt me totaal niets uit of jullie de hele nacht als konijnen hebben liggen neuken, maar het maakt me wel degelijk iets uit dat jouw Cubaanse vriendinnetje nu op een uitschuiflade in de koeling van het lijkenhuis ligt met haar kut vol met jouw sperma en dat ze nooit meer haar benen zal spreiden. Dat maakt me wel degelijk iets uit, señor Petersen. Dat maakt me wel degelijk iets uit. Begrijp je dat?'

Hij brulde de laatste woorden recht in mijn gezicht, dus ik vloog achterover en sloeg bijna met mijn achterhoofd tegen de wand. Met zijn hoge stem ging het gebrul snel over in een falsetachtig gekrijs, dat nogal afschrikwekkend was. Zijn tabaksadem was heet en riep een misselijkmakend gevoel op. Hij hield zijn hand omhoog alsof hij me wilde slaan, maar in plaats daarvan draaide hij zich om en pakte een nieuwe sigaret uit het pakje dat op de tafel achter hem lag. Er dansten zwarte vlekken voor mijn ogen en ik had een vreselijk droge mond, maar ik had de kracht niet om de fles water naar mijn mond te brengen en bovendien zat er bijna niets meer in.

Mijn stem klonk hees in mijn oren, alsof het de stem van iemand anders was, toen ik zei: 'Kun je me niet gewoon vertellen wat er met Consuela is gebeurd? Is dat misschien te veel gevraagd? Ik heb toch niets gedaan?'

'Heb je de nacht met haar doorgebracht?'

'Dat weet je toch wel?'

'Heb je dat gedaan?'

'Ja.'

Nu ging het eigenlijke verhoor waarschijnlijk van start, want de vrouw achter de typmachine begon te typen en het ouderwetse geluid van de toetsen vulde de ruimte en zorgde ervoor dat er in de verre hoek nog een kakkerlak opdook die angstig weer wegkroop.

'Wanneer heb je afscheid van haar genomen?'

'Dat weet ik niet. Dat heb ik eigenlijk niet gedaan.'

'Leg uit!'

'Toen ik vanochtend wakker werd, was ze verdwenen.'

'Waar werd je wakker?'

'Ik weet het adres niet, maar het was in een casa particular in het centrum. In het oude Havana. Ik weet het te vinden. Ik kan het aanwijzen.'

'Heet de eigenaar Sebastián?'

'Ja, dat klopt. Hij, en zijn vrouw Rosita. Jullie kunnen het hun gewoon vragen.'

'Dat kunnen we doen. Hoe laat was het?'

'Dat kan ik me niet herinneren. Rond de dageraad.'

'Rond de dageraad?'

'Ik kon het licht door een spleet tussen de gordijnen zien. Consuela had een briefje voor me neergelegd. Kun je me niet vertellen wat er met haar is gebeurd?'

'Is dit het briefje?' vroeg hij en hij gaf me haar berichtje aan. Ik kreeg een brok in mijn keel. Ik begon ook te zweten. De ventilator aan het plafond maakte een krakend geluidje dat me op mijn zenuwen begon te werken. Ik pakte het briefje en keek erop.

'Jullie zijn in mijn kamer geweest?' vroeg ik en ik wilde het briefje in mijn zak stoppen, maar Ernesto stak zonder een woord te zeggen zijn hand uit en ik gaf het aan hem. Ik had het op het tafeltje gelegd dat naast mijn bed stond, samen met mijn adressenboekje en een Lonely Planet-gids over Cuba. Ik was blij dat ik altijd de brief van Carlos aan Clara op mijn lichaam droeg. Hij zat samen met mijn extra geld in mijn heuptasje, maar alleen al als ik eraan dacht, werd ik zenuw-achtig. Wat nou als ze me zouden fouilleren? Als ze zouden eisen dat ik al mijn spullen voor me op tafel moest leggen. Ik had er spijt van dat ik de brief niet had gelezen, want dan zou ik weten of hij onschuldig was of dat hij me in gevaar zou kunnen brengen.

'Dat klopt', zei Ernesto en hij onderbrak mijn gedachten.

'Daar hebben jullie zeker toestemming voor?'

'Ik kan eigenlijk doen en laten wat ik wil', antwoordde hij. Hij keek me opnieuw aan met zijn gestreepte ogen, draaide zijn hoofd om naar de vrouw, die de hendel pakte en met een belletje de typmachine aan het begin van de regel plaatste. Hij dicteerde: 'De Deense staatsburger John C. Petersen be-kent dat hij de nacht voor haar plotselinge dood met Con-suela Lopéz heeft doorgebracht. Er was sprake van seksueel samenzijn. John C. Petersen zegt dat de overledene hem in casa particular nr. 167, dat eigendom is van Sebastián en Ro-sita Marino, op een of ander ogenblik in de loop van de nacht heeft verlaten. Hij kan het tijdstip niet nader preciseren, maar hij denkt dat het 's ochtends vroeg is geweest. John C. heeft een handgeschreven berichtje dat van de overledene afkom-stig schijnt te zijn. Sebastián bevestigt dat John C. Petersen zijn rekening voor de lunch, het bier, de rum en overnachting deze ochtend om acht uur vijfenveertig heeft betaald. John C. bevestigt dat dit klopt. Sebastián Marino geeft toe dat hij de reglementaire papieren rond de overnachting niet had in-gevuld. Daar heeft John C. geen mening over. Hij kent onze wetgeving niet en er is geen reden om deze zaak te vervolgen. Tijdens het verhoor beweert John C. Petersen dat hij geen kennis heeft van de omstandigheden rond de dood van Con-suela Lopéz. Hij zegt dat hij uitsluitend als toerist in Cuba verblijft. Hij zegt dat er geen betaling heeft plaatsgevonden tussen hem en de overledene. John C. Petersen bevestigt met zijn handtekening dat het verhoor heeft plaatsgevonden op een geciviliseerde en reglementaire manier. John C. Petersen is professor Spaans in zijn land en is daarom in staat ondervraagd te worden zonder bijstand van een tolk van de vertegenwoordiging uit zijn land.'

Ik nam de laatste slok water uit de fles. Ernesto stak een nieuwe sigaret op, keek naar me en zei op een onheilspellende toon: 'Kun je dat ondertekenen?'

'Dat zou wel kunnen.'

'Zo staat het er nu voor, John. Nu wachten we op de sectie. De arts zegt dat er duidelijke tekenen zijn van seksueel verkeer, maar dat heb je toegegeven. Tot je verdediging zegt hij ook dat de dood is ingetreden rond het moment dat jij nog steeds op je kamer was. We hebben je vingerafdrukken in die kamer en in je hotel, maar niet in het huis van Consuela. Het lijkt erop dat je de waarheid spreekt ...'

'Dat is ook zo', zei ik opgelucht, maar dat wist hij snel de kop in te drukken.

'Over haar dood? Dat denk ik ook, maar er is een andere waarheid, waar je misschien niet iets over zegt.'

'Wat bedoel je?'

'Het is wat, hoe moet je het zeggen, te toevallig dat je hier juist nu bent met je nette Spaanse taal en je interesse voor een oude Amerikaanse schrijver die ervandoor ging voordat het menens werd, en verder heb je een verleden waar we niets vanaf weten. We kennen de mensen die hier komen en die niet in de toeristische gebieden overnachten. Het is iets te toevallig dat je eerst in Florida bent en dan kom je via Finland naar Cuba, alsof je je reis geheim wilt houden en denkt dat wij een stelletje idioten zijn die de Scandinavische landen niet uit elkaar kunnen houden. Het is allemaal net iets te toevallig.'

'Ik weet niet waar je het over hebt. Ik loop gewoon in de voetsporen van Hemingway. Dat is een hobby.'

'Vast.'

Hij blies de rook uit, liet zijn blik zakken, keek me daarna weer aan en zei: 'Als het nu een of andere hoer was, oké dan. Dat kan zelfs de meest morele mannen overkomen. De kleine, bruine schoonheden zijn niet te weerstaan. Wat moet je doen als eenzame heer, wanneer hun kontjes wiegen en hun tieten schommelen? Jullie hebben geld en komen ermee uit jullie koude landen. Dan kun je verleid worden. Dat wil ik wel toegeven, maar dat overkwam jou niet. Ze liepen heupwiegend langs je, maar een oude vrouw als Consuela kreeg je te pakken. Dat is toch vreemd?'

'Je weet niet waar je het over hebt.'

'Nee. Ik ben gewoon een man. En wij mannen geven de voorkeur aan vrouwen van veertig boven vrouwen van twintig, nietwaar? Zo zijn wij mannen, toch? Je geeft geen antwoord? Jij koos voor Consuela, wier man ervandoor is gegaan en die nu zeer actief is onder de vijanden van de revolutie in Miami. Het is net iets te toevallig. Net als dat het net iets te toevallig is dat jij net nu komt, op het moment dat onze commandant ziek is en de revolutie het nodig heeft dat we allemaal solidair zijn tegenover het imperialisme.'

'Ze haatte haar man. Om wat hij had gedaan. Omdat hij ervandoor ging.'

'Natuurlijk zei ze dat, maar ze was een klaploper. Ze voerde haar werk niet goed uit, maar ze had wel geld. Haar broer gaat met elementen om in dit land die het niet op prijs stellen wat de revolutie voor hen heeft gedaan en hij onderhoudt contacten met mensen die van yankees houden. We zouden dat soort parasieten net zo hard moeten afstraffen als we dat deden toen de revolutie nog jong was. Ze zouden tegen een muur moeten worden gezet. Die hoer van een Consuela had contact met de verkeerde mensen. Ze kende de verkeerde mensen en ze kende jou.'

'Daar weet ik niets van.'

'Nee, dat zeg jij, maar ik kan de gedachte niet loslaten dat iemand van de overkant je misschien hiernaartoe heeft gestuurd met een ander doel.'

'Ik weet niet wat je bedoelt. Suggereer je dat ik een spion ben?'

'Dat woord gebruik jij, ik niet.'

'Voor de Amerikanen? Dat is belachelijk. Ik ben een Deen. Cuba en Denemarken kunnen goed met elkaar overweg. Wij blokkeren jullie land niet. Fidel Castro zat naast de koningin, toen hij aanwezig was op het sociale topoverleg.'

Ik wist dat ik veel te veel en veel te snel praatte. Dylan had erop gehamerd dat je alleen antwoord moest geven op de vragen die je werden gesteld en dat je verder zo weinig mogelijk moest zeggen. Ik kreeg mezelf onder controle toen ik het gezicht van Ernesto met een spottend glimlachje zag.

'Denemarken is bevriend met Cuba', zei ik.

'Ja, maar ben jij dat ook?'

'Ik ben gewoon een toerist. Ik vond haar gewoon lief. Meer zit er niet achter.'

'Nee, dat zeg jij. Ik moet je verzoeken je paspoort af te geven. Het is maar voor een paar dagen. Tot na de sectie en de andere dingen die ik moet laten onderzoeken. Sebastián en zijn vrouw hebben eerder ook al kapitalistische neigingen laten zien en Sebastián heeft twee keer een straf uitgezeten voor zijn clandestiene handel. Er zijn hier mensen die denken dat we minder actief zijn omdat onze commandant ziek is. Er zijn mensen die samenwerken met de imperialisten, maar ze mogen niet winnen. Je paspoort, alsjeblieft.'

Hij stak zijn hand uit. Ik haalde mijn paspoort tevoorschijn uit de gesloten binnenzak van mijn hesje en gaf het aan hem.

'Je krijgt een kwitantie ...'

'En als ik nou naar huis wil? Ik ga over niet al te lange tijd naar huis.' Als het aan mij lag, nam ik het eerste vliegtuig terug naar Europa.

'Je hebt pas over acht dagen een vlucht naar Parijs geboekt. Je hebt zeeën van tijd ... als alles klopt wat je hebt gezegd, ja, dan hoef je nergens bang voor te zijn. Ik wil nu alleen graag dat je in Havana blijft. Ik wil je graag nog een keer spreken en er valt hier ook veel te zien. Je hoeft je niet te vervelen. Verlaat de stad niet. Je kunt hier van het leven genieten. Ik zal het door de vingers zien als je je tijd moet verdrijven met een lief meisje. Je kunt alleen nergens inchecken zonder paspoort en je kunt ook geen auto huren of een trein of een bus nemen. Dus blijf hier. Ik geef je een kwitantie, die hier in Havana geldt als legitimatiebewijs, maar op andere plekken in Cuba is ze niet geldig. Je hotel is ervan op de hoogte dat je zolang ik het nodig vind daar mag blijven overnachten.'

'Kun je me niet vertellen wat er met Consuela is gebeurd?'

Opnieuw die dode blik, voordat hij toonloos zei: 'Haar nek is gebroken. Iemand heeft haar de nek omgedraaid.'

12

De ruimte was een moment uit focus geraakt en ik denk dat ik behoorlijk bleek was geworden. Ernesto had met zijn hand gewapperd en de vrouw achter de typmachine had hem een nieuwe fles water aangegeven, die hij aan mij had doorgegeven zonder een woord te zeggen. Hij leidde me door een paar lange gangen en liet me de straat op gaan. Het zonlicht was fel en verblindde me een moment. Ik had het warm en koud tegelijk. Ik voelde een paar steken in mijn buik en had moeite om adem te halen. Alles om me heen stonk. Ik stond stil en ademde in en uit, zo rustig ik kon.

Ik keek uit op de Malecón. Misschien dacht Ernesto dat ik vooral niet goed was geworden doordat ik de moord op mijn netvlies had gehad. Dat klopte gedeeltelijk, maar mijn misselijkheid en enorme dorst waren net zozeer te danken aan het feit dat ik er voor het eerst tijdens het verhoor aan had gedacht dat ik Jorge bij het huis van Hemingway had gezien. Ik had sterk het vermoeden dat ik het me niet had verbeeld, maar dat het echt Jorge was geweest met zijn sterke handen en zijn koele blik, die onder de palmboom een sigaret had staan roken. Ik was bang dat wanneer hij er was zijn trouwe metgezel Fernando ook op het eiland verbleef. Ik begreep mijn reactie nog steeds niet. Waarom zouden ze mijn vijanden zijn? Waarom voelde ik deze irrationele angst? Ik wist niet hoe het met Dylan zat. Misschien trok hij ergens anders aan de touwtjes? Het waren natuurlijk Amerikaanse staatsburgers en ze mochten helemaal niet in Cuba zijn, maar ik had meerdere mensen uit de vs in de lobbybar of de lift van het hotel getroffen. Ze waren via Canada of Mexico naar Cuba gekomen.

Sommigen van hen werden blijkbaar gedreven door gewone nieuwsgierigheid om dit mythische eilandje te bezoeken, dat zolang ze zich konden herinneren een irritant mugje in het oog van de olifant was geweest. In de bar had ik ook een Amerikaan van middelbare leeftijd met dikke bovenarmen en een witte baard als Papa ontmoet. Hij zei hardop dat hij het reisverbod van de Amerikaanse regering had getrotseerd, omdat 'een klotebende van corrupte politici in Washington verdomme niet moet bepalen waar ik naartoe reis'.

Ik liep langs een oude, blauwe Amerikaanse Dodge Convertible, die er zo roestig uitzag dat ik bang was dat hij in stof zou opgaan zodra de eigenaar hem zou starten. Dat zou waarschijnlijk niet snel gebeuren. Hij miste twee wielen en ik kon dwars door de bodem bij het stuur naar het geoliede asfalt kijken. Het stonk naar slechte diesel, toen een oude, op Sovjet-Russische wijze gebouwde vrachtwagen met een lading ananas langsreed. De versleten cyrillische letters op de zijkant deden me denken aan een land dat er niet meer was, toen men zonder te blozen sprak over de grote socialistische verbroedering der volkeren. De bouwvallige huizen langs de Malecón droegen hun kleuren als ouder wordende, te veel gepoederde variétéartiesten, die wachten tot de vergevende, beschermende duisternis in zal treden en de rimpels van het heden zal verbergen.

Ik was aangekomen bij het stenen muurtje op de Malecón en keek uit over de zee. Een groep tienerjongens vermaakte zich door vanaf de zwerfkei bij de pier in het water te springen. Hun slanke lichamen glinsterden in de zon en het water leek op zilveren parels op hun bruine huid. Ze leken gelukkig onbezorgd en probeerden ongeremd de aandacht te trekken van een paar meisjes die in kleine bikini's op de stenen lagen.

Het was een mooie dag met een goede zeewind, die alles

veel aangenamer maakte. Ik ademde diep in en uit en dacht aan mijn eigen jeugd en aan de uitjes naar de fjord en de Noordzee. De tijd was veel te snel gegaan. Ik zou willen dat ik alles nog een keer mocht meemaken en alles veel meer kon waarderen in plaats van het zo druk hebben met volwassen worden. Ik zou willen dat ik de tijd kon terugdraaien en weer in mijn boot kon zitten en de fjord op kon varen om mijn netten uit te zetten en bijna gelukkig te zijn in de vroege, koele dageraad, waarop de zon langzaam opkwam boven het land en de zee kleurde, zodat ik het gevoel kreeg dat ik in puur zilver voer. Ik moest Merete en Helle gelijk geven: het haalde niets uit om je bezig te houden met onzinnige dingen. Niets anders dan pech. Ik moest aan Consuela denken en de misselijkheid kwam weer opzetten en werd niet onderdrukt door een slok van het koele mineraalwater.

Ik liep in een rustig tempo langs het water naar Hotel Nacional, waar ik op mijn allereerste avond in Havana een drankje had besteld, omdat ik zo veel over het oude, statige maffiahotel had gelezen dat ik niet kon wachten om het te zien. Het was een mooi gezicht geweest, dat voldeed aan mijn verwachtingen, die eigenlijk niet vaak werden beloond. De plek straalde herinneringen uit aan grote balavonden in de jaren vijftig, toen vrouwen in mooie jurken zich het hof lieten maken door rijke, sigaar rokende Cubanen en gringo's. In de vele hoeken en kamers van het hotel lagen de herinneringen uit het verleden aan zowel rijkdom als revolutie. Het hotel kwam vriendelijk en uitnodigend over, zorgvuldig gerestaureerd met mooie restaurants en barkeepers die glimlachten wanneer ze me benaderden en me complimenten gaven over mijn Spaans, wat me idioot blij maakte.

Ik was moe geweest op die vreemde metaalachtige manier, waardoor alles enigszins wazig, sprookjesachtig en fantastisch op me overkwam. Drie drankjes maakten de belevenis niet minder magisch en dromerig. Bij de gedachte dat ik in de voetsporen van Papa liep en op de plekken stond waar hij had gestaan, werd ik euforisch.

Er hing geen magie in de lucht toen ik in de buurt van het hotel kwam, want ik voelde het op een vreemde manier kriebelen langs mijn ruggengraat. Ik had zeer sterk het gevoel dat ik werd geschaduwd. Ik kon niet meteen mensen zien die er opvallend anders uitzagen of die zich anders gedroegen, maar dat had Dylan me ook op het hart gedrukt: ze schaduwen je op een manier die je gemakkelijk in de gaten hebt om je te laten zien dat ze je in de gaten houden. Het doel is om je de stuipen op het lijf te jagen en geloof me, pelgrim, je kunt je rustig bang voelen. Of je zult het niet ontdekken, als ze goed genoeg zijn, maar vertrouw op je instinct. Dat lijkt goed ontwikkeld te zijn.

Hij had benadrukt dat ze goed waren, de geheime jongens en meiden in Cuba. Ze konden in het geheim opereren en ze konden in het openbaar opereren. Ze konden gedistingeerd zijn en ze konden brutaal zijn.

Ik keek om me heen. Er was toch niet iemand? Een paar zwarthandelaarachtige types hingen rond bij de fontein aan de voet van het zware gebouw van Hotel Nacional. Ze deden alsof ze naar de vele jonge kinderen stonden te kijken die in het water spetterden, zodat de druppels een ballet dansten op hun bruine huid. De lucht was gevuld met het blije geroep van kinderen, maar toch kreeg ik een koude rilling in de hitte. Hoe zat het met die oude man die een arm miste? Ik kon het me niet voorstellen. Er stonden twee vrouwen te roken. Ze keken de andere kant op toen ik naar hen keek. Twee mannen met dezelfde guayabera's aan bleven stilstaan en praatten met veel gebaren. De een bood de ander een sigaar aan. Een oudere man leunde tegen de muur van een bouwvallig paleis en las in de krant *Granma*. De dunne bladzijden bewogen bijna gracieus in de wind. Vier Britse toeristen wier huid roze was geworden in de Caribische zon, liepen langs en lieten een misselijkmakende walm van rum en bier achter, terwijl ze hardop praatten over Cubaanse kutten. Ik keek om. Er liepen mensen, maar dat was altijd zo in Havana. Allerlei soorten mensen. Overal en op alle momenten van de dag. Het was een stad die je zintuigen bombardeerde en je af en toe bedolf onder de mensenmassa's. Ik zag twee schurftige honden in afval snuffelen bij een huis dat er verlaten en leeg uitzag. Het geluid van de veelal walmende gele Coco's, tweetaktmotoren die niet gelijk liepen, de oude kleurrijke Amerikaanse voertuigen, de schelle motoren van de moderne Koreaanse auto's, een aantal motoren van een niet nader te bepalen fabricaat en een zware vrachtwagen, die een vreselijke rook produceerde, smolt samen. Twee langzame, overvolle bussen kwamen klagend op gang en stootten zwarte, giftig ruikende rook uit. Ze werden ingehaald door een open vrachtwagen, waarvan de laadbak vol mensen zat. Hij maakte snelheid op de Malecón. Hij verstomde het geluid van de vrolijke kinderstemmen. De uitstoot klonk als een tank. Wat had Dylan gezegd? Als ze goed zijn, bevind je je in een doosje met mensen voor en achter je. Je zit in hun midden. Ze wisselen de hele tijd. Je zult ze nooit ontdekken. Vandaag gaan we je leren hoe je misschien uit zo'n doosje kunt ontsnappen. *Boxed in*, had Dylan de situatie genoemd waarin ik me bevond. Alleen en zonder paspoort. Ik kon beter op een ander moment uit de val proberen te ontsnappen.

Het maakte ook niet uit, dacht ik. Ik had behoefte aan ander drinken dan het water van de geheime politie en ik wilde een plek vinden waar ik ongestoord de brief van Carlos aan zijn dochter Clara kon lezen om te zien of die me wijzer maakte. Ik had hem in de VS moeten lezen. Ik had niet zo beleefd moeten zijn om niet de brieven van andere mensen te lezen. Het jeukende gevoel dat ik in de gaten werd gehouden, kon ik niet loslaten. Misschien waren het helemaal geen Cubanen, maar Fernando of Jorge. Ik kon niet wijs uit hen worden. Als het niet iets was wat ik me had verbeeld, maar dat geloofde ik niet. Ik wist wat ik had gezien. Ik vertrouwde op mijn ogen.

Ik keek nog wat naar de spetterende kinderen in de fontein en liep om de rots, waar Nacional troont, naar het hotel. Ik zag niemand die net als ik plotseling van richting veranderde of heel snel zijn krant liet zakken, zijn sigaret weggooide en uittrapte om mij te volgen. De warmte keerde als een zachte liefkozing terug in mijn ledematen en ik voelde een aangename dorst, die ik leste met het resterende water. De misselijkheid was verdwenen. Ik liep met mijn hoofd omhoog over de lange palmbomenallee naar de hoofdingang van Hotel Nacional en ging de koele lobby in, die ervoor zorgde dat er een soort normaliteit over me viel. De lobby was rechthoekig met een hoog plafond. Ik liep naar de kleine kiosk en kocht daar ansichtkaarten en postzegels. Ik wist dat het hotel een internetaansluiting had. Dat moesten ze ook wel als ze betalende toeristen met de noodzakelijke buitenlandse valuta wilden lokken, hoewel het regime een hekel had aan de anarchistische onberekenbaarheid en de ontbrekende controle van het internet. Ik overwoog Helle te mailen om gewoon een teken van leven te geven en naar Dylan, die me een Hotmail-adres had gegeven – *just in case!* Maar kon zo'n mail niet opgespoord worden? Zouden ze het internetverkeer niet in de gaten houden? Ik meende te weten dat de politie in Denemarken nieuwe bevoegdheden had gekregen, zodat ze mails kon lezen en ander verkeer op het internet kon volgen. Ik zou willen dat ik iets meer wist over de wereld van de spionnen en de agenten, zodat ik me niet zo naakt en hulpeloos hoefde te voelen.

Ik betaalde met een paar converteerbare peso's en liep naar de informatiebalie. Daar zat een vrouw van middelbare leeftijd met grote, rode lippen in een gekweld gezicht, en met hoog, rommelig opgestoken haar. Ze keek me aan en zei 'Yes', dus ik ging verder in die taal en vroeg of ze me het adres en het telefoonnummer van de Deense ambassade in Havana kon geven.

'Nee', zei ze. Haar stem was zwaar, bijna mannelijk.

'Kunt u het opzoeken?'

'Nee.'

'Nee? Is dit niet de informatiebalie?'

'Jawel.'

'Maar u bent niet in staat om me het adres van de Deense ambassade te geven?'

'Dat klopt.'

'Waarom niet?'

Ze keek me aan en zei glimlachend: 'Denemarken heeft geen ambassade in mijn land.'

Ik probeerde te begrijpen wat ze zei en wat ze bedoelde, toen ze plotseling voor mijn ogen veranderde van een dwarse bureaucraat in een vrolijk meisje. Ze barstte in lachen uit en sloeg met haar handpalmen op de goed gepoetste, glimmende balie, zodat de groene plastic telefoon een verbouwereerd sprongetje maakte. Alsof ze 's werelds beste grap had verteld.

Ik keerde mijn handpalmen naar de hemel en kon het niet laten om mee te lachen. Het was een bagatel, maar het voorval verlichtte de druk in mijn hoofd, omdat het zo absurd was. Het bestaan was absurd. Het leven was absurd. Als je je bezighield met onzinnige dingen, moest je de dingen accepteren zoals ze kwamen.

'Heel mooi, mevrouw', zei ik in het Spaans. 'Maar waar ga je dan naartoe als je in een situatie bent beland waarbij het noodzakelijk kan zijn hier om hulp te zoeken bij instanties van het vaderland?'

Ze hield op met lachen, haar ogen werden groot en haar glimlach stond stil alsof ze de kat in *Alice in Wonderland* was, voordat ze met haar hoofd een beetje schuin zei: 'U spreekt heel goed Spaans. *Bueno*. Dan kunt u contact opnemen met het consulaat van uw land, dat zich op de Paseo de Martí bevindt. U kunt een taxi nemen. Of ernaartoe bellen.'

Ze pakte een boek en sloeg het open op een pagina, krabbelde het adres en het telefoonnummer op een stukje papier dat ze me aanreikte alsof het een geheime depêche of een liefdesbrief was.

Ik bedankte haar overdreven, maar ze kreeg niet het converteerbare briefje waarvan ze met een vingerbeweging aangaf dat ze daar recht op had na haar show. Ik wilde niet bellen naar het consulaat. De telefoons werden vast afgeluisterd, maar ik wilde contact met hen opnemen en zeggen dat ik mijn paspoort was verloren of alles op tafel leggen om hun advies te krijgen. Ik was er nog niet uit wat ik zou doen.

Ik liep naar het café dat aan de achterkant van het hotel lag met uitzicht op de baai. In de goed onderhouden arcade stonden rieten stoelen en banken aan ronde tafels. Er was een weids uitzicht op een groen stuk met palmbomen en beelden met daarachter de zee, die op alle andere plekken bezaaid zou zijn met zeil- en motorboten. Hier was hij uitgestorven, alsof de zee rond Cuba vol dodelijk giftige stoffen zat, waardoor de mensen zich niet op zee durfden te begeven. Ik was op een eiland, maar ik had nog geen vis geserveerd gekregen, alleen maar illegale kreeft. Ik was op een eiland waar particulieren geen boot mochten bezitten. Waar vis een schaars product was.

Er zaten niet veel toeristen aan de tafels, dus ik ging rechts van de deur zitten, ver van de hoek vandaan waar een contrabas en een gitaar stonden. Ook hier ontkwam je niet aan de muziek en dezelfde afgeleefde salsanummers, maar nu was het hier bevrijdend stil. Je kon in de verte de zee horen, het gespetter van een fontein en het geritsel van de wind in de palmboombladeren. Ik legde het papieren zakje met de ansichtkaarten op tafel en wachtte. De ober was nog tamelijk jong en droeg een kort wit jasje en een zwarte broek. Hij had een knap, karaktervol gezicht met een rechte neus en een kuiltje in zijn kin. Zijn zwarte haar was netjes bij de oren weggekamd. Hij was slank en zag eruit alsof hij veel aan sport deed. Hij liep met lichte passen op me af, een beetje als een bokser op de bal van zijn voeten. Hij was me meteen opgevallen. Hij stond in een hoek en keek me recht aan toen ik de zon in liep. Het duurde maar heel even, maar ik zag zijn reactie en hoe hij met een handbeweging zijn collega stopte die naar mijn tafel liep.

De gelijkenis was niet moeilijk te zien. Hij leek op zijn opa. Hij had misschien een beetje de ogen en de mond van Clara, maar het was net alsof ik een jonge uitgave van Carlos zag. Hij had me diverse foto's van zichzelf laten zien als jongen op de tabaksplantage van zijn vader in de buurt van het Trinidad van voor de revolutie. Hier stond zijn kleinkind en hij was zijn evenbeeld. Ik kon me herinneren dat hij José Manuel heette. Zijn zus heette Rosales. Dat ik hem herkende, was prima, maar wat me helemaal van mijn stuk bracht was dat hij ook heel duidelijk de indruk wekte dat hij mij zou moeten kennen.

Hij boog zich over de tafel en zei: 'Goedendag. Ik hoop dat het meneer goed gaat. Wat kan ik voor u betekenen? Iets te eten of drinken?' Zelfs zijn stem leek op die van zijn opa. Hij was lichter, maar had dezelfde klank en dezelfde intonatie.

'Ja, hoor. Naar omstandigheden gaat het prima met me. Ik wil graag een groot glas bier en een broodje ham-kaas. Is dat mogelijk?'

'Natuurlijk. Hier in Cuba is alles mogelijk, als je op de juiste plekken komt.'

'En de juiste mensen kent?'

'Precies. Dat is heel belangrijk.' Hij aarzelde een moment en ging op dezelfde gedempte toon verder: 'U bent geen Spanjaard, maar waar komt u dan vandaan?'

'Wat denkt u?'

'Uw Spaans is perfect. U bent misschien professor in die taal?'

'Ja, dat klopt. Ik geef in Denemarken Spaanse les.'

'Dat dacht ik al', zei hij en er verscheen een glimlach op zijn gezicht, waarbij je de gelaatstrekken van Carlos tevoorschijn zag komen, en hij zei hardop: 'Bier en een broodje. Komt eraan. Dank u wel.'

Ik leunde achterover in de stoel. Er lagen zachte kussens in een blauw patroon op de gevlochten bodem. Hij moest een of meerdere foto's van me hebben gezien. Wie had hem die gegeven? Waar was de oude man uit Key West en Miami eigenlijk mee bezig? Ik haalde de ansichtkaarten uit het papieren zakje en viste een balpen uit de borstzak van mijn hesje. Ik voelde de zeewind, maar het windje kon het zweet op mijn hoofdhuid niet laten verdwijnen. Ik schreef: 'Lieve Helle' en keek weer uit over de zee, legde de balpen neer, stond op, liep naar het toilet, deed een van de deuren op slot en haalde de brief van Carlos aan Clara tevoorschijn uit het heuptasje. Zijn handschrift was sierlijk en duidelijk, en was totaal niet bibberig. Zijn woorden aan zijn dochter hadden niet het handschrift of de toon van een oude man. Ik las:

'Mijn liefste Clarita,
Bij de ziel van je overleden moeder bedank ik God, omdat hij me een teken van jou heeft gegeven. Ik ben een man en de mannelijke trots heeft altijd crises en oorlogen veroorzaakt, omdat we weigeren ons te buigen en daarom breken we vaak in de storm. Zijn vrouwen dan veel wijzer? Jazeker. Ze zijn als palmbomen. Ze buigen zich voor het geraas van de elementen, waaien met de wind mee, houden stand en als de storm is geluwd, staan ze daar als levende wezens. Ik heb God vaak om vergiffenis gevraagd voor mijn trots en mijn egoïstische eer, en ik bedank Hem en jou omdat een oude man nu vrede kan krijgen. Ik had de hoop bijna opgegeven, dacht dat zo waar als water niet omhoog kan stromen in een waterval, jij en ik elkaar niet meer konden omarmen en het verleden laten rusten. Ik denk aan je en ik denk aan de citroenboom in de tuin van mijn ouders en je moet een oude man vergeven dat zijn gedachten vaak verwarrend kunnen overkomen.

Je weet zelf het beste wat je wilt en kunt. Je bent altijd welkom hier. Mijn huis en mijn hart zullen altijd voor je openstaan. Je kunt alleen komen of samen met je kinderen. Je kunt ook met lege handen komen, omdat je een grotere schat bent dan al het goud en goed in de wereld, of je kunt meenemen wat je goeddunkt. Je weet het zelf het beste. Je bent mijn dochter. Ik ben je vader. We hebben hetzelfde bloed. Mijn enige wens is om je nog één keer in mijn leven te zien, dan zal ik sterven als een gelukkig man. Is dat een belofte die je kunt waarmaken?

De liefste groeten en knuffels van je Papa.
P.S. De boodschapper is een goede man uit het verre land De-

nemarken. Hij spreekt onze taal. Je kunt hem vertrouwen. Ik
ontmoette hem per toeval, maar de vinger van God wees hem
aan. Je kunt hem vertrouwen in alle aspecten van ons gezamen-
lijke leven en verleden. Hij is een man die een oplossing kan
bedenken, wanneer het noodzakelijk is.'

Ik las de brief een paar keer, voordat ik hem zorgvuldig teruglegde in mijn heuptasje. Er stond niets in de brief wat me
achterdochtig maakte. Hij zat vol gevoel en was sentimenteel,
maar de politie zou de inhoud waarschijnlijk niet een bedrei-
ging voor de maatschappij hebben gevonden als ze die had
gelezen. Ik kon me nu ook voorstellen dat ze vragen zouden
kunnen hebben. Wie was de vader en wie was Clarita? Daar
had ik me vast wel uit kunnen kletsen. Dat zou niet zo moeilijk zijn geweest.

Als ik een hoed had gehad, had ik hem natuurlijk dankbaar kunnen optillen, omdat Carlos zo veel vertrouwen had
in mijn andere talenten. Ik wist niet waar hij dat vertrouwen
vandaan haalde. Ik straalde niet veel vertrouwen uit op dat
toilet. Ik had geen paspoort. Ik wist zeker dat ik in de gaten werd gehouden. Ik kon elk moment worden gearresteerd.
Mijn minnares was vermoord. De zoon van Clara had mij
herkend. Hoe was dat mogelijk? Ik was dus ten einde raad,
maar ik had honger en dorst. De basale functies hebben de
neiging om te winnen van de wens te speculeren en de mogelijkheden van alle kanten te bekijken.

Toen ik uit het toilet kwam, was de muziek begonnen. Er
werd door een oudere zwarte man een zacht, Cubaans liefdes-
lied gezongen, terwijl hij tevens de contrabas bespeelde. Hij
werd vergezeld door een man van middelbare leeftijd op een
gitaar en een zwarte man van dezelfde leeftijd op de trom.
Het refrein zongen ze in koor. De muziek paste bij mijn hu-

meur en bij het weer. De tekst over de ongelukkige liefde was verdrietig en de droom om weg te komen vond weerklank bij het eentonige geruis van de palmbomen. Op mijn tafeltje stond een glas bier en een bord met twee broodjes ham-kaas. Ik nam een grote slok van mijn bier en at snel het ene broodje op, zo snel dat je zou denken dat ik dagenlang niets had gegeten. Ik nam nog een slok en at het tweede broodje rustig en meer genietend op. Alsof mijn moeder over me waakte en zei dat ik niet moest schranzen, maar langzaam en goed moest kauwen. Het smaakte prima. De kaas was te mild, maar ze hadden er mosterd op gedaan en dat vond ik heerlijk. Ik keek naar José Manuel, als hij dat was. Hij keek de andere kant op en liep naar een jong stel met blond haar, dat ging zitten en naar de muziek glimlachte. Ze zagen er idioot blij uit, zoals toeristen dat kunnen doen wanneer ze heel duidelijk willen laten zien dat ze het naar hun zin hebben. Dacht ik verwaand. Alsof ik de grote ervaren reiziger was.

Ik pakte mijn bierglas weer en zag dat een papiertje zichtbaar werd dat onder mijn bierviltje vandaan gleed. Het was een servet, maar er stonden een paar regels op. Ik voelde hoe het bloed naar mijn hoofd steeg en dat mijn hart sneller begon te kloppen, maar ik bleef zo rustig dat ik zeker wist dat Dylan me zou hebben geprezen om mijn tegenwoordigheid van geest. Ik keek om me heen. Niemand leek op me te letten. Ik pakte mijn balpen en liet hem boven de ansichtkaart aan Helle zweven, terwijl ik las wat er op het servet stond: 'We moeten elkaar spreken, Señor John. Maar niet hier. Kom vanavond om acht uur naar het huis van Ramon.'

Graag, dacht ik, maar wat moet ik doen met de mensen die me schaduwen? En hoe ken je mij en mijn naam? En wat wil je van me? Ik had hem graag deze vragen willen stellen, maar ik durfde het niet. Ik maakte de kaart aan Helle af, met alleen maar gebruikelijke dingen, en een naar mijn broer en zus, en een naar mijn moeder, hoewel ze er niets van zou begrijpen. Ik bestelde nog een biertje en dronk het op. José Manuel serveerde met professionele vriendelijkheid en bedankte met professionele vriendelijkheid, toen ik hem een leuke converteerbare fooi gaf. Ik gooide mijn ansichtkaarten in de ouderwetse, metaalgrijze brievenbus van het hotel, die eruitzag alsof hij daar altijd had gehangen. Ik nam een van de taxi's van het hotel die buiten stonden, terug naar Hotel Ambos Mundos. Ik zag hoe een zwarte Hyundai invoegde vanaf de stoep en ons helemaal naar het Plaza de Armas achtervolgde, waar ik werd afgezet. Dat maakte niets uit. Het was zo duidelijk dat ik een idee kreeg, dat zou kunnen slagen als ik net zo goed was als Dylan Thomas had gezegd. Als ze me wilden laten zien dat ze me in de gaten hielden, dan kon ik hun ook laten zien dat ik hen van me af kon schudden, wanneer de grote tropenduisternis over Havana viel die jan en alleman de straat op stuurde om te *da un paseo por la calle* en daarmee alle katten, verwarde Deense leraren en geheime politieagenten grijs maakte.

13

Ik vond hem in het restaurant op het dakterras van het hotel, waar hij alleen aan een tafel zat te eten. Om hem heen zaten andere toeristen hun avondeten te nuttigen, terwijl obers en serveersters lui heen en weer liepen. Het rook er naar kip, varkensvlees en zwarte bonen. Een bandje in de hoek speelde dezelfde gebruikelijke Cubaanse nummers, maar wat maakte het uit, want daar zat hij zoals ik had gehoopt: Lars, die in Denemarken iets met shipping deed en een paar keer per jaar naar Cuba kwam om te betalen voor seks met jonge meisjes.

Het werd donker boven Havana. De schemering en de eerste knipperende lampen veranderden de stad, verborgen de schilferende littekens van de bouwvallige huizen, zodat ze veranderden in knappe oude vrouwen. Er ontstond een sprookjesachtige sfeer, waarin alles in de warme tropennacht toegestaan en mogelijk was. De zee veranderde van kobaltblauw naar zwart. De sterren schitterden boven de Straat van Florida en in het schijnsel van de lichtkrant op Amerikaans grondgebied konden de jonge stellen dromen van een leven aan de overkant. Voor het grijze gebouw, dat de Amerikaanse ambassade moest voorstellen, had Castro een laan van vlaggen laten bouwen, die een niet-aflatende stroom van ondermijnende mededelingen moest verbergen die de Cubanen ervan probeerden te overtuigen dat hun systeem ten einde was. De jongeren leek het niets uit te maken. Ze lagen op de lange stenen muur langs het water in de tropennacht, hielden elkaars handen vast en kusten lang en innig, zodat ik helemaal jaloers werd.

Vanaf het restaurant van het hotel was er een weids uitzicht op de wirwar van okerbruine dakpannen en anarchistische snoeren op de daken. Ik kon de grote billboard zien met Che Guevara's behaarde gezicht en de zelfverzekerde uitspraak dat we altijd zullen overwinnen. Het gezicht was duidelijk zichtbaar in de schijnwerpers in de verder zo donkere stad. Je had ook goed zicht op de altijd drukke Calle Obispo, waar de nachtelijke parades van toeristen en de mensen die van ons leefden, en natuurlijk de Cubanen zelf, zowel de bevoorrechte als de minder bevoorrechte, al de beweging aan het vormen waren die de Madrilenen tijdens mijn jeugd gewoon *el movimiento* hadden gedoopt. De pompende, voortdurende beweging van de nacht. De betovering van de nacht, waarin je op zoek ging naar de roes en erotiek die enkele uren werden verward met geluk. De bevrediging was van korte duur, maar verslavend en ze vereiste dat je de volgende keer de kracht van de prikkels verhoogde om dezelfde stimulatie van de zintuigen te bereiken. Het was hetzelfde als in Madrid, maar toch anders. Het verschil met mijn jeugd in Madrid was de armoede, maar de duisternis viel als een schaduw over het verval, dat zijn eigen mooie ondergangsesthetiek kreeg.

Lars at wat je nu eenmaal vaak in Cuba at: varkensvlees met bonen en rijst. Hij had de slappe salade niet aangeraakt. Hij dronk er rode wijn bij. Die was Italiaans en de fles was bijna leeg. Lars zag er gekweld uit met wallen onder zijn ogen, en zijn huid was gevlekt doordat hij was verbrand door de zon. Hij droeg een overhemd met korte mouwen en een bermuda en aan zijn blote voeten had hij een paar solide grijze Eccosandalen. Toeristen zagen er alle vierentwintig uur van de dag uit als toeristen, terwijl Cubanen, die veel minder geld hadden, het mooiste wat ze bezaten aantrokken wanneer ze op wilden vallen en in zulke groten getale gingen promeneren dat ik hoopte dat ik in de menigte kon verdwijnen.

Ik deed alsof ik Lars toevallig zag, bleef onderweg vanaf de balustrade staan en zei hardop in het Deens, terwijl ik het restaurant in liep: 'Hallo Lars. Hoe gaat het? Is het lekker?'

Hij keek op. Ik kon zien dat hij even moest nadenken, maar toen verscheen er een grote glimlach op zijn gezicht, waardoor zijn gezicht er jonger uit kwam te zien en hij zei: 'Hallo John. Ga zitten. Heb je al gegeten?' Hij stond half op van zijn stoel en gaf me een hand.

'Ja, ik heb gegeten, maar ik kan nog wel iets drinken. Is het een goede wijn?'

Ik trok de stoel naar achteren en ging zitten. Lars prikte met zijn vork in het eten en zei: 'Alles smaakt zoals het smaakt. Laat ik het zo zeggen: het zal een hele tijd duren voordat ik in Denemarken weer kip, rijst of varken zal eten.'

Ik lachte plichtmatig.

'Waar is je lieve vriendinnetje?' vroeg ik, terwijl ik mijn hand omhoogstak naar de serveerster die bij de deur stond en eruitzag alsof ze in slaap zou vallen.

'We houden even een pauze. Het gaat niet. Het werd gewoon te veel …'

'Goh. Ik dacht dat dat het doel was.'

'Ja … jawel. Natuurlijk. Niet te veel op die manier, maar ze werkte me op de zenuwen. Ze begon eisen te stellen. Daar wil ik verdomme niet voor betalen.'

'Dat begrijp ik. Er moeten grenzen zijn.'

'Natuurlijk moeten er grenzen zijn.'

Hij keek de andere kant op. Ik wachtte en probeerde weer contact te krijgen met de serveerster. Hij zei: 'Ik betaal niet zomaar. Iedereen heeft wel zijn principes …'

'Zo zit dat. Er zijn genoeg andere lieve meisjes op dit eiland.'

'Nu gaan we bijna naar huis', zei hij. 'Dat is heel fijn.' Hij krabde in zijn kruis, ontdekte dat ik het zag en hield weer op.

'Wat kou en regen. Dat zou niet verkeerd zijn', zei ik en ik bestelde een mojito bij de serveerster, die zonder iets te zeggen heupwiegend wegliep.

Lars prikte wat in zijn eten, maar hij at het niet op. Hij dronk in plaats daarvan zijn glas wijn op en schonk weer in. We praatten wat over Ringkøbing en Kopenhagen, en het verschil tussen de grote stad en het platteland. Hij was verbaasd dat ik mijn hele leven lang in dezelfde stad had gewoond, afgezien van mijn studiejaar in Madrid. Hij dacht dat dat soort mensen niet meer bestond. Hij liet me foto's van zijn kinderen zien: een jonge man en vrouw, die in de zon aan een cafétafeltje in de camera glimlachten. Hij zei er niets over dat zijn vrouw was vertrokken en dat ze de kinderen tegen hem had opgestookt. We praatten over voetbal en daarna kwam hij in een beter humeur. Toen ik hem vlak na onze aankomst had ontmoet, was hij een verwaande schoft geweest, maar nu leek hij zich wat te vervelen en had hij heimwee. Ik vroeg het hem niet. In plaats daarvan zei ik, toen ik voelde dat de situatie het toeliet: 'Ik vroeg me af of je misschien iets voor me wilt doen.'

'Natuurlijk. Als ik dat kan.'

'Ik zou je willen vragen of je een brief voor mij wilt afgeven.'

'Een brief? Hier in de stad?'

'Ja.'

'Wanneer?'

'Vanavond.'

'Waarom? Waarom doe je het zelf niet? Je spreekt de taal. Is het gevaarlijk?'

'Nee, nee, Lars. Het is niet gevaarlijk. Het gaat om een dame.'

Hij lachte, legde even een hand op mijn bovenarm en zei: 'Zo, zo. Je hebt ook betaald voor seks.'

Ik hield mijn handpalmen omhoog als in het internationale gebaar.

'Was het lekker?'

'Dat wel, maar het gaat niet.'

'Waarom niet?'

'Ze wil trouwen en zo.'

'Nee, verdomme zeg, John. Wil ze trouwen? Wat een bak, John. En nu heb je een brief aan haar geschreven? Dat is wel knap. Anderen zoals ik zouden gewoon over een paar dagen het vliegtuig pakken. Dat is wel knap. Ik zeg altijd tegen hen als ze daarover beginnen, dat dat niet gaat. Ze kunnen Denemarken niet in komen. Het is gesloten, zeg ik dan. Maar natuurlijk …'

'Ik ben blij dat je het zo ziet, maar ik heb geen zin om hem haar persoonlijk te geven. Dat begrijp je toch wel?'

'Natuurlijk begrijp ik dat. Dat spreekt voor zich.'

'Je kunt week om het hart worden, toch?'

'Jazeker. En hard op een andere plek, toch?'

'Dank je wel, je bent een echte vriend', zei ik.

'Wat moet ik doen?' vroeg hij enthousiast en hij leek een padvinder die een spannende opdracht had gekregen.

'Zou je hem vanavond kunnen afgeven? Ze is vanavond aan het werk.'

'Wat doet ze?'

'Ze is danseres in Tropicana.'

Hij floot en zei: 'Wow. Zo een met lange benen en stevige borsten. Ik heb ze gezien, man. De kontjes. Die steken ze achteruit en die wiebelen. Je hebt verdomme meer in je mars dan ik had verwacht.'

'Ze heeft een vreselijk temperament …' Het was zo gemakkelijk om te liegen dat het me bijna bang maakte.

'Dat is wel zo. Dat maakt hen wel goed.'

'Ja, maar je kunt de brief gewoon aan haar broer geven. Hij heet Ramon en hangt op dit vroege tijdstip van de avond meestal wat rond bij een oude Amerikaanse auto die hij aan het repareren is. Zeg maar dat hij van John is, dan zal hij hem wel aannemen. Zeg maar gewoon John. Je hoeft geen Spaans te kunnen om dat te kunnen zeggen. Hij is me iets verschuldigd. Bovendien zal hij denken dat het een liefdesbrief is. Hij kan het geld ruiken.'

Lars leunde achterover in zijn stoel en dronk het restantje wijn op. Hij leek wat aangeschoten te zijn, maar niet zo erg dat hij niet enigszins helder kon nadenken en doen wat ik van hem vroeg. Dat hoopte ik in elk geval.

'Er zit verdomme meer diepte in je dan je op het eerste gezicht zou zeggen. Ik dacht dat je gewoon een zware, domme Jut was en dan blijkt dat je al die passie en ridderlijkheid in je verborgen houdt.'

'Vooral dat laatste', zei ik, maar het sarcasme straalde gelukkig van hem af. Ik had de brief van tevoren geschreven en hem in een envelop van het hotel gestopt. Ik wist niet wat de rol van Ramon in dit steeds vreemder wordende spel was, maar wanneer de zoon van Clara hem kende, moest hij onderdeel van iets uitmaken, wat dat dan ook maar mocht zijn. In de brief stond:

'R. Ik word geschaduwd en kan J M niet bij jou ontmoeten. Ik zal de schaduwen wel van me afschudden, dus kom alsjeblieft vanavond om tien uur naar Martí in Parque Central. Het spijt me verschrikkelijk. Ik ben diep ongelukkig en verbijsterd, en ik denk aan jou en je jongens. Geloof me: natuurlijk had ik er niets mee te maken. Mijn landgenoot hier spreekt geen Spaans en hij

weet van niets. Hij denkt dat het een liefdesbrief is. Zet een grote glimlach op en zeg iets. J.'

Ik wilde hem de brief niet op een openbare plek geven. We gingen naar mijn kamer, waar ik hem de envelop gaf. Hij had een heuptasje om zijn middel. Hij was een kop groter dan ik. De brief stopte hij in zijn heuptasje. Ik gaf hem een papiertje met het adres van het huis van Consuela erop. Ramon woonde vier huizen verderop had ze gezegd, maar ze had ook gezegd dat hij 's avonds altijd met een vriend die opgeleid was als monteur aan de auto sleutelde. Ik hoopte dat hij dat vanavond ondanks de moord op Consuela ook zou doen. Geen enkele Cubaan bleef 's avonds binnen. Allemaal moesten ze naar buiten om te promeneren, op straat te praten of op een stoel voor de deur van het huis te zitten en het leven langs te zien komen. Of rondhangen met hun beste vriend om iemand te hebben met wie ze hun verdriet konden delen. Hij moest er zijn, aangezien José Manuel me had gevraagd om hem juist vanavond te ontmoeten. Als hij er niet was, moest ik een plan B bedenken. Dat had ik niet. Ik pakte een plattegrond van het oude Havana en liet Lars zien waar het hotel lag en waar Ramon zou zijn. Lars kon geen Spaans, maar hij was genoeg keren in Havana geweest om een prima gevoel voor de geografie van de stad te hebben.

'Ik weet wel waar dat is. Je kunt me vertrouwen.'

'Ik trakteer je op een drankje wanneer je terugkomt.' Mijn stem was rustig, maar zo voelde ik me van binnen niet.

'Tot later. Ik ben snel weer terug, dan kun je over de brug komen met een grote mojito. Tot zo', zei hij toen ik de deur voor hem opende, terwijl ik het beste hoopte en het ergste vreesde. Merete zou instemmend hebben geknikt bij dat gevoel.

Ik nam een douche en trok andere kleren aan. Ik deed een donkergroen polohemd aan en een blauwe broek van een of andere moderne sneldrogende stof. De meeste mannen van mijn leeftijd droegen ze zo langzamerhand. Ik had hem in een sportwinkel gekocht. Het was een gemakkelijke en zeer praktische broek met goede zakken, waar ik altijd al van had gehouden. Ik trok mijn moderne hesje met veel zakken over het T-shirt. Aan mijn voeten droeg ik de lichte Nike-schoenen die ik in Key West had gekocht. Ik stopte een extra T-shirt, mijn guayabera en een heel gewone lichte broek waarvan ik had gemerkt dat Cubaanse mannen die erg mooi vinden, een paar sokken, een onderbroek, mijn toilettas waar ik het meeste uit haalde en het ticket voor mijn terugvlucht in mijn schoudertas. Hij puilde een beetje uit, maar niet zo erg dat het zou opvallen. Het zou een videocamera kunnen zijn of reisgidsen. Ik zette mijn Hemingway-pet op en de toerist was klaar om op pad te gaan.

De nacht was zwart toen Lars iets na achten terugkwam en op de stoel naast me in de lobbybar neerstreek, waar een zwarte pianist verdrietige Cubaanse liefdesliedjes aan het spelen was. De alleenstaande mannelijke toeristen waren bezig een melancholieke en tegelijkertijd roekeloze dronken bui op te bouwen. Lars leek op een man die trots was op zichzelf, omdat hij iets buitengewoons had gedaan.

'Bestel jij maar', zei hij. 'Papa hier heeft het allemaal voor je geregeld. Je hoeft niet bang te zijn. Ik begreep zijn lingo niet, maar die ene man die leek op een oude bokser die te veel klappen heeft gekregen, knikte en glimlachte en knikte dat ik dacht dat zijn hoofd eraf zou vallen, toen hij je brief had gelezen.'

'Dat klinkt goed. Dat moet gevierd worden.'

'Inderdaad', zei hij nog tevredener over zichzelf. Ik had

geen tijd, maar ik was hem een moment verschuldigd, dus ik bestelde een mojito voor hem, terwijl ik het zelf rustig aan deed met mijn kleine biertje.

'Jij zei "die ene man". Waren er anderen aanwezig?'

'Er waren twee jongetjes. En een jonge man, die er wat verdacht uitzag. Alsof hij ergens bang voor was. Hij zei een heleboel dingen tegen de bokser, maar ik begrijp niet veel van het Cubaans. Alleen wat *love speak* in bed ...'

'Was er politie?'

'Nee, waarom vraag je dat?'

'Het is in orde, Lars. Het is in orde. Bedankt voor je hulp.'

De volgende tien minuten bleef hij over hetzelfde onderwerp praten: hoe hij het adres had gevonden, de man had gezien die met een sigaar bij het oude Amerikaanse voertuig stond te praten met een jonge Cubaan, de twee jongetjes die hem alleen maar aanstaarden. Er was geen spoor geweest van de politie. Daarentegen waren er heel wat mensen die zoals overal in de oude wijk buiten in de donkere warmte hadden zitten kletsen, terwijl de kinderen tussen de magere honden speelden. De man had de brief gelezen, geknikt en geknikt, geglimlacht en geglimlacht, en uiteindelijk had hij Lars met heel veel woorden de hand geschud.

Ik ontkwam aan Lars met een smoesje dat ik een afspraak had en hij glimlachte naar me op die bijzonder alwetende, broeierige manier die een mannelijke onderlinge verstandhouding moest voorstellen, maar het was waarschijnlijk maar goed dat hij iets met shipping deed en geen acteur was. Ik pakte mijn tas en liep de mensenmassa in. Ik zweette en dat kwam niet alleen omdat het een warme avond was, maar ook omdat ik het jeukende gevoel had dat ze me in de gaten hielden, maar wie waren ze? Vast de geheime politie. Ik vond er troost in dat ze niet wisten dat ik besefte dat ik in de gaten werd gehouden en niet wisten dat ik iets had geleerd van wat Dylan tradecraft noemde. Tenzij ik natuurlijk werd geschaduwd door de mannen van Dylan.

Je kon bijna geen voet verzetten door de vele mensen op Calle Obispo. Er waren niet meer de vele stroomstoringen, die volgens zeggen tot nog maar een paar jaar geleden heel gebruikelijk waren in Havana, maar er was nou ook geen sprake van veel straatverlichting. Overal waren mensen. Straatverkopers probeerden mensen van alles aan te smeren, van lelijke balpennen tot kartonnen bekertjes met popcorn. Normaal gesproken zou me dit irriteren, maar in deze situatie kwam het me prima uit. Ik liep door de straat, een zijstraat in, staarde naar een etalage, kocht iets te drinken wat ik niet opdronk, liep terug naar waar ik net vandaan was gekomen, begroette mensen die ik niet kende.

Ik gedroeg me als de toerist die door de stad zigzagt, omdat hij niets anders te doen heeft. Probeerde niet te duwen, niet te dringen, niet tegen iemand op te botsen, maar dat was lastig. Ze moesten van goeden huize komen om me bij te kunnen houden, wanneer ik op de toeristenmanier van richting veranderde en willekeurig rondliep en winkels in en uit ging. Op een bepaald moment zag ik een jonge man in een blauwe spijkerbroek en licht T-shirt, die ik meende eerder gezien te hebben. Hij dook weer op, maar verdween uit mijn gezichtsveld. Ik zag hem niet weer. Ik begon te geloven dat ik ze van me had afgeschud. Ik stond lange tijd in een moderne boekhandel afwezig in de nieuwe boeken te bladeren. Er waren twee ingangen. Ik liep door de ene ingang naar buiten, draaide me om en ging weer naar binnen, kocht een gedichtenbundel en liep door de eerste ingang weer naar buiten. Nergens was enige paniek te bespeuren, maar ik wist het nog niet zeker.

Ergens stapte een jonge man uit een inham van opnieuw een bouwvallig gebouw. Hij was zo'n twintig jaar en droeg een spijkerbroek en een T-shirt. Hij liet me snel zijn hand zien, alsof hij een illusionist was. In zijn hand lagen vier usb-sticks van verschillend formaat.

'*You have. I buy*', zei hij.

Ik schudde mijn hoofd.

'*Computer no?*' Zijn ogen dwaalden rond en zagen er geschrokken uit.

'Nee', zei ik in het Engels. 'Ik heb geen computer. Ik ben op vakantie. Ik heb geen computer bij me.'

Hij sloot zijn hand om de kleine voorwerpen alsof het gevaarlijke dieren waren en verdween in een soepele beweging in de mensenmassa. Als hij me in de gaten had gehouden, had hij misschien ook in de gaten gehouden of iemand me in de gaten hield. Clandestiene handel was een gevaarlijke bezigheid in Cuba. Het land spotte niet met de lengte van de straffen die aan profiteurs werden opgelegd. Ik wist het nog steeds niet zeker toen ik op Calle Brasil aankwam, niet ver van het Plaza Vieja. Het was bijna tien uur. Het werd tijd om de laatste beslissende stap te zetten; dan was het buigen of barsten.

Ik hoorde de muziek voordat ik de groep zag. De muziek was luid en zat vol messing tonen en lage trommen. De groep liep op stelten. Er waren zowel vrouwen als mannen in clownachtige kleding en met een grote, brede glimlach. Ze bewogen zich elegant heupwiegend voort op hun lange stelten, terwijl ze tamboerijnen en kleine trommen bespeelden. Voorop liep een kleine brassband, die met een levendigheid speelde die oprecht leek, en met een ritme dat ervoor zorgde dat je benen bijna vanzelf op de maat van de salsa gingen marcheren. De vrouwen op de stelten waren elegant en kleurrijk als exotische, tropische vogels. Ze glimlachten naar de toeristen die samendromden, klapten, lachten en het begin van een chaos creëerden, die naar ik hoopte ervoor zou zorgen dat ik definitief van mijn schaduwen af zou zijn, als ze me überhaupt volgden.

Ik had geen goed gevoel bij wat ik deed, maar het werkte volgens plan. Ik stond aan de rand van een groep toeristen uit Duitsland. Een van hen was een zware man met grote, modelloze shorts aan en een T-shirt dat strak om zijn dikke buik zat. Twee artiesten kwamen dicht bij de groep. Voorop liep een man, naast hem een vrouw die haar beide armen in een gracieuze balletbeweging boven haar hoofd bewoog, voordat ze haar hand liet zakken om die van de man te pakken, die gespierd en bruin was. De Duitser was van het type mannen dat, wanneer ze eindelijk in beweging komen, niet meer te stoppen is. Je kent hen van de voetbalvelden. Ik drukte mijn knie twee keer snel in zijn knieholte zodat hij zijn evenwicht verloor, voordat ik mijn voet als een voetballer die wil gaan tackelen voor zijn rechterbeen zette en hem hard in de rug duwde. Het zag eruit alsof een groep kegels omviel. Hij viel voorover in de stelten van de man. Die verdwenen onder hem alsof iemand ze met een lange beweging had weggemaaid. De vrouw was snel en trok haar hand terug, maar de dikke Duitser, die riep en druk met zijn armen gebaarde, had zijn eigen onstuitbare momento en botste tegen de vrouw aan, die opzij viel en twee andere mannen met zich meetrok. Ze vielen over toeristen heen die begonnen te krijsen en wegvluchtten. Nog een artiest op stelten viel om. Hij belandde precies op het orkest, zodat de muziek overging in disharmonische krijsende discanten, die klonken alsof de instrumenten een pijnlijke dood stierven. Een grote Cubaanse vrouw ging op haar kont zitten en werd achterovergegooid. Haar achterhoofd raakte een jonge buitenlandse vrouw, die over nog een artiest viel, die druk met zijn armen bewoog om zijn evenwicht proberen te bewaren. Ook hij viel zo ver als hij lang was, maar was niet zo lenig als de anderen en kwam met een lelijke smak op het asfalt terecht. Zijn lange uitbrander met veel gevloek troostte mij. Er was blijkbaar niets met zijn hoofd gebeurd. In no time werd de hele scène een geroep, geduw en gedrang toen sommigen erbij wilden om te helpen, terwijl anderen weg wilden komen uit de opeenhoping van stelten en mensen. De dikke Duitser lag op de grond en probeerde iets te zeggen terwijl hij vast ook naar mij zou wijzen, maar ik verdween in de perfecte chaos.

Ik sloeg een zijstraat in, begon niet te rennen, maar liep in een snel tempo een hoek om en een nieuwe zijstraat in, verder door een derde, nog een hoek om, waar ik wachtte terwijl mijn hart en mijn ademhaling rustiger werden. Ik keek voorzichtig om de hoek van het huis als een kind dat verstoppertje speelde. De verf bladderde af en er zaten grote gaten in de regenpijp. Er was niemand te zien, alleen mensen die uit nieuwsgierigheid naar het geroep dat in de verte klonk leken te worden gedreven. Ik liep snel verder. Een nieuwe zijstraat in, nog een, verder in de richting van de haven. Aan de voet van het oude fort was een inham, die me eerder al was opgevallen. Ik ging erin staan en was zo verstopt. Ik trok snel mijn hesje, T-shirt en broek uit en deed mijn lichte slacks en mijn Cubaanse guayabera aan, voordat ik plaatsmaakte in mijn schoudertas voor mijn kleding en de Hemingway-pet. Op afstand zou ik er anders uitzien, meer Cubaans, minder toeristisch. Ik nam onderweg naar Parque Central ook mijn voorzorgsmaatregelen. Af en toe bleef ik staan om te controleren wat Dylan me had geleerd. Er was niets verdachts. Als ze me hadden geschaduwd, waren ze me vast en zeker kwijtgeraakt. Of ze waren zo goed dat het niets uitmaakte.

Ik zou een slecht geweten moeten hebben wat mijn laag-hartige daad betrof, maar in plaats daarvan voelde ik me ongelooflijk tevreden over mezelf en mijn afleidingsmanoeu-vre. Dylan zou trots zijn geweest. Ik had mijn afleiding zo uitgevoerd dat niemand kon weten dat ik wist dat ik werd geschaduwd. Mijn bewegingen waren zo snel geweest en in werkelijkheid discreet in het gekrioel, dat alleen wanneer je je ogen precies op mijn knie had gericht toen die in de knieholte van de dikke man ging, je in de gaten zou hebben gehad dat er een bewuste daad achter de ontstane chaos lag.

In Parque Central zag ik twee gestalten een stukje van het standbeeld van de grote Cubaanse held José Martí staan. Er zaten jonge stelletjes op de bankjes in de dichte duisternis on-der de grote palmbomen en andere paartjes wandelden heen en weer over de paden. Het was er vredig en stil. De enige geluiden die ik hoorde, waren het gesjirp van de krekels en het stille gemompel van de zachte Cubaanse stemmen.

Ramon deed een stap naar voren, toen hij me aan zag ko-men slenteren. José Manuel bleef een stap achter hem staan.

'Fijn dat je kon komen, John', zei Ramon. Zijn stem was intens en de angst was duidelijk hoorbaar. 'Vamos. We heb-ben geen tijd te verliezen. We moeten je uit Havana zien te krijgen. Ze zeggen dat De Dikke in de stad is.'

14

Ramon en José Manuel namen me mee naar een klein, bouwvallig huis dat aan de rand van het oostelijke Havana lag, waar de toeristen de weg volgens mij niet kenden. De wijk was donker en duister met bergen afval en lage huizenblokken, die eruitzagen alsof ze elk moment konden instorten. De kinderen zagen er armoediger uit en er lagen honden en paardenpoep langs de stoep. De kinderen speelden niet, maar zaten met lege ogen op de stoeprand te kijken. In de appartementen klonken echo's van dronken ruzies. Tussen de half moderne blokken lagen kleinere houten huizen, die er ook verwaarloosd en arm uitzagen. Je kon in het donker een paardenhoef horen schrapen en het rook er naar verval en hopeloosheid. Hier was de armoede volstrekt niet salsakleurig pittoresk.

We reden ernaartoe in een grote, oude Buick met een motor die het juiste zachte en toch knorrende geluid van een achtcilinder had. We werden gereden door een grote, zwarte man met een wit T-shirt aan en een blauwe pet op, zonder dat hij een woord zei, maar ik kon zien dat hij extra vaak in de achteruitkijkspiegel keek. Ramon keek ook een paar keer achterom, toen we Havana Vieja uit manoeuvreerden. Ik zat op de achterbank met José Manuel, die door Ramon Joselito werd genoemd. De koosnaam deed me denken aan Hemingway en aan verhalen over stierenvechters uit het Spanje van de jaren dertig. Ramon ging zelf op de brede voorbank zitten. Hij kwam zenuwachtig over, maar ook energiek. Zoals hij misschien als bokser was geweest voordat hij de ring in ging. De adrenaline stroomt door het lichaam en de spanning is bijna niet meer te houden. We bleven stilstaan voor een klein, houten huis, dat ooit blauw was geweest. Er was een veranda die om het hele huis liep. Op de veranda stonden een bank en twee versleten rieten stoelen met een verschoten bekleding aan een lage tafel. Het huis lag er donker bij, maar ik kon een stevige vrouw over een gasfornuis gebogen zien staan. Het rook er naar kip, bonen, vette plantaardige olie en rijst. Ik had honger en geen honger. Ik had sinds de lange heerlijke lunch met Consuela niets anders gegeten dan ontbijt en twee broodjes.

We stapten uit en de Buick verdween in het donker.

Ik had Ramon proberen te condoleren en hem duidelijk proberen te maken dat ik onschuldig was, maar hij leek heel wat anders aan zijn hoofd te hebben dan dat zijn zus een etmaal geleden op brute wijze was vermoord. Hij maakte met zijn hand een afwerend gebaar, zodat ik begreep dat ik tijdens de rit mijn mond moest houden. Ik probeerde opnieuw uitdrukking te geven aan mijn verdriet, medelijden en angst over het lot van Consuela toen we bij het huis aankwamen. Ramon pakte mijn arm stevig vast en zei sissend: 'John. Hou op over mijn zus te praten. Ze is verdomme dood. Wanneer dit achter de rug is, zal ik rouwen en erachter komen wat ik ga doen, maar dit heeft nu geen zin. Dus hou je bek over Consuela, oké?'

Ik trok mijn arm terug. José Manuel stond te kijken.

'Wie is De Dikke?' vroeg ik.

'Ga zitten', zei Ramon. 'Ga alsjeblieft zitten.'

We gingen aan tafel zitten. Er stonden een fles goedkope Cubaanse rum, een aantal glazen en een halfvolle asbak. José Manuel ging op de bank zitten. Ramon en ik in de rieten stoelen. Ramon schonk ons alle drie rum in en sloeg die van hem achterover, terwijl ik ervan nipte. Hij stak een sigaret op nadat hij José Manuel er een had gegeven. Ze inhaleerden allebei diep en ervaren op zo'n genietende manier dat ik zin kreeg om te gaan roken.

'Wie is hij, Ramon?' vroeg ik in plaats daarvan opnieuw.

Hij maakte een grimas en zei: 'Ik weet zijn naam niet. Het is een gangster uit Miami. Hij heeft hier goede connecties, misschien hogerop in het systeem, aangezien hij hier kan komen. Hij regelt technologie voor hen om het embargo heen. Op een hoger niveau en op een lager ...'

'Zoals deze', zei José Manuel en hij legde een usb-stick op tafel. 'Ze zijn net zo verboden als privécomputers, mobiele telefoons en op reis gaan. De Dikke kan ze regelen. Misschien is het niet echt verboden, maar ze zijn niet te betalen. Het is een wereld die voor ons niet haalbaar is.'

Ik pakte het kleine glimmende voorwerp op. In mijn deel van de wereld kostten ze niets meer. Hier waren ze net zo contrabande en illegaal als gevaarlijke narcotica. Het was niet een van de nieuwste en supersnelste, maar hij had één gigabyte en kon miljoenen inlichtingen bevatten.

José Manuel werd enthousiast wanneer hij met veel armbewegingen iets uitlegde. Ik kon Clara in hem zien, zoals ik haar van de foto bij haar vader kende. Hij had haar ogen en gezichtsvorm. Hij zei: 'We kunnen het internet niet op. Het lukt me af en toe in Nacional. Daarom heb ik die baan aangenomen. Het kost wel wat, maar het is mogelijk. Anders kost het bijna een maandsalaris om een uur online te zijn in een van de weinige internetcafés. We zijn jong, man. In de hele wereld hoort het internet bij de jongeren, maar wij mogen er niet aan mee doen. De politiek en de revolutie laten me koud. Ik wil gewoon jong zijn, voelen dat ik leef en deel uitmaken van de wereld. Ik word geleid door oude mannen. Oude, verstokte mannen die praten over de revolutie, het socialisme en het verleden ...'

Hij hield even een pauze in zijn woordenvloed, terwijl hij de kleine usb-stick voor zich uit hield, alsof het de fakkel van de vrijheid was of een talisman die hem uit het verduisterde deel van Havana kon weghalen, waar we ons in een voormalig tijdperk op slechts enkele kilometers afstand van een van de geavanceerdste landen ter wereld bevonden. Het was nog steeds warm, maar het was harder gaan waaien en er hing een geur van regen in de lucht. Ramon legde zijn hand op zijn schouder en José Manuel zonk een beetje in en praatte rustiger verder, maar nog steeds met zijn descriptieve armbewegingen.

Alleen mensen met bijzondere privileges hadden toegang tot het world wide web. Dat konden exportbedrijven zijn, de grote internationale hotels waar de toeristen overnachtten, onderzoeksinstellingen of artsen met bijzondere kennis. Er was daarom een zwarte markt voor toegang tot het internet. Mensen met toegang verkochten hun wachtwoorden aan geïnteresseerden die 's nachts in verduisterde kantoren, in lege spreekkamers of in verlaten internetcafés van een hotel zaten te surfen, terwijl de toeristen lagen te slapen in de bedden waar ze met hun converteerbare peso's voor hadden betaald. Als je toegang kreeg, downloadde je de gezochte pagina's op usb-sticks, die gekopieerd en gedistribueerd konden worden. Want het was in elk geval gemakkelijker om bij een computer te komen dan bij een computer met een aansluiting. Het ging helemaal niet om politiek, zei José Manuel. Het ging om films en om leuke stukjes op YouTube. Het ging om muziek, mode, Facebook en al het andere van cyberspace in het globale dorp. Het ging om blogs, die jonge Cubanen ook schreven of probeerden te schrijven. Ze konden niet door veel mensen op het net worden gevolgd, maar ze werden gekopieerd van usb naar usb, zodat ze toch werden verspreid. Ik kreeg medelijden met hem. Hij was een van de geprivilegieerden met een vader die in het leger op fluweel zat, en een moeder die specialist was. Toch was hij een gevangene op een eiland met een droom om deel uit te maken van de grote wereld. Hij zat met kopieën van internet op usb-sticks en deed alsof hij meedeed, maar wat hij zag was al verouderd. Ik geloof niet dat el Comandante enig idee had wat er gaande was. Dat een nieuwe informatiewereld zijn muren aan het afbreken was en ervoor zorgde dat zijn jonge onderdanen zich van zijn systeem afkeerden, omdat ze gefrustreerd waren dat ze buiten de globale deur werden geplaatst.

'John, ze weten niet waar ze het over hebben. Een video die van YouTube is gehaald, circuleert op de usb's. De voorzitter van het parlement wordt ondervraagd door studenten van de universiteit van Havana. Het is zo gênant. Die oude idioot weet helemaal niet waar de jongeren het over hebben, wanneer ze praten over internet, muziek, kleding, Facebook en dat ze zin hebben om te reizen en in hotels te overnachten. De man is zo dom dat hij zegt dat er geen plaats in de lucht is voor alle vliegtuigen, als iedereen die het zou willen zou mogen reizen. Wat zeg je daarvan! Dat zei hij. Ik overdrijf niet, *joder*. Hij is in heel Havana een lachertje.'

José Manuel stak zijn handen uit naar de hemel die hij niet kon bereiken en schudde moedeloos zijn hoofd.

'Ik dacht dat je vader alles voor je kon regelen.'

Zijn gezicht veranderde, werd hard en gesloten. Het was anders jong en open.

'Ik praat niet met mijn vader.'

'Oké.'

'Dat is privé.'

'Prima.'

Ramon leunde over de tafel en pakte voorzichtig de usb-stick uit de hand van José Manuel, gaf hem aan mij en zei:

'Je moet deze meenemen naar Clara …'

'Is dat zo?'

'Ja, dat zou fijn zijn, mijn vriend.'

'Waarom doe je het zelf niet?'

'Dat gaat niet. Ze zullen mij van tevoren tegenhouden. Ik kan niet in het gebied komen waar Clara is. Dat is alleen voor toeristen. Ik moet ook voor mijn zoontjes zorgen.'

'Wat staat erop?'

'Het is een interessant verhaal over een schat, waar we met z'n allen jarenlang naar op zoek zijn geweest. Waarvan we misschien niet hadden verwacht dat hij zou bestaan. De opa van Clara heeft hem begraven, zo gingen de geruchten en werd verteld in familieverhalen, maar niemand wist wat hij was, tot een jaar geleden. Toen vertelde Carlos een verhaal dat hij van zijn vader had gehoord. Hij had het gehoord vlak voordat zijn vader zichzelf doodschoot, toen Castro Havana binnentrok. Carlos beloofde zijn vader de schat niet op te halen vóór de dag dat Cuba weer vrij was. Jij kent Carlos persoonlijk. Ik ken hem alleen uit de verhalen van Clara over hem. Carlos is een man die zijn woord houdt. Maar de belofte was niet zo sterk, zodat hij ervoor koos om haar te verbreken als hij zijn dochter erdoor terug zou kunnen krijgen. Als die de liefde van zijn dochter zou kunnen opwekken of kopen. Als die haar zou kunnen bevrijden.'

'Wat is dat voor een schat? Geld? Goud?'

'Dat weet ik niet.'

'Dat weet je niet?'

'Nee. Het enige wat ik weet, is dat het iets kostbaars is, maar ook iets immaterieels.'

'Dat is niet logisch.'

'Nee, en jij bent leraar? Ik ben een simpele bokser en monteur.'

'Ik begrijp niet wat je zegt, Ramon. Wat is jouw relatie met Clara?'

'Ze is mijn vriendin. Ze is als een oudere zus voor me. Ik was ooit net zo'n idealist als zij. Ze redde mensen uit naam van de revolutie. Ik won medailles in de boksring bij de Olympische Spelen. Ik geloof nog steeds in het socialisme, maar mijn geloof in vriendschap is groter. Ik geloof niet langer in ideeën. Ik geloof in mensen. Ze was de beste vriendin van Consuela. Ik wil haar graag helpen, maar ik blijf. Zij moet weg. Haar kinderen moeten weg. Ze moeten bij Hector weg. De situatie zal wel veranderen ...'

'Ik lig in mijn graf voordat het anders wordt', zei José Manuel, maar hij had genoeg respect voor de blik van Ramon om zich stil te houden en in plaats van te praten, dronk hij de helft van zijn rum op. Ik kon ergens de wind door de palmbomen horen waaien en een hond horen blaffen, voordat het geblaf overging in gepiep, alsof hij door iemand was getrapt of omdat iemand een steen naar hem had gegooid.

Ik zat van mijn rum te nippen, die meer scherp dan zoet was, voordat ik zei: 'Dus die oude man in Miami heeft me de hele tijd gemanipuleerd?'

'Nee, hij heeft je gebruikt, omdat hij van mening is dat je door God bent gezonden.'

'Ik geloof niet dat God daar iets mee te maken heeft', zei ik achterdochtig.

Ramon glimlachte en zei: 'Voorzienigheid dan? Het lot? Logica van het toeval? Aan jou de keuze. Carlos kon je gebruiken, maar De Dikke heeft er lucht van gekregen. Dat denken we.'

'Komt die man, die jij De Dikke noemt, uit Ierland?'

'Het is een yankee.'

'Je weet wel wat ik bedoel. Spreekt hij Spaans?'

'Natuurlijk. De familie van zijn moeder komt hiervandaan, hoewel zijn vader uit Argentinië komt. Daarom is hij zo blank. De familie had samen met de andere maffioso belangen in Hotel Havana. In casino's, in nachtclubs, in de meisjes.'

Ik dacht aan Dylan Thomas en zijn visitekaartje van de CIA, aan zijn beweringen over mollen in de organisatie en zijn zeer Ierse uiterlijk, maar dat kon natuurlijk een heel mooie dekmantel zijn. Cubanen waren er in alle huids- en haarkleuren. Het enige wat ik begreep, was dat ik mijn eigen rol niet begreep.

'Heeft het helemaal niets met de Cubaanse ballingen in Miami te maken?'

'Niets.'

'Wat bedoel je met niets?'

'Dit gaat niet om politiek. Het gaat om geld.'

'Maar waarom kent Carlos hem?'

'Kent hij hem?'

'Dat denk ik.'

'Misschien. Ik weet het niet. Carlos heeft verborgen kanten, begrijp ik.'

Ik zat even na te denken, voordat ik zei: 'Een man zei dat Hector belangrijk was, omdat hij, wanneer Castro overlijdt of zich terugtrekt, gebruikt kan worden. Dat hij bereid is om voor de yankees te werken.'

'Hector was ooit een revolutionair, die voor de zaak streed. Vandaag de dag is hij te koop voor degene die het meeste biedt. Als je hem treft, wil ik je adviseren om je vingers te tellen voordat je hem een hand geeft.'

'Hij heeft het over je vader, José Manuel', zei ik.

Hij keek een andere kant op.

'Hoe kon je mij herkennen, Joselito? Want je herkende me, toch?' vroeg ik.

Hij moest glimlachen omdat ik hem bij zijn koosnaam noemde. Hij had net als zijn moeder een mooie glimlach.

'Ik heb een paar foto's van je gekregen die in Key West zijn gemaakt. Op een usb. Je leek er sprekend op.'

'Wanneer kreeg je die te zien?'

'Nog geen tien dagen geleden.'

'Weet je zeker dat het niet langer geleden is?'

'Niet veel langer in elk geval.'

'Waarom ik? Ik weet niet waar de een of andere schat ligt begraven. Wat is dat nou verdomme? En wat voor schat? Staat er een kaartje op de usb-stick waarop staat aangegeven waar die schat te vinden is? Gaan we zeerovertje spelen? Kapitein John en stuurman Ramon in de Caribische Zee?'

Ramon schudde alleen maar zijn hoofd.

'Ja, maar ik weet het toch ook niet?' zei ik met wanhoop in mijn stem.

'Carlos weet het zeker. Hij zegt dat jij en je brief ervoor nodig zijn. Clarita zal het begrijpen. Hij zegt dat je perfect bent. Je zult het begrijpen, zegt hij.'

Ik begreep het niet, maar ik dacht dat het allang aan de gang was en toch ook weer niet. En wat was er aan de gang geweest? Ik was nog steeds erg in de war en wist niet waar het in werkelijkheid om ging. Ik kon me terugtrekken en zowel zin als geen zin hebben om het te doen. Ik was verdeeld, zoals ik dat sinds de dood van Merete was geweest. Ik was bang, maar tegelijkertijd voelde ik ook verdomde goed dat ik leefde. Alles om me heen was duidelijker. De nachtelijke geluiden waren goed hoorbaar en gemakkelijk te onderscheiden: een haan die kraait, de hond die blaft, het gelach van een kind, een vrouw die melodieus zingt, een geruis van de duizenden palmbladeren. De rum smaakte goed en sterk. Ik had trek, maar niet in eten. Ik voelde mijn zenuwuiteinden trillen als kleine antennes, die alles zoemend en tintelend opnamen, maar op een aangename, bijna euforische manier.

Ik vroeg daarom: 'Wat kan ik doen?'

'Je moet Clara en haar kinderen Cuba uit zien te krijgen ...'

Ik kon het niet laten om te lachen.

'Ze hebben mijn paspoort ingenomen. Ik kan zelf niet eens Cuba verlaten.'

'Je kunt zeilen, heeft Carlos verteld.'

'Waarin? Een binnenband van een tractor?'

'Je kunt toch zeilen, John?' vroeg José Manuel.

'Dat heb ik wel gekund, maar dat is heel wat jaren geleden.'

'Ik denk niet dat je dat verleert', zei Ramon. 'Het is vast hetzelfde als wanneer je hebt leren fietsen of op een motor hebt leren rijden.'

'Er zijn toch ook wel Cubanen die een schip kunnen besturen?' vroeg ik.

José Manuel lachte en zei: 'Dat zijn er maar weinig. Ze zijn gecontroleerd of ze worden in de gaten gehouden. Schepen zijn net zo zeldzaam op dit eiland als rundersteaks in een restaurant. Ik woon op een eiland waar de zee net zo onbereikbaar is als toegang tot het internet. Mijn vader kan niet eens een schip besturen. Cubanen kunnen varen, zegt John. Van welke planeet komt hij ...?'

Ramon onderbrak hem en zei: 'Dat komt later allemaal wel. John, je moet deze usb-stick samen met de brief van Carlos meenemen naar Trinidad. Dan kijken we vanaf daar wel weer verder.'

'Waar moeten we in varen, Ramon?'

'Er wordt aan gewerkt', zei hij geïrriteerd.

'Het is veel te gevaarlijk.'

'Er bestaat een risico, maar er ontsnappen bijna wekelijks mensen. Wees nou verdomme wat geduldig. Er wordt aan gewerkt.'

'Waarom ben jij hierbij betrokken?'

'Om Clara te helpen.'

Ik bleef hem aankijken; hij dronk zijn glas leeg en zei met hartstocht in zijn stem: 'Om wraak te nemen op alle klootzakken in mijn leven en misschien ook nog wat geld te verdienen, zodat ik paraat ben wanneer de revolutie binnen niet al te lange tijd voorbij is.'

Ik keek hem aan. Het was voor een nietige leraar Spaans aan het gymnasium van Ringkøbing, die getrouwd was geweest met Merete van de Landbobank, allemaal wat onwerkelijk. Het was geen onzin meer, het was buiten proporties. Het zou het verstandigst zijn om contact op te nemen met de Deense vertegenwoordiging, de kaarten op tafel te leggen, hen ervan te verzekeren dat ik onschuldig was, mijn paspoort zien terug te krijgen en terug te gaan naar Denemarken. Het was bijna Pasen en ik zag plotseling de kale bomen op het plein in Ringkøbing voor me. Rond Pasen werden ze versierd met kleurige eieren die zachtjes bewogen in de voorjaarswind. Ik stelde me voor hoe de lucht werd gevuld door brandganzen die naar Stadil Fjord trokken. Ik kreeg van heimwee een brok in mijn keel.

'Ik begrijp er niets van', zei ik. 'Hoe communiceren jullie met Carlos? En hoelang is dit al gaande?'

'Met usb-sticks. Ze zijn gemakkelijk te verstoppen en kosten niets. Er kan veel informatie op. Die idioten hebben het nog niet helemaal in de gaten.'

'Hoelang, Ramon?'

'Een jaar. Het is een jaar aan de gang, maar nu is er weinig tijd meer.'

'Ik begrijp er niets van', herhaalde ik als een versleten ouderwetse grammofoonplaat, waar de naald onbeholpen in dezelfde groef blijft vastzitten. Dat beeld kon ook worden gebruikt als metafoor voor de algehele situatie waarin ik me bevond.

'Er valt niet zo veel te begrijpen, John', zei Ramon zuchtend. 'Je bent in levensgevaar. De Dikke denkt dat jij iets hebt wat hij wil hebben. Ik weet zeker dat Consuela is vermoord omdat ze dachten dat jij haar over de schat had verteld. Dat jij was gezonden om de schat te halen. Dat je al meer wist dan het geval is. Consuela is dood. De Dikke zit erachter. Misschien? Als het de politie zelf niet is. Of Hector en zijn vrienden. Wil je dat Clara ook zal sterven? José Manuel hier. Rosales, zijn zus. Wil je dat?'

'Stop daarmee.' Ik achtte Ernesto van de geheime politie tot het ergste in staat en ik hield niet van de gedachte wat hij zou kunnen verzinnen. Ik vertrouwde op mijn eigen intuïtie. Ik had Jorge gezien en daar was ik van geschrokken. Het schoot me te binnen dat ik een keer in de krant had gelezen dat een mens gevaar kan ruiken op dezelfde manier als een dier dat kan. Misschien klopte dat? Ik was in elk geval geschrokken.

Ramon zei op zachte toon: 'Ga nou naar Trinidad. Zoek Clarita op. Dat heb je haar vader beloofd.'

'Dat was een geheel andere situatie.'

'Een belofte is een belofte.'

'Hou toch op.'

'Besef je niet dat je in een onmogelijke positie verkeert? Iedereen kan je verlinken. Je kunt worden aangeklaagd voor de moord op Consuela. Denk je dat dit een rechtsstaat is? De Dikke heeft contacten. Hector is een grote man. De volgende keer is het niet zeker dat de politie je laat gaan. Ze laten je niet vertrekken. Ze weten dat er iets in de lucht hangt. Er valt niet te grappen over de Cubaanse gevangenissen. Ik weet het uit eigen ervaring. Dat overleef je niet. Het land balanceert op de rand van de afgrond en dat maakt iedereen nerveus. Niemand weet wat er zal gaan gebeuren.'

'Hou daar toch mee op', zei ik, maar hij luisterde niet.

'We mogen geen tijd verliezen. Je moet met een vrachtwagen mee wanneer het ochtend wordt', zei hij. 'Buitenlanders mogen er niet mee reizen, maar jij kunt doorgaan voor een Spanjaard en met wat geld lukt dat wel. Er zijn geen kaartjes. Er is geen controle. Je moet met de dageraad naar Trinidad vertrekken. Clara zal morgenavond bij de grote trap op je staan wachten.'

Dat deed ik. Wat moest ik anders doen? Ik had mijn hele leven al gedaan wat anderen zeiden dat ik moest doen.

15

Het regende 's nachts verschrikkelijk. De regen kwam plotseling, maar het was niet geheel onverwachts, want ik had eerder die avond al vocht in de tropenlucht geroken. Een harde windstoot gooide een vuilnisbak omver en rolde hem over de vuile straatstenen en kort daarna regende het pijpenstelen, zodat je meteen begreep welke sterke krachten het weer in dit deel van de wereld verborg, wanneer de orkanen over de kwetsbare eilanden dreven. Het was een warme regen die het stof in modder veranderde en ervoor zorgde dat het onweerde op de blikken daken. Ik lag op een bank in de woonkamer en had niet verwacht dat ik in slaap zou kunnen vallen, maar toch was ik vertrokken toen de griezelige en plotselinge kracht van de wind en de hevighcid van de regen me wekten. Ik stond op en keek naar buiten door de dichte regenstrepen die leken op blikken stralen in al het zwart. Ik voelde me wat opgeblazen na de magere kip en de vette mix van rijst en zwarte bonen die we hadden gegeten. Ik kon de rum in een oprisping proeven. Ik stond even te kijken, voordat ik terugliep en op mijn rug ging liggen, naar het plafond keek en naar de regen luisterde. Die stopte net zo snel als dat hij was begonnen; de wind ging liggen en beloofde dat de zon de volgende ochtend weer zou gaan schijnen en ervoor zou zorgen dat alles zou dampen en lekker zou ruiken, alsof de wereld nieuw was en geheel zonder bedrog.

José Manuel sliep nog steeds toen Ramon en ik het kleine, verwaarloosde houten huis verlieten. Hij moest later aan het werk in Hotel Nacional, wist ik. Het was een goede jongen, een aardige jonge man met de dromen van jonge mannen.

Alleen wanneer je over zijn vader begon, verschenen er een agressiviteit en tegelijkertijd een slecht verborgen kwetsbaarheid bij hem.

Ik kwam uit de badkamer. Ramon keek me aan, knikte met een scheve glimlach en zei: 'Je ziet er nu goed genoeg uit, vriend.'

Ik wist wat hij bedoelde. Ik had in de spiegel van de kleine badkamer gekeken. Ik had wat rode ogen en een stoppelbaard. Ik had mijn guayabera, mijn kakibroek en mijn sportschoenen aan. De rest zat in mijn schoudertas, die op mijn heup hing.

'Bedankt, Ramon.'

'Je lijkt niet meer op een yankeetoerist, maar op een man zoals wij, die op pad is op zoek naar werk of op pad van en naar het werk. Je zult goed bij de vrienden in de vrachtwagen passen.'

De vriend van Ramon met de oude Buick stond buiten te wachten en reed ons naar de rand van de stad, waar hij ons afzette zonder een woord te hebben gezegd. Ramon leidde me bij het aanbreken van de dag door steegjes en straatjes naar een grotere weg en weer verder naar iets wat het begin van een snelweg kon lijken. Je kon vaag de rand van de zon aan de horizon zien. Ze stonden in groepen bij een viaduct dat niets anders dan een smalle grindweg leek te verbinden. Er was een houten schuur zonder deur, waar twee mannen en twee vrouwen met grote stapels voor zich zaten. Op enige afstand van hen stonden vier vrouwen van middelbare leeftijd met grote basten en linnen tassen. Ondanks hun aanzienlijke gewicht droegen ze strakke shorts, die bijna tot hun knieën kwamen, kleurrijke shirts die aan de zware borsten kleefden. Een ruiter op een grijze schimmel reed langs ons zonder een woord te zeggen of een teken als vorm van begroeting te geven. Er stond een man met een Amerikaanse honkbalpet op zijn hoofd. In zijn hand hield hij een fineerplaat ter grootte van een A4'tje, waarop een stuk papier was vastgezet met klemmen. Ramon liep naar hem toe. Ik stond op enige afstand. Niemand keurde me meer dan een enkele blik waardig. Ik zag hoe Ramon argumenteerde, en een briefje wisselde snel van eigenaar.

Ramon liep naar me toe en zei: 'Het is in orde. Deze vrachtwagen rijdt naar Santa Clara. Er moet vast iemand verder naar Trinidad. Dat is altijd zo. Ze kunnen je meenemen naar de volgende vrachtwagen. Anders kom je er zelf wel uit. Betaal de man vijf à tien peso's. Hiervan.'

Hij gaf me een stapeltje gewone, zo goed als waardeloze Cubaanse peso's en tilde zijn hand op toen ik iets wilde zeggen.

'Doe het nu maar gewoon, John. Zoek Clarita op. Ze zal het wel uitleggen en zo. Ze wacht vanavond op je. Dat is het beste. Op deze manier is het moeilijk voor iemand om je te volgen. Er zijn duizenden en nog eens duizenden Cubanen die dagelijks de vrachtwagens nemen. De bussen rijden verdomme nooit. Die staan gewoon te roesten.'

Hij gaf me een hand. Het was een goede en stevige handdruk en zijn hand was droog, in tegenstelling tot die van mij, die ik voelde plakken. Ik was het niet gewend om 's ochtends niet te douchen. Ik was het niet gewend om zo alleen te zijn en tegen mijn wil in tussen alleen maar onbekende mensen te worden gezet. Ik vond het allemaal bizar verheffend en tegelijkertijd zenuwslopend risicovol.

'In de vrachtwagens ben je veilig', zei Ramon, toen hij mijn hand losliet. 'Ik heb tegen de dispatcher gezegd dat je een Spanjaard bent die in Trinidad een afspraak heeft over een baan in een hotel. Je moet met de vrachtwagen reizen, omdat je je geld bent kwijtgeraakt. Je weet wel, aan een vrouw. Daar

hebben mensen op dit eiland altijd begrip voor. Nu ben jij ...
De Spanjaard.'

Hij kreeg gelijk. Dat was ik. El Español, die snel met de andere lichamen op de open laadbak van de oude in de Sovjet-Unie gemaakte vrachtwagen leerde meedeinen, die met een verbazingwekkende snelheid over de kaarsrechte, lege snelweg naar Santa Clara racete. We hadden er een paar uur op moeten wachten. De dienstregelingen voor vrachtwagens waren blijkbaar ook slechts een vage leidraad. Dat betekende dat de rij alleen maar langer werd en dat de man met het papier er steeds gestrester uit ging zien, maar de mensen bleven netjes in de rij staan dus ik werd niet weggestuurd. Iedereen haalde opgelucht adem toen de blauwe vrachtwagen met de ouderwetse hoge motorkap in een wolk zwarte, onverbrande diesel opdook. De man met de pet kon ons eindelijk aan boord krijgen, terwijl hij tegelijkertijd de wachtenden in de rij probeerde te troosten door te vertellen dat de chauffeur had gezegd dat er nog twee vrachtwagens onderweg waren en dat die er tamelijk snel zouden zijn.

De Autopista was redelijk geasfalteerd, dus de vrachtwagen hobbelde niet al te veel. Er was bijna geen verkeer op de weg toen we al schuddend met de hoge blauwe hemel boven ons hoofd reden, terwijl we ons vasthielden door onze armen in elkaars ellebogen te haken. We lieten de ene arm los, zodat we de andere konden optillen wanneer we vrachtwagens tegenkwamen die ons tegemoet reden met een laadbak vol mensen. Soms riepen we als een groep voetbalfans, die ons team aanmoedigde met onze enthousiaste kreten. Het landschap was groen en op de heuvels stonden suikerriet, maïs, tabak en er waren eindeloze groene streken. In de verte bergen die bijna verscholen lagen in de heiige warmte. Het was een weids en mooi landschap, op een vreemde manier aantrekkelijk na Havana en daarvoor Key West, om maar niet te spreken van de ijzige kou in Helsinki. Er zweefden gieren aan het hemelgewelf die op ons neer konden kijken en op een ruiter of twee die via een grindpad of in het suikerriet verdwenen. We kwamen vaker voertuigen tegen die door paarden werden getrokken dan auto's. Ik keek met grote ogen naar de zware runderen die een ploeg voorttrokken. De man liep achter de ploeg met zijn lichte hoed op het gebogen hoofd en de teugels over zijn schouder als een voortdurend beeld van de hardwerkende boer. Bij bruggen kwamen mensen tevoorschijn die de vrachtwagen probeerden tegen te houden om mee aan boord te komen, maar die was al overvol. In het landschap lagen dorpjes die er in de grote oneindigheid neerslachtig uitzagen. Er heerste vooral een leegte, die werd versterkt doordat de snelweg door een liniaal leek te zijn getrokken, kilometer na kilometer zonder enig verkeer.

Aan mijn rechterkant had ik af en toe mijn arm in die van een jongere man gehaakt, die een huidskleur had van melkchocolade en een grote glimlach hoewel hij een voortand in zijn gebit miste. Ze waren aardig geweest en ze hadden me op de eerste rij plaats laten nemen, zodat ik steun had aan het dak, terwijl de vrachtwagen voortraasde. De warme wind blies mijn haar achterover, net als toen ik jong was en in Spanje zonder helm op de motor reed. De jonge man heette Elián en hij vertelde me dat deze Autopista de beste in heel Cuba was met het mooiste asfalt, omdat juist over deze weg in 1997 de botten van Che Guevara en de overblijfselen van zijn zeventien kameraden in een grootse stoet met volledig eerbetoon van Havana naar Santa Clara werden getransporteerd. Ik kon me de artikelen uit 1997 wel herinneren, toen de resten werden gevonden van Che en sommigen van zijn kameraden die in 1967 in Bolivia waren vermoord. Meerdere vrienden van mijn oudere broer hadden de poster met Che in de verfraaide uitgave als een heilige hangen, zoals ik die ook in Havana had gezien.

'De levenden konden hun nieren kapottrillen, maar de dode helden mochten niet worden gestoord', zei Elián en hij ontblootte zijn imposante gebit met de ontbrekende tand als een bijzonder kenteken in zijn grote mond. Hij lachte zo hard dat het trilde in mijn elleboog.

'Jonge kameraad', riep mijn buurman aan de andere kant boven het lawaai van de motor en de wind uit. 'Jonge kameraad. Che was de vriend van het volk. Spreek goed over hem. Hij was een groots revolutionair. El Comandante ontstak de eeuwige vlam in Santa Clara, toen de helden hun laatste rustplaats vonden.'

Enigszins tot mijn verbazing sloeg hij een kruis, maar dat maakte geen indruk op Elián. Mijn andere buurman was een forse, kleine man die rook naar goedkope sigaren en oude rum. Hij ging naar Santa Clara om zijn zus te bezoeken. Hij heette Teófilo, was rond de vijftig en had een flinke buik en sterke, behaarde handen. Net als ik had hij een lichte guayabera aan, waar je alle sporen van de reis op kon zien door het stof.

'Kameraad. Ik steek niet de draak met helden en martelaars. Dat zou niet in me opkomen. Ik vermaak El Español gewoon tijdens onze reis, zodat hij naar huis zal gaan met een goed gevoel over ons, Cubanen. Ik bewonder de grote Che natuurlijk. Ik benijd hem dat hij zo vroeg stierf dat hij altijd een smetteloze held zal zijn in de ogen van het volk.'

'We worden allemaal oud. Het is niet leuk om aan het alternatief te denken, jonge kameraad', zei Teófilo op een manier dat ik niet zeker wist of hij de draak met ons of met zichzelf stak of allebei.

De toon van de vrachtwagen, terwijl die door het groene landschap golfde, sprak me aan. Opgewekt en plagerig op een roekeloze manier. Het leek alsof de mensen die bij gebrek aan beter in een laadbak van een vrachtwagen moesten reizen, over een energie beschikten waardoor ze konden plagen, praten, gingen zingen en een banaan of een fles water deelden met hun medepassagiers. Ze vertelden hun verhalen. Over liefde en geruzie. Over kinderen en werk of het gebrek daaraan. Over rijen voor gewilde producten. Over familieleden die aan de overkant leefden of verkommerden in de achterbuurten van Miami. Over de onzekere toekomst met voortdurend geruchten over de gezondheid van de leider. Steeds weer opnieuw over de plek waar je de gewilde producten kon vinden. Maar ook over boksen en de ongelooflijke Cubaanse passie voor honkbal.

Ik vertelde hun een fabeltje over mijn fictieve leven in Madrid en mijn ongelukkige affaire met een Cubaanse schoonheid, die ervandoor was gegaan met een vriend en al mijn geld. Ik begon behoorlijk goed te worden in het verzinnen van leugens. Misschien moest ik een carrière als romanschrijver overwegen als ik ooit terug zou komen naar Denemarken. Het was goed dat ik in Spanje had gewoond en bijhield wat er in dat land gebeurde, want mijn medepassagiers stelden veel vragen over hoe het was om als een gewoon iemand in het verre Spaanse land te wonen. Ik moest af en toe diep graven naar informatie over voetbal, stierengevechten, literatuur en wat melk en vlees in de winkels kostte.

Elián was oorspronkelijk opgeleid als laboratoriumtechnicus en had in een instituut bij de zuidelijkste punt van het eiland gewerkt, maar dat was jaren geleden. Toen de toeristen in het begin van de jaren negentig naar Cuba begonnen te komen, had hij zijn baan en het ellendige salaris opgezegd en was hij eerst als ober gaan werken en later als manusje-van-alles in een van de grote vakantieparken bij de stranden van Varadero. Hij gaf toe dat het er de afgelopen jaren voor hem niet beter op was geworden. Hij had te veel gedronken en was zijn baan kwijtgeraakt, maar hij hoopte dat hij ergens aan de kust werk kon vinden. Er waren meer mensen op zoek naar werk. Anderen gingen een paar dagen naar huis naar hun vrouw of man, vertelden ze. Ze werkten vaak vier dagen en dan hadden ze vier dagen vrij. Ze hadden geen geld om de trein of het vliegtuig te nemen, en de bussen waren notoir onberekenbaar en hadden vaak pech, dan waren *los camiones* beter en goedkoper. Ze klaagden enorm over hun bestaan en praatten voorzichtig over wat er zou gaan gebeuren wanneer De Baard zou verdwijnen of af zou treden, zoals de geruchten zeiden. Fidel was ziek. Er loerden nieuwe tijden om de hoek. Wat zou dat voor hen betekenen? En hoe zat het met zijn broer, Raúl Castro? Het waren geen optimisten, maar ze waren ook niet depressief en onderdrukt. Ze verlangden naar een ander en beter leven, maar ze wisten niet hoe ze dat konden bereiken. Ze verlangden naar een ander systeem, maar ze wilden niet hun zelfstandigheid opgeven. Ze verlangden ernaar meer geld te hebben, maar ze wisten niet hoe ze dat op een andere manier konden bereiken dan door te *hustle* en toeristen uit te buiten.

We stonden in de oude Russische vrachtwagen die net als de passagiers bij een wereld hoorde die definitief voorbij was, zonder dat we wisten wat ervoor in de plaats kwam. Ik vond dat ze een beter leven verdienden. Dat de Cubanen een volk waren dat een leven verdiende met dezelfde blijdschap die ze vaak tegen alle odds in lieten zien. We reden door de warmte en ik voelde me blij en bijna jong, alsof ik vrijwillig op avontuur was, wat alleen maar goed kon aflopen, zoals met alle echte sprookjes het geval is. Het was een vrachtwagen vol gebarsten verwachtingen, maar ook vol dromen en hoop op verandering.

We hielden een keer een pauze. De mannen sloegen rechts af het suikerriet in, de vrouwen links af. Na drie uur waren we in Santa Clara. Ik kon het machtige monument van Che zien, dat aan de rand van de stad stond, maar ik moest verder en had geen tijd en geen zin om een revolutionaire pelgrim te zijn. Ik liep de stad een beetje in. Ik moest de weg verder vinden, hoewel Ramon gelijk had gehad. Er waren meer mensen die verder moesten naar de belangrijke stad Trinidad.

Diverse fietstaxi's probeerden me aan te houden zodra ik een stukje had gelopen, dus ik zag er blijkbaar niet zo Cubaans uit, maar ik wuifde hen weg of, als ze door bleven gaan, snauwde hen in het Spaans toe dat ze de klere konden krijgen. Ik had honger en zat te denken dat ik niet ver van het grote monument naar een kleine paladar op zoek kon gaan, daar waar ik een paar toeristenbussen kon zien staan.

Santa Clara kwam over als een vriendelijke, maar slaperige stad met rechte straten en veel bloemen tussen de eindeloze palmbomen. De mensen droegen nette kleding en er lagen producten in de winkels. Er waren flink wat voertuigen die werden voortgetrokken door paarden, kleine wagens met kleine paarden en een lading suikerriet of zakken met een onbestemde inhoud. Meer fietstaxi's die in groepjes bij de mooie pleinen stonden. Veel schoolklassen in alle leeftijden van zes tot achttien jaar in hun uniformen en blije kreten, pelgrims naar Che Guevara. 'Seremos como el Che', zoals er op meerdere plekken stond geschreven. Wij willen zijn zoals Che.

Het scheelde niet veel of ik miste mijn eigen leerlingen. Niet allemaal, maar wel de leerlingen met wie ik het door de jaren heen goed kon vinden, omdat ze iets hadden aan de lessen, prijs stelden op mijn kennis en mijn liefde voor de Spaanse taal. Ik had er eigenlijk nooit spijt van gehad dat ik leraar was geworden op een gymnasium, realiseerde ik me verbaasd in Santa Clara. Misschien was het een gebrek aan fantasie? Ik had geen fantasie om iets anders te bedenken. Dat was een vanzelfsprekende verklaring. Misschien kwam het gewoon doordat ik op mijn plaats was? Ik wist het niet. Ik wist wel dat het nooit meer hetzelfde zou worden. Zou ik juist dit moment dat ik rondliep in Santa Clara willen verruilen met rond twee uur in de middag naar huis gaan in Ringkøbing? Ik dacht het niet.

Ik dwaalde eerst wat rond, omdat ik er behoefte aan had om wat te lopen na de wiegende uren op de laadbak en omdat ik wilde proberen of ik kon voelen of ik werd geschaduwd. Er waren geen tekenen van gevaar. Er was geen vreemd gejeuk langs mijn ruggengraat. Er was geen teken dat louche types iets ongewoons deden. Mijn paranoia was groot, maar het was moeilijk om die actief te houden in de zachte tropenzon boven de bouwvallige, maar charmante stad.

Het tempo lag lager dan in Havana, maar de prijs voor mijn gebraden kip met rijst en bonen en een paar Cristal-biertjes was hetzelfde in converteerbare peso's als in Havana. Ik zat te eten, terwijl ik in het communistische dagblad *Granma* zat te lezen, waarmee ik een oude man blij had gemaakt door het blad voor een converteerbare peso op straat bij hem te kopen. Ik was de enige klant in de paladar, afgezien van een jong Duits stel, dat niets anders deed dan op zachte, maar kwade toon met elkaar te ruziën, terwijl ze in hun eten prikten. Ik kon niet horen waar de ruzie precies over ging, maar zij wilde terug naar München en wel zo snel mogelijk. Ik liet hen in hun miserabele ongeluk zitten en concentreerde me op het dagblad van de communistische partij. De krant was twee dagen oud, maar daar trok niemand zich blijkbaar wat van aan, want het kostte de oude man geen enkele moeite om zijn exemplaren voor gewone peso's aan gewone Cubanen te verkopen. Kranten waren blijkbaar ook een schaars goed. Er stonden heel wat artikelen in over de Cubaanse broederlijke hulp aan de armen in Latijns-Amerika, een hulde aan Hugo Chávez en een lang verhaal over hoe de arme slachtoffers van de orkaan Katrina nog steeds in schuurtjes en caravans moesten wonen, omdat ze niet de hulp hadden gekregen die hun was beloofd. Er was een klein stukje waarin stond dat Fidel Castro een brief had geschreven vanaf zijn ziekbed, waarin hij onder andere te kennen gaf dat het voor de toekomst van de revolutie niet noodzakelijk was dat hij al zijn posten behield. Daar hadden ze het in de vrachtwagen over gehad. Gewone Cubanen waren niet dom. Als burgers in een totalitair land met censuur van de media konden ze de kleinste tekenen ontcijferen en de geheime symbolen van het systeem interpreteren. Ze wisten dat het einde van een tijdperk naderde. Daarom waren ze zowel nerveus als hoopvol, terwijl hun leider, van wie ze dachten dat hij het eeuwige leven had, langzaam ziek en verzwakt voor hun ogen wegkwijnde.

Er waren geen borden die me de weg konden wijzen naar Trinidad bij de kust, toen ik de vertrekschuur van de vrachtwagens besloot op te zoeken. Ik liep naar een fietstaxi. De chauffeur was jong en hij zag er sterk uit met krachtige benen. Hij zei vijf converteerbare peso's, toen ik hem had verteld waar ik naartoe moest en we vertrokken. De prijs was bijna een half maandsalaris voor een gewone arbeider, maar het was heel aangenaam en niemand keek ons na toen hij wegtrapte met mij onder de kleine overdekte baldakijn, terwijl ik probeerde om geen slecht geweten te krijgen over het feit dat ik als een blanke rijkaard werd vervoerd door een Chinese koelie uit vervlogen tijden.

Bij de vrachtwagenschuur heerste iets wat leek op chaos. Mensen stonden in kleine groepjes te kletsen of zaten met lege gezichtsuitdrukkingen op hun hurken. Ze zagen eruit alsof ze lang hadden zitten wachten. De late middaghitte was aan hen af te lezen, terwijl ze met langzame handbewegingen apathisch de vliegen weghielden. De man die Ramon de dispatcher had genoemd, stond met zijn papier te zweten en zag er gekweld en gestrest uit. Ik liep naar hem toe en zei dat ik graag naar Trinidad wilde.

Hij keek me niet aan. Zei alleen dat ik nu de laatste was. *El ultimo*. De laatste in de rij.

'Kan ik mee?' vroeg ik.

'Dat zal niet gemakkelijk worden.'

'Wanneer vertrekt de vrachtwagen?'

'Wanneer keert Jezus terug?' snauwde hij.

'Sorry, vriend, maar komt hij vandaag? Dat is het enige waar ik om vroeg.'

Nu keek hij me aan en zei: 'Buitenlanders mogen niet met vrachtwagens reizen. Ze kunnen de trein of de bus nemen. Ze zijn rijk.'

Ik gaf hem een hand en zei: 'Dat begrijp ik, maar ik heb een probleem. Mijn naam is Juan. Ik ben als een Cubaan, hoewel ik uit Madrid kom. Het is belangrijk dat ik naar Trinidad kom. Daarom heb ik er wel iets voor over.'

Hij pakte mijn hand en ik voelde hoe hij het briefje van tien peso's pakte dat ik opgevouwen in mijn handpalm hield. Hij keek er niet naar, maar hij stak het in zijn broekzak. Ik werd aardig goed in streken uithalen. Hij maakte veel werk van het zetten van een kruisje op zijn papier en wees naar de grootste groep mensen die het dichtst bij de weg stond en zei: 'Ga daarnaartoe, Spanjaard.'

'Bedankt. Hoe zit het met de vrachtwagen? Wanneer kunnen we die verwachten?'

'Wanneer keert Jezus terug?' zei hij, maar deze keer met een glimlach. Ik haalde mijn schouders op en bedacht dat ik net zo goed de uitdrukking kon leren die de Cubanen de hele tijd gebruiken wanneer er werd gevraagd of iets mogelijk was: *No es fácil.* Het zal niet gemakkelijk worden. Wie zegt dat het leven gemakkelijk zou moeten zijn?

De vrachtwagen kwam na een paar uur. De open laadbak zat al halfvol, maar ik vond als een van de laatsten achterin een plekje. Deze keer was het een Chinese versie van de oude Sovjettruck en met een enigszins gespannen vering. Ik had geen fles water gekocht, maar terwijl we stonden te wachten, kwam er gelukkig een jonge man met water langs dat in een oud frisdrankkrat achter op zijn fiets zat. Hij verkocht me twee flessen en ik was trots dat hij niet in de gaten had dat ik een buitenlander was, maar mijn gewone peso's accepteerde. Toch werden het een paar lange uren op de slechte weg naar Trinidad, terwijl de duisternis plotseling boven het landschap inviel. De bergen hadden zich in de verte als reuzen verrezen, totdat we ertussendoor reden. Er werd niet veel gepraat en er heerste weinig verbondenheid, terwijl we heen en weer wiegden en rechtop probeerden te blijven staan wanneer de vrachtwagen in een van de grote gaten in de weg viel. Wat deed je eigenlijk als je werd getroffen door een plotselinge tropische onweersbui zoals die de afgelopen nacht over Havana had gewoed? Zou de chauffeur stoppen of zouden we als verdronkenen in de laadbak staan, terwijl de regen over ons heen stortte? Dat was gelukkig niet relevant. De nacht was net zo zwart als een televisiereclame in Denemarken voor een koffiemerk en boven ons zag ik, wanneer ik mijn hoofd achteroverhield, de verbazingwekkendste grootste, met sterren bestrooide sterrenhemel die ik ooit in mijn leven had gezien. De maan stond slechts vaag aan de horizon. We reden met de wind door de haren, alsof we de laatste passagiers waren in een vrachtwagen die nergens naartoe reed en nergens vandaan kwam. Ik realiseerde het me plotseling: niemand in de hele wijde wereld had op dit moment een idee van waar ik me bevond. Ik had geen paspoort bij me. Als we een verkeersongeluk zouden krijgen, als de schommelende vrachtwagen die veel te snel op de donkere landweg reed verongelukte, zouden ze dan weten wie ik was? Alleen al door de gedachte liep er een rilling langs mijn ruggengraat in de verder zo warme avond. Het was een lange reis, maar we kwamen aan in Trinidad, waarvan de lichten de sterren boven ons hoofd doofden.

We werden zoals gebruikelijk aan de rand van de stad afgezet. Ik had vermoeide benen omdat ik zo veel had gestaan, maar ik zag geen fietstaxi of een ander transportmiddel. Ik hing mijn tas over mijn andere schouder en begon in de richting van het centrum te lopen. De mooie pastelkleuren van de huizen lichtten op in het schijnsel van de straatlampen. Mensen zaten buiten op stoeltjes te kletsen, kinderen renden tussen honden door en speelden. Kippen liepen vrij rond en ze deden me heel even aan Key West denken, dat lichtjaren verwijderd leek. Ik wist dat Trinidad een zeer deftige, oude, Spaanse stad was die stamde uit de vroegere kolonietijd en op Unesco's Werelderfgoedlijst stond, terwijl mijn vermoeide benen geen baat hadden bij de ongelijke kinderhoofdjes. Ik kon pannen vol eten en de rook van sigaren en brandhout ruiken, en ik hoorde het geluid van televisies achter de open deuren en ramen. Dat vermengde zich met het gezang van een vrouw, en met een man die een kind riep. Het was het geluid van huiselijke gezelligheid op zijn Cubaans en heel even kreeg ik medelijden met mezelf. Wat deed ik hier? Zou ik ooit weer huiselijke gezelligheid en de fantastische geborgenheid van de eentonigheid en herhalingen meemaken? Hier liep ik vermoeid rond met honger in mijn maag en dorst in mijn keel, en ik wist nauwelijks of een vrouw die ik nog nooit had ontmoet op een plek zou zijn die ik niet precies wist te vinden.

'No es fácil', zei ik bijna hardop tegen mijzelf en een jonge vrouw draaide zich naar me om met een oogverblindende glimlach, waardoor ik in een beter humeur kwam.

'Hallo, meisje', zei ik. 'Kun je me vertellen waar ik de grote trap in jouw mooie stad kan vinden?'

'Hallo, buitenlander. Dat kan ik zeker. Loop een flink stuk rechtdoor, sla rechts af en dan links af; dan komt u in de oude stad en daar ligt het Plaza Mayor, waar u de trap zult vinden. U kunt de salsa horen wanneer u dicht in de buurt bent. Als u verdwaalt, volg dan de muziek. Als u de muziek volgt, zult u nooit verdwalen.'

Ik maakte een overdreven buiging voor de mooie zin en ik werd beloond met nog een glimlach. De kleine dingen gaven betekenis aan het leven in de Cubaanse werkelijkheid.

Ik moest het nog een paar keer vragen, maar uiteindelijk kwam ik aan bij het Plaza Mayor. Ik kon de muziek duidelijk horen. Het was salsa, maar livemuziek, waarbij de muzikanten niet alleen de techniek bezaten zoals in Havana, maar ook met hun hart speelden. Ze speelden niet alleen voor het geld, maar ook omdat ze het niet konden laten. Er was een grote trap, waarop je omhoogliep naar de warme tonen van de muziek. De gebouwen op het plein waren gerestaureerd en ze lagen er lieflijk bij in het gouden schijnsel van de straatlantaarns. Je kon zien dat ze uit vroeger tijden stamden. Er waren heel veel mensen. Bij het muziekpodium dansten ze op de aangelegde houten vloer. Er zaten zo'n acht mensen in het orkest. Ze speelden met een gloed waarvan ik niet dacht dat die nog bestond. Je werd al vrolijk als je hun enthousiasme zag. Hun geluid haalde de vermoeidheid uit mijn benen, die bijna niet stil konden blijven staan. Het versterkte de dorst. De bar was rechts. Ik bestelde een koud biertje en moest met converteerbare peso's betalen. Ik kon zien en horen dat er veel buitenlanders waren, maar ook veel jongeren en jonge Cubaanse vrouwen met een dikke laag make-up op en zeer weinig kleren aan. Ik dronk mijn biertje in slechts een paar, gulzige slokken op, bestelde er nog een en nam vol genot een langzame slok. Toen ik het flesje liet zakken, zag ik haar.

Clara stond aan de rand van de dansvloer. Ze dook op en verdween, alsof ze in een film zat, wanneer dansparen voor haar terechtkwamen om daarna weer in de massa op de vloer op te gaan. Ze droeg een strakke spijkerbroek en een lichte bloes, die vast was gemaakt onder haar borsten. De gouden, olijfkleurige huid van haar buik was niet helemaal strak, maar daardoor was haar navel des te erotischer. Haar zwarte haar zat vastgebonden met een rode strik, die bij haar lippenstift paste. Ze had lichte sandalen aan en er zat nagellak op haar tenen, die bij haar haarstrik en lippenstift paste. Ze zag er jonger uit dan ze in werkelijkheid was. Ze leek sexy en tegelijkertijd vreemd broos en kwetsbaar. Ze hield een biertje in haar hand en ze wiegde op de maat van de muziek. Naast haar stonden twee jongere mannen, die er bijna identiek uitzagen in hun uniformachtige kleding: spijkerbroeken, strakke T-shirts, leren jassen en rode bandana's om hun voorhoofd. De ene man had lang haar. De andere had stekeltjes. Ik liep op hen af en toen ze dat in de gaten hadden, leek het erop alsof ze onmerkbaar en toch duidelijk een beschermende falanx om Clara vormden, die lui een zelf gerolde joint naar haar lippen bracht en inhaleerde. Toen ik dicht genoeg bij haar kwam, zag ik dat haar ogen wazig en wat waterig waren, alsof ze niet alleen een beetje dronken was, maar ook high. Ze glimlachte toen ze me zag en zei in het Engels, dat duidelijk Amerikaans was en toch met een Spaans accent in haar tongval: 'Hallo. Jij bent vast John. Je wordt verwacht. Je weet niet hoezeer je wordt verwacht. Je lijkt op iemand die een lange reis achter de rug heeft. Je lijkt met die broek en die tas eigenlijk wel wat op Indiana Jones op avontuur. Je bent alleen niet zo groot als hij.'

'Ik probeer het te zijn', zei ik in het Spaans.

'O ja', zei ze in dezelfde taal en ik hoorde een lach in haar stem. 'Je spreekt beter Spaans dan Engels, zegt iedereen. Mijn Engels is ook roestig zoals zo veel andere dingen. Wil je een trekje?'

Ze hield de joint voor zich uit. Ik schudde mijn hoofd.

'Het is geen tabak, John. Ben je vergeten dat ik arts ben? Tabak is gevaarlijk. Zelfs Fidel hield op met sigaren roken. Dit is iets heel anders wat zelf is gemaakt. Het is prima als je er verdrietig van wordt.'

Haar stem was net zo wazig als haar ogen, alsof ze een soort komedie speelde. Ik schudde opnieuw mijn hoofd. Ze glimlachte en ik zag het kuiltje in haar rechterwang, dat haar gezicht een bijna jeugdige uitdrukking gaf, omdat de glimlach de aandacht van de lijnen langs haar hals en de fijne rimpels bij haar ogen wegnam. Haar handen waren verbluffend lang, ze zagen er sterk en soepel uit en daardoor wist ik weer dat ze chirurg was.

Ze gaf de joint en het flesje aan de ene leren jas en zei: 'Wat nou, John? Je wilt niet met me roken. Wil je dan met me dansen? Of dans je misschien ook niet?'

Ik glimlachte breed naar haar, gaf de andere leren jas mijn

biertje en mijn tas, en zei zelfingenomen, terwijl ik zo'n over-dreven buiging als in het circus maakte en haar hand pakte: 'Wat denk je? Scoorde Maradona een doelpunt met de hulp van Gods hand? Zong Pavarotti opera? Schreef Hemingway grootse proza? Of ik kan dansen? Vamos, Clarita!'

Ik trok haar naar me toe, ze legde haar arm op mijn schou-der, bewoog haar nek glimlachend heen en weer, hield haar hoofd achterover en keek me aan, toen we tussen de dam-pende dansers gleden en ons lieten meevoeren en omhullen door de erotische ritmes van de salsa.

16

Merete was een fantastische danseres geweest, in elk geval totdat ons zoontje overleed. Ik begon op de dansschool in Ringkøbing toen ik zeven was, terwijl Merete haar eerste danspassen al als vijfjarige zette. Later in mijn leven zou een bepaalde geur van vernis en het zien van een meisje in een petticoat of een jongen in een wit overhemd me altijd doen terugdenken aan de dansschool met de zware rode gordijnen, de piano in de hoek, de grote lampen onder het hoge plafond en de scherpe stem van juffrouw Simonsen wanneer ze de maat aangaf. Ik zou terugdenken aan de klikkende hakken en de warme meisjeshanden. De meeste kinderen die ik kende zaten in de winter op dansles en op handballen, en in de zomer op voetballen. Je kon ook padvinder worden. Er waren in mijn jeugd niet veel andere mogelijkheden voor vrijetijdsactiviteiten in Ringkøbing. Daarentegen was er enorm veel vrijheid voor ons kinderen, die het grootste deel van onze vrije tijd zelfredzaam waren zonder dat volwassenen ons in de gaten hielden. Ik ben waarschijnlijk nog nooit zo vrij geweest als toen ik kind was. Misschien afgezien van in Cuba.

Ik was een prima danser, maar Merete was een natuurtalent dat het ver had kunnen schoppen. We begonnen op het gymnasium samen te dansen en een korte periode waren we wedstrijddansers die zich kwalificeerden voor het kampioenschap van Jutland, maar dat trok me niet en Merete vond het onzin om rond te reizen en tegen anderen te strijden voor onbekende mensen en belangrijke scheidsrechters. De essentie was dat we blij werden van dansen, Merete en ik. Mijn stille meisje werd tijdens haar jonge dagen een zwevend, bijna fee-achtig wezen dat zelfs bij een saaie Engelse wals erotische hints kon geven. We dansten alles van de chachacha en de jive tot de quickstep, maar de Latijns-Amerikaanse dansen waren onze troef. Daarin zaten de gloed en het tempo die ervoor zorgden dat we ons in onze jeugd tot elkaar voelden aangetrokken en die ons, als het heel goed ging, in bed samen konden brengen in dezelfde intense, vreugdevolle en ritmische hart- en maatslag als waar we op de dansvloer geheel natuurlijk in verzeild raakten. Ik kon me herinneren hoe we door een melodie op de radio elkaar konden aankijken, de meubels aan de kant konden schuiven en ons konden overgeven aan het dansen, terwijl ons dochtertje grinnikend en blij klappend vanaf de bank zat toe te kijken. Dat was heerlijk. Na de dood van ons zoontje dansten we nog steeds wanneer we op familiefeesten waren en er een orkestje speelde. Dat verwachtte men ook van ons, maar het was zonder dezelfde gloed en we schoven nooit meer impulsief de meubels aan de kant om ons over te geven aan de verzwelgende vergetelheid, die met de bekende en toch elke keer geïmproviseerde draaien, het wiegen met de heupen, de bewegingen op de hakken en het gedraai met het hoofd ontstond. Het moeilijke zo gemakkelijk en elegant gedaan, een glimlach en een blik en de manier waarop ik met een kneepje in de schouder van Merete of een blik in haar blije ogen haar naar alle plekken op de vloer kon leiden. We gingen niet meer de stad in om enkel te dansen.

Clara had bij lange na niet de klasse van Merete, maar ze was wel een prima danseres. Merete was een veertje, een sneeuwvlokje toen ze jong was. Ik had niet het gevoel gehad dat ze danste, maar dat ze over de vloer zweefde. Clara was in vorm en ze was slank, maar met de natuurlijke volheid en het gewicht die je vaak krijgt wanneer je de veertig passeert. Ze wist in het begin niet echt wat ze met me aan moest, maar na een paar minuten knikte en glimlachte ze bevestigend, terwijl ik haar tussen de andere dansers leidde die ons snel de ruimte gaven. Ik had niet meer gedanst sinds Merete ziek was geworden, maar het was net zo natuurlijk als fietsen. Ik danste zonder na te denken. Ik werd blij en groot, alsof ik de joint van Clara had gerookt, omdat ik was vergeten hoe heerlijk dansen was en dan met iemand die zo natuurlijk op je arm leunde. Ik danste in de tropennacht boven de grote trap in Trinidad en er verschenen beelden in mijn hoofd van Ringkøbing in de sneeuw, waar we onze laarzen afvegen bij de ingang van het gebouw van de ondernemersvereniging, want nu gaan we naar het slotbal.

We dansten vijf dansen achter elkaar. Twee werelden verenigd op een dansvloer in Trinidad. We konden wel door blijven gaan, maar het orkest deelde mee dat ze gingen pauzeren en langzaam raakte de dansvloer leeg. Clara glimlachte blij, pakte haar biertje aan van een van de leren jassen en dronk het gulzig op. Er zat zweet boven haar wenkbrauwen en haar gezicht bloosde zeer flatteus. De andere leren jas gaf me mijn biertje en mijn tas. Ik stond uit te blazen en ik zweette, maar ik voelde me erg op mijn gemak. Ik zou willen dat de muziek weer begon te spelen, dan zou ik haar ten dans vragen, maar de ene leren jas zei: 'Clarita, we moeten eigenlijk …'

'Ik weet het, lieve Alejandro. Het is gewoon …'

Ik stak mijn hand uit naar Alejandro. Het was een stevige, jonge man met sterke bovenarmen en donkere, intense ogen in een lang gezicht met een hoog voorhoofd.

'Ik heet John', zei ik.

'Sorry', zei Clara. 'Dit is Alejandro en dit is Joaquin.'

We gaven elkaar een hand. Joaquin was groter, maar hij had dezelfde intense blik in een jong gezicht. Ze leken op motorrijders. Ze wilden er graag echt uitzien, maar het laatste ontbrak om ze serieus te kunnen nemen als volbloed rockers of desnoods motorrijders.

Clara zei: 'Dit zijn mijn beschermengelen, John. Iedereen heeft een beschermengel nodig. Ik heb er een heleboel.'

'Oké.'

'Ze zijn lid van de motorclub van Trinidad. Zo één is er tegen alle odds in. Alles en niets is mogelijk, als je maar …'

'Joints wilt regelen …?'

'Er zijn hier veel tabaksvelden. Wie een plekje marihuana tussen al het groen kan zien …'

Ze lachte en hield haar biertje omhoog, voordat ze het opdronk.

'Clarita. Laten we nu gaan.' Dit was Alejandro weer.

'Ja, ja. Terug naar de gouden kooi. Je danst heerlijk, John. *Fucking great. I kid you not*', zei ze en ze zag er in het gouden licht even heel meisjesachtig uit, alsof de Amerikaanse tieneruitdrukking haar had teruggezonden naar de feesten op de high school in Key West.

Ze hadden hun motoren achter het Plaza Mayor geparkeerd. De rest van de motorbende stond sigaretten te roken. Er waren zo'n twintig man in spijkerbroeken en leren jassen, die hun machines bewaakten. Het was een merkwaardige mix van bekende motormerken en sommige die eruitzagen alsof ze zelf gebouwd waren. Alejandro was duidelijk de leider en hij liep naar een grote Harley-Davidson, terwijl ik het fabricaat van de motor van Joaquin niet herkende. Die zag er gestroomlijnd en erg mooi uit met een grote motor en een laag stuur. Alejandro reikte Clara een helm aan en ze klom ervaren achterop, toen hij de stander omhoogklapte. Joaquin wees naar zijn machine en gaf mij ook een helm.

'Wat is dat voor machine?' vroeg ik.

'Mijn eigen.'

'Oké.'

Hij probeerde zijn trots te verbergen, maar dat lukte niet. Het werd me duidelijk dat hij niet veel ouder dan twintig was en dat er verlegenheid achter zijn harde uitstraling schuilging. Zijn stem ging een toon omhoog en werd lichter: 'De tank is van Honda, de wielen en het stuur zijn van Suzuki, de versnelling is ook van Honda, de motor is van BMW net als de remmen. De zittingen, de lak en dat soort dingen heb ik hier en daar en overal gevonden en toen heb ik hem in elkaar gezet.'

Ik lachte.

'Fantastisch. Dat is indrukwekkend. Kan hij ook rijden?'

'Hombre. Hij kan zeker rijden.'

Dat kon hij. Het geluid was goed en brommend als een van de BMW's van de rijkspolitie en hij klikte moeiteloos van de ene naar de andere versnelling. We scheurden de stad uit en de donkere provinciale wegen op. Ze reden hard, maar gedisciplineerd op een manier die liet zien dat ieder lid zijn plek in het konvooi kende, zoals dat bij motorclubs over de hele wereld het geval is. Alejandro met Clara als eerste, daarna Joaquin met mij achterop. Ik had het ritme snel te pakken en volgde Joaquin, wanneer hij de machine ervaren in de bochten legde tussen de lage bergen en heuvels in de richting van de kust, waar we afsloegen en langs de zee reden, die stil en grijs onder de sterren lag. Mijn hart klopte in het begin wat snel. Ik was vergeten hoe dicht je bij alles bent als je op een motor rijdt, hoezeer je de snelheid en de omgeving kunt voelen en hoe kwetsbaar je je voelt. De duisternis was ook dicht en ik kon me de gaten herinneren wanneer de vrachtwagen erin reed. Joaquin straalde veiligheid uit en ik begon al snel van het ritje, de nachtelijke duisternis en de frisse wind in mijn gezicht te genieten, terwijl ik me het zachte en toch strakke lichaam van Clara in mijn armen voor de geest haalde en de natuurlijke manier waarop we samen hadden gedanst.

We reden slechts ruim een half uur, voordat de meesten hun machines stil lieten staan en de tabak aanstaken, terwijl Alejandro en Joaquin een paar honderd meter verder reden over een smalle geasfalteerde weg, totdat we bij een laag, geel gebouw kwamen. Daar zetten ook zij hun machines uit. Clara sprong er behendig af en gaf haar helm aan Alejandro. Ik deed hetzelfde. Clara liep op me af en vroeg: 'Heb je een paar converteerbare peso's?'

Ik pakte een briefje van vijf peso's en gaf dat aan haar.

'Waar zijn we?'

'Bij mij thuis. Dit is een plek waar buitenlanders vakantie houden. En mijn thuis op dit moment.'

Ik had wel meer willen vragen, maar ze liep naar het lage, gele gebouw. Er stond een man in een grijs uniform in de deuropening een cigarillo te roken. Ik zag dat Clara met hem praatte en hem mijn geld gaf. Hij groette met zijn vingers aan zijn pet en liep het huis in. Hij had duidelijk niets gehoord en niets gezien.

Clara kwam terug. Ze ging op haar tenen staan en gaf eerst Joaquin en daarna Alejandro een kus op hun wangen, ze gaf me een 'vamos' en we liepen het terrein op. De geasfalteerde weg werd zwak verlicht door gedempte straatlantaarns. Er lagen kleine rode en gele huizen in groepjes, die zowel omhoogkropen langs de heuvels als omlaag naar een baai, die zilverachtig glinsterde in de lichten. Er waren veel bloemen en het gras tussen de huizen was groen en netjes gemaaid. Bij de baai lag een gebouw dat op een receptie leek, verderop zag ik een bord dat naar een restaurant verwees, maar we verlieten de geasfalteerde weg en liepen omhoog langs een zwembad, dat er leeg en verlaten bij lag. De parasols waren omlaag en de ligbedden, stoelen en tafels waren zorgvuldig opgestapeld. De kleine vakantiewoningen zagen er goed onderhouden en uitnodigend uit. Clara koos nummer 37, dat enigszins teruggetrokken tegen een rotswand lag met uitzicht op de receptie en de gesloten baai. Aan de andere kant lag de zee. Ze haalde een sleutel uit haar broekzak en maakte de deur open. Ze deed de felle plafondlamp aan, maar alleen om een lamp op de tafel aan te steken; toen deed ze die aan het plafond weer uit. Het was een kleine woonkamer met een tafel en vier stoelen. Er stond een lompe koelkast tegen de muur. Op de koelkast stond een ouderwetse plastic radio. Clara liep door de woonkamer en opende de deur van een badkamer met een badkuip naast het toilet en een wastafel. Er stond een andere deur open, zodat ik een tweepersoonsbed met een witte sprei kon zien. Op de sprei lagen handdoeken, die op zo'n kunstige manier waren gevouwen dat ze op een zwaan leken, die in een mooi meer zwom.

'Is het in orde?' vroeg Clara.

'Ja, maar wat is dit voor iets?'

'Dit is een vakantiepark. Hier zijn op dit moment zo'n honderd buitenlandse toeristen uit zes of zeven verschillende landen. Niemand zal ontdekken dat je hier bent. Gedraag je gewoon als toerist. Gebruik het zwembad, neem een drankje aan de bar. Toeristen komen en gaan. Er komt bijna om de dag een nieuwe bus. Er valt hier niets te doen, dus deze plek wordt vooral gebruikt als een tijdelijke overnachting, als er geen plek is in de hotels in Cienfuegos of Trinidad. Ik zal Jimmy bij de receptie vragen, als je …'

Ik gaf haar een briefje van tien peso's.

'Dat is eigenlijk niet nodig. Hij wil me altijd wel helpen, maar hij heeft een gezin en zij hebben niks te makken.'

'Geen probleem.'

'Nee, dat is het wel, maar het is nodig wanneer je niet kan leven van je salaris.'

Ze zag er nu veel meer uit als haar echte leeftijd. Ze leek moe te zijn, alsof de roes was uitgewerkt. Of bezorgde de plek haar een slecht humeur?

'Waarom ben je hier? Je zei iets over een gouden kooi …?'

'Je hebt iets voor me?' Ze keek de andere kant op.

'Ik vroeg je iets.'

Ze trok een stoel naar achteren en nam plaats. Ik opende de koelkast. Er stonden twee flesjes Cristal en twee flesjes bronwater in. Ik hield een biertje omhoog, maar ze schudde haar hoofd. Ik gaf haar een flesje water en nam er zelf een.

'Ik stelde je een vraag', zei ik, toen we hadden gedronken.

'Ga zitten', zei ze en ze rekte haar armen boven haar hoofd uit, zodat haar borsten tegen de bloes spanden boven de naakte, gladde huid van haar buik. Het was net alsof ze het in de gaten had, er spijt van had en wat verlegen werd, maar haar stem klonk nuchter toen ze verderging: 'Ik zit hier onder huisarrest. Hector, mijn man, is wel arts maar ook kolonel, zoals je misschien weet. Het leger leidt de toeristenindustrie en dit is een van de plekken die Hector beheert. Hij heeft er nog veel meer. Mijn eigen man houdt me hier gevangen, dus ik kan mijn kinderen niet zien of een normaal leven leiden.'

'Hoelang is dat al zo?'

Ze haalde haar schouders op en zei: 'Een paar maanden. Wie zal het zeggen?'

'Waar is je man?'

'In Havana? In Varadero? Wie zal het zeggen? Hij vertelt me niet waar hij is. Ik ben alleen maar blij wanneer hij hier niet is.'

Ik probeerde oogcontact met haar te krijgen en zei: 'Ik weet wat dingen over je, Clara. Van je vader en andere mensen. Ik weet dat je ooit van Hector hebt gehouden. Dat je voor hem van land en nationaliteit veranderde.'

Ze zag er plotseling wat dromerig uit in het zwakke schijnsel van de ene lamp. Er was een zweem van verlangen vermengd met pijn van haar gezicht af te lezen, toen ze zei: 'O ja, John. Ik hield zielsveel van hem. Hij was de knapste man die ik ooit in mijn leven had gezien. En de slimste. Hij beloofde mij op handen door het leven te dragen. Hij gaf mijn leven zin. Samen met Hector in Angola ontdekte ik eindelijk een doel in het leven. Anderen helpen. Voor iets leven wat groter was dan mezelf. Ervoor vechten dat de wereld socialistisch werd, zodat het uitbuiten van gewone mensen ophield. Hij was zo heerlijk en charmant. Ik wilde alles voor hem doen.'

Ik werd jaloers. Ik zou graag willen dat een vrouw zo over mij sprak, ook al was het in de verleden tijd. Ik zei op enigszins scherpe toon: 'Dat klinkt heel, heel mooi, maar het hield dus geen stand. Wat is er gebeurd?'

Ze lachte, legde haar warme hand op die van mij en zei: 'Je bent jaloers, John. Heb je nooit de grote liefde meegemaakt?'

Ik trok mijn hand terug en zei: 'Waar ik vandaan kom, gebruiken we niet van die gewichtige woorden. We gaan er voorzichtig mee om. Wat is er met al die liefde gebeurd?'

Ze keek me aan en het dromerige verdween uit haar ogen, toen ze zei: *'I fell out of love.'*

'Waarom?'

'Omdat de tijd verstrijkt en we niet meer dezelfde personen zijn als toen we jong waren.'

'Waarom heb je huisarrest?'

'Dat mag ik je niet vertellen.'

'Wat maakt het uit. Ik vertel niets door. Ik heb niemand om iets aan door te vertellen.'

Ze glimlachte en zei: 'Waarom ook niet? Het maakt nu niets meer uit. Ik moet weg. Ik weet niet hoe het met jou zit, John. Je geeft me het gevoel dat ik je van alles wil vertellen. Misschien had ik niet moeten roken of drinken? Misschien komt het gewoon daardoor?'

Ze zweeg. Ik zweeg. Haar huid lichtte warm op. We dronken water. Het was buiten helemaal stil, afgezien van het gezang van de sprinkhanen en de krekels. In de verte krijste een of ander dier. Ze haalde krachtig adem door haar neus, waardoor ze een snuivend geluid maakte, voordat ze toonloos, alsof ze verantwoording moest afleggen, zei: 'Het was een dinsdagavond rond tien uur. In de maand juli. Het was bloedheet in Havana. Ik had bijna veertien uur dienst gehad en twee gecompliceerde maagoperaties uitgevoerd en een ongecompliceerde blindedarm en ik was heel, heel moe. Ik had ook ik weet niet hoeveel patiënten bezocht. Het is heel goed dat we in de helft van Latijns-Amerika helpen met artsen, maar het verandert niets aan de situatie hier en ik werkte zelfs in het beste ziekenhuis. Ik zou net andere kleding aantrekken, toen ze me kwamen halen. Ze zagen er doodsbenauwd uit. Ze konden de professor niet vinden. Ik moest hun vertellen dat hij diezelfde ochtend was afgereisd naar Venezuela om een of andere vriend van Chávez te bezoeken, die buikpijn had. Dat maakte hen nog veel banger. Wie was nummer twee? Dat was ik. Chef de clinique en specialist in maag-darmchirurgie. Dat ben ik.'

Ze dronk nog wat water. Ik zei niets. Ik gaf haar de tijd die ze nodig had. Ze maakte opnieuw haar snuivende geluid en vertelde verder: 'Ze zeiden dat ik meteen moest komen. Naar de operatiegang. Ze waren volledig uit hun doen. Dat begreep ik wel. El jefe, Fidel Castro, lag lijkbleek en stervend op de operatietafel, omgeven door enkelen van mijn jongere, wanhopige collega's en een paar dolle verpleegsters, die zijn kleding uit hadden getrokken maar verder bijna in paniek waren. Ze hadden alleen een bloeddrukmeter en een cardiograaf aan hem bevestigd, en het zag er niet al te best uit. Zijn broer Raúl was er. En allerlei andere grote jongens. Echt, John, mijn hart bonsde zo hard dat ik dacht dat ik zou flauwvallen, maar ik heb een goede opleiding en veel ervaring, dus ik zei tegen Raúl Castro dat ik moest verzoeken om zijn broer naar de volgende operatiekamer te rijden. Ik zei bewust: zijn broer. Raúl staarde me met die koude meedogenloze blik van hem aan. "Fidel ligt op sterven", zei hij. Ik was totaal sprakeloos. Mijn hart ging tekeer. Je spreekt die mensen niet tegen. Dat doe je gewoon niet, maar hij hielp me zonder het te weten, toen hij zei: "Dokter. Dit is de ziel van de Cubaanse revolutie en mijn broer, die daar ligt." "Dat weet ik wel", zei ik en ik kon horen hoe mijn stem trilde. Toch ging ik verder: "Maar zelfs de grootste helden van de revolutie zoals jij zijn niet steriel. Jullie hebben deze operatiekamer besmet. Als ik de patiënt hier opensnij, is het risico dat hij een ernstige infectie oploopt zeer groot." Het hielp me ook om hem de patiënt te noemen. Hij was niet een man die van een andere planeet leek te komen, een man die onze levens had gecontroleerd zolang we ons konden herinneren, maar een mens, een patiënt als alle andere. Ik ben een zeer goede chirurg. Zo wil ik ook optreden, dacht ik.'

Ze zat weer even stil. Voordat ze opnieuw snoof en verder vertelde: 'Ze hebben vijftig jaar lang niet geluisterd. Waarom zouden ze dat nu wel doen? De persoonlijke arts van Fidel was erbij. Hij begon te roepen. Anderen riepen en schreeuwden. De klok tikte verder, totdat de jongere broer de knoop doorhakte en het bevel gaf om hem naar een klaargemaakte operatiekamer te rijden en dat niemand afgezien van de artsen en verpleegsters naar binnen mocht. Ik trok steriele kleding aan, maakte me klaar, kreeg mijn personeel onder controle, de narcose, al het praktische en we sneden hem open. Hij was aan het doodbloeden. Het kwam door een bloedvaatje dat lekte. Er zat ook een breuk in de darmen. Ik zal je de details besparen. Ik wil je alleen zeggen dat het zeer gecompliceerd was. Het was net alsof het grootste deel van zijn organen gelijktijdig had besloten om ermee op te houden. Het is een oude man, maar in prima vorm voor zijn leeftijd. Het was een zeer gecompliceerde operatie, ook wanneer de chirurg fris en uitgerust was geweest en de patiënt jong, maar ik was moe. Toch was ik urenlang aan het opereren. Ik dacht de hele tijd dat we hem zouden verliezen. Gelukkig had ik een goede groep om me heen. We waren allemaal verschrikkelijk geschrokken, maar het ging over. Hij werd gewoon een mens. Het lukte me de bloedingen te stelpen en de zieke darm te verwijderen, en hij overleefde. Iedereen was blij.'

Ze zweeg weer, maar deze keer vroeg ik: 'Maar waarom zit je dan hier?'

'Omdat er een infectie ontstond met fistelvorming. De professor kwam terug en ze lieten een zeer goede chirurg uit Spanje overkomen. Ze sneden hem weer open en zeiden dat ik niet onder de juiste steriele omstandigheden had geopereerd en dat mijn operatietechniek discutabel was. Dat ik slordig was geweest. Iedereen wilde iemand de schuld geven en ik kreeg de zwartepiet toegespeeld. Het was mijn schuld. Niet dat hij overleefde, maar dat hij weer ziek werd. Er was ook iemand die meedeelde dat ik eigenlijk een verdomde yankee was. Dus misschien was het opzettelijk gebeurd?'

'Dat is niet eerlijk', zei ik en ik hoorde meteen hoe kinderachtig dat klonk.

'Meen je dat?' zei ze sarcastisch. 'Wat ben jij begaafd. Zijn alle Denen zo slim als jij?'

'Sorry.'

'Oké, ik ben ook wel wat lichtgeraakt. Ze stuurden me hiernaartoe. Ze wilden me uit de weg hebben. Ik kreeg het bevel om tegen niemand ook maar één woord te zeggen. Ik ben bang dat ze me uit de weg willen ruimen. Ik weet te veel. Ik weet precies wat hij mankeert en dat hij niet kan terugkeren. Misschien snel zal sterven. Ik heb gezien hoe sommigen van de machtigste mannen van dit land het in hun broek deden van angst. Ze willen niet dat dat openbaar gemaakt wordt, dus ...'

'Dus wat?'

'Dus ik ben bang dat ik een ongeluk zal krijgen.'

Ik zweeg. Het duurde even voordat het tot me doordrong wat ze zei. Ik begreep nu beter waarom ze joints rookte en bier dronk met jonge motorrijders.

'En je man?'

'Hij haat me natuurlijk. Eerst was hij me gewoon zat en gaf hij de voorkeur aan het gezelschap van zijn jonge minnaressen, maar hij tolereerde me tenminste. Ik ben toch de moeder van zijn kinderen, maar hij kan het me niet vergeven dat ik de fout in ben gegaan met de chef. Dat kan niet in ons systeem. We straffen meerdere generaties. Ik heb gefaald. Zijn eigen carrière is geruïneerd. Die mensen vergeten nooit. Nooit. En fouten vergeven ze nooit. Fouten worden alleen door zwakke mensen begaan. Mijn lieve man kan niet hogerop komen en kan alles wat hij heeft kwijtraken en dat is mijn schuld.'

Ik pakte haar hand vast en zei: 'Waarom ben je niet gescheiden?'

'Dat weet ik niet.'

'Je houdt nog steeds van hem.'

'Tot een tijdje geleden was dat misschien ook zo. Je hoopt altijd dat het kan veranderen of gewoon worden zoals het vroeger was. Ik geloof dat veel vrouwen zo denken. We geven het altijd een kans te veel. Nu is scheiden niet meer een mogelijkheid die ik mag kiezen. Ik ben gewoon hier. Ik leid hier een plantenleven. Ik ben een van de beste chirurgen in dit land. Ik ben hard nodig, maar het enige wat ik hier doe, is een pleister op een vinger plakken en Jimmy om de dag in de keel kijken omdat hij bang is om kanker te krijgen.'

'Past er helemaal niemand op je?'

'Alejandro en zijn vrienden. Heel wat mensen hier, onder andere Isabel, die je huis zal schoonmaken zonder vragen te stellen, Jimmy van de receptie, Alfonso de bewaker. Ze houden misschien niet van me, maar ze haten mijn man, die zijn eigen frustratie botviert op alle andere mensen.'

'Ik denk dat ze van je houden', zei ik en ik werd beloond met een glimlach.

'Het is wel goed met jou. Je hebt iets voor me.'

Ze trok haar hand terug. Ik haalde de usb-stick en de brief van haar vader uit mijn heuptasje en gaf ze aan haar. Ze sloot haar hand om de usb-stick en stopte die in haar zak, maar ze legde de brief tussen ons in. Ze raakte hem aan. Pakte hem op, maakte hem open en pakte het ene papier eruit en las het met een glimlachje. Haar ogen werden vochtig en toch ook blij. Ik zag dat ze hem nog een keer las, voordat ze hem opvouwde en teruglegde in de envelop, die ze zachtjes naar haar lippen bracht. Met bijna echte tranen in haar ogen zei ze: 'Die oude gek. Zelfs toen ik hem het meest haatte, hield ik van hem. Ik heb hem altijd gemist. Ik was zo jong, zo dom en zo trots, en dat was hij ook. We hebben veel te veel jaren verspild. Vind je dat niet vreemd, John? Bloedband. Dat dat zo veel betekent?'

'Niet echt. Dat is heel natuurlijk. Familie kiezen we niet zelf. Die zijn we.'

'Je vergeet dat ik een overtuigd marxist en revolutionair was. We geloven niet in de bloedband en dat soort burgerlijke onzin. We geloven in wetenschappelijke theorieën en het objectieve verloop van de geschiedenis. Je bent toch geen marxist?'

'Dat kun je niet zeggen.'

'Wat ben je dan?'

'Docent Spaans', zei ik en ik maakte haar weer aan het lachen.

Ze gaf me de brief en zei: 'Bewaar hem voor me. Ik wil hem niet in huis hebben.'

'Natuurlijk.'

'Heb je hem gelezen?'

Ik knikte.

'Begrijp je wat hij schrijft?'

'Een beetje', zei ik.

Ze glimlachte weer. Ze had mooie witte tanden, afgezien van een kleine scheve voortand in haar onderkaak, die ik tamelijk charmant vond, omdat het haar een persoonlijkere uitstraling gaf. Verder was ze knap op een wat gewone manier. Ze zou misschien opvallen als ze in een café zat, maar je zou je haar niet zo goed herinneren dat je haar zou kunnen beschrijven. Haar gelaatstrekken waren zo harmonisch dat ze bijna nietszeggend werden. Je kon wel goed met haar praten. Het leek zo natuurlijk om in het halfduister in de tropennacht met haar te praten en ik voelde de behoefte om haar hand vast te houden. Ze had haar hand op die van mij gelegd, maar ik was zo dom geweest om die terug te trekken.

'Die vader van mij is niet achterlijk. Hij weet dat ik me kan herinneren hoe hij speurtochten voor me uitzette, toen ik een klein meisje was. Hij tekende kaarten met een onzichtbaar schrift, dat ik moest ontcijferen om de schat te kunnen vinden, die hij ergens in de tuin had verstopt.'

Ik keek haar aan. Ze was ver weg, in de kronkelige steegjes van herinneringen waar je soms de goede en slechte filmpjes kunt vinden en ze naar wens en behoefte kunt afspelen. Andere keren dringen herinneringen zich onuitgenodigd op en blijven ze je voortdurend lastigvallen. Ik liet haar even zitten met de goede herinneringen, voordat ik haar hand vastpakte en zei: 'Ik begrijp niet dat Carlos tegen mij zei dat het nieuw was dat jij contact met hem wilde hebben, wanneer het nu een jaar of meer gaande is. Dat begrijp ik niet.'

'Misschien om jou onder druk te zetten. Dat het hier en nu was. Hij zag een kans en greep die. Zo is hij.'

'Dat had hij niet hoeven doen.'

'Dat kon mijn papa niet weten.'

'Heb je contact met hem opgenomen? Met je vader?'

'Ja. Ik wist niet wat ik moest doen. Ik kon niet meer. Dat is ongeveer een jaar geleden. Het gaat slechts één kant op en dat is de verkeerde. Ik wil hier weg en ik wil Joselito en Rosales bij hun vader vandaan hebben en van Cuba, voordat hij een schadelijke invloed op hen heeft. Ooit was hun vader een groot idealist. Nu is hij alleen nog maar een machtswellusteling die geen menselijke gevoelens meer bezit. Ik wist dat mijn vader me zou helpen, ondanks zijn woede. Maar ik denk dat ze me al snel niet meer vertrouwden. Ik voelde dat ik werd geschaduwd. Hector werd steeds achterdochtiger. Als ik naar de overkant zou ontsnappen, zou het afgelopen zijn met hem. Ik wist niet wat ik moest doen. Maar … als je goed om je heen kijkt, kun je brieven naar buiten laten komen. Het gaat erom dat je goede contacten hebt. Joselito is daar goed in. En Ramon en Consuela …'

Ik keek de andere kant op, maar ze bleef mijn hand vasthouden. Geen idee hoeveel ze wist.

'Het spijt me van Consuela', zei ik en ik kreeg een brok in mijn keel.

'Mij ook. Ook vanwege de jongetjes, maar ik kan het er nu niet bij hebben. Ik moet hier vandaan met mijn eigen kinderen. Dit is mijn laatste kans. En nu ben jij hier. Dat is heel fijn.'

Ik wist niet wat ik moest zeggen. Ik wist niet hoe ik in de rol van de ridder op het witte paard was beland, die Clara en haar kinderen uit Cuba kon bevrijden, alsof ik een tovenaar met een toverstokje was. Ik weet niet wat Carlos van mij verwachtte. Ik was docent Spaans en op geen enkele wijze Indiana Jones.

'En hoe moeten we wegkomen?' vroeg ik.

'In een boot. We zitten op een eiland, John. Hoe wil je anders wegkomen van een eiland?'

'Hoe komen we dan aan een boot?'

'Dat regelt Ramon.'

'Dat regelt Ramon. Zo. En als we een boot hebben, hoe komen we dan eigenlijk langs de Cubaanse kustwacht en hoe varen we dan naar de vs, want ik vermoed dat dat de plaats van bestemming is?'

Ik probeerde sarcastisch en ironisch te klinken, maar dat liet haar koud. Ze zei: 'Dat regel jij.'

'Dat regel ik?'

'Ja', zei ze en ze stond op.

'Ga je?' vroeg ik.

Ze lachte en zei: 'Ik kom zo weer, John. Ik moet even kijken wat er op deze usb staat en dat moet ik doen nu het kantoor leeg is. Overdag kan ik niet bij de computer komen. Ik kom zo weer. Ik neem wat broodjes en koffie mee, oké?'

Ze boog zich voorover en kuste me op mijn wang.

'Hasta pronto', zei ze.

'Dat klinkt goed', zei ik en ik voelde plotseling dat ik honger had. Mijn gemoedsgesteldheid was verward en hongerig. Ik was ook nieuwsgierig naar de inhoud van de usb. Door het verhaal van Clara was ik het gepraat over die vreemde schat en alles over De Dikke helemaal vergeten, maar die gedachten kwamen terug toen ze de deur achter zich dichttrok en naar de receptie liep. Ik hield er niet van om alleen te zijn en ik dacht vreemde geluiden in de badkamer te horen. Ik liep ernaartoe. Er zat een grote kikker achter de mengkraan. Hij keek me aan. Ik keek terug. Hij deed me niets, maar ik wilde hem niet in huis hebben, dus ik pakte een stukje toiletpapier en legde dat voorzichtig om hem heen. Hij bewoog even, maar niet veel, toen ik hem de nacht in droeg en op het gras zette. Hij zat stil. Maakte een sprongetje en zat weer stil in het vochtige gras. Er stond een witte tuinbank voor mijn huisje. Ik ging zitten en keek nog eens naar de kikker. Ik dacht dat hij weg zou springen, maar hij zat rustig in de rand van het licht dat uit het raam kwam.

Ik hoorde het geluid van een auto en stond op. Ik liep naar de voorkant van het huisje en ging op een van de stenen staan die langs het pad naar de receptie lagen. Er stond een grote Mercedes voor, waar licht door een raam en de deur naar buiten stroomde. Er stapte een grote, dikke man in een bruin legeruniform voor uit de auto en hij liep naar de receptie. Ik ging ervan uit dat het Hector was. Ik zag Clara naar buiten komen en in de lichtstreep staan. Ze zag er verward uit en bracht haar hand naar haar mond. Ze zei duidelijk iets. Ze liep naar haar man toe, die haar als een donderslag bij heldere hemel twee klappen gaf, eerst met de achterkant van zijn rechterhand en daarna bliksemsnel met zijn handpalm. Ik kon de klappen duidelijk boven het gesjirp van de krekels uit horen.

Dit was erg genoeg, maar het werd nog erger. De dikke man die moeizaam van de achterbank stapte, was Dylan Thomas. Aan de andere kant stapte Jorge soepeler uit en hij rekte zich uit. Ik stapte instinctief en geschrokken van mijn uitzichtssteen. Er was niet veel fantasie voor nodig om te bedenken dat de chauffeur zeer waarschijnlijk Fernando was.

17

Geschrokken en gechoqueerd vloog ik het huis in, deed de deur dicht en het licht uit. Wat deden Dylan en zijn mannen hier, en waarom waren ze samen met Hector? Ik was gechoqueerd over de nonchalante manier waarop Hector Clara twee keer had geslagen. Alsof hij naar een irritante vlieg mepte, zonder ook maar enigszins de indruk te wekken dat het hem iets deed. Alsof het bepaald niet de eerste keer was. De man is ook nog eens arts, dacht ik geheel irrationeel. Wat was hij eigenlijk meer: arts of officier? Hij had met een rust en een krachtbeheersing de tikken uitgedeeld, die angstaanjagend in hun precisie waren. Ik had niet kunnen horen of ze kermde, maar ik had wel gezien hoe ze kort naar hem keek, voordat ze rechtsomkeert had gemaakt en het huis in was verdwenen. Hector had aanstalten gemaakt om met gebalde vuisten achter haar aan te gaan, maar Dylan had iets gezegd en ze waren samen rustig naar binnen gegaan. Jorge was meegelopen. Fernando had tegen de auto geleund en een sigaret opgestoken, alsof het niet lang zou duren voordat ze weer zouden vertrekken. Het laatste wat ik had gezien voordat ik mijn huisje in was gevlogen, was de rode gloed van de sigaret als een gevaarlijk oog in de nacht.

Ik was doodmoe en tegelijkertijd klaarwakker. Ik was ten einde raad, maar ik moest ervoor zorgen dat ik wat ging slapen. Ik deed een lampje boven het bed aan en nadat ik erover had nagedacht ook de lamp op tafel. Ik was gewoon een toerist in een vakantiepark. Toeristen zaten niet in het donker. We hadden niets te verbergen. Ik trok de lichte gordijnen dicht. Niemand kon naar binnen kijken. Ik trok mijn kleren uit en ging naar de badkamer. De kikker was terug of was het een familielid? Ik weet niet hoe hij binnen was gekomen, maar hij zat op de rand van de badkuip achter de mengkraan met zijn zwarte oogjes naar me te kijken. Ik begroette hem vriendelijk en zette de douche aan. Dat maakte geen indruk op hem. Ik was blij dat ik wat gezelschap had en ik was niet bang voor kikkers. Ik was op het platteland opgegroeid en had dieren, padden en vissen aangeraakt vanaf het moment dat ik op mijn kleine, dikke beentjes door de tuin rond kon wankelen. Ik had geen zin om de kunstige handdoekzwaan kapot te maken, maar ik kon niet anders, net als dat ik gewoon een verwarde schijterd was, zoals mijn vader zou hebben gezegd met zijn lijzige, nasale stem. Ik kroop onder de lakens, maar liet het licht in de woonkamer branden. Mijn hoofd zat vol gedachten, maar plotseling was ik vertrokken en sliep ik zonder te dromen, totdat ik de zon op het witte gordijn voelde branden, dat ik voor het raam had dichtgetrokken toen ik overmand was door de duisternis en angst. De kikker en ik hadden de nacht overleefd, maar wat nu?

Ik ging opnieuw douchen en nam plaats aan de tafel waar Clara en ik samen hadden gezeten, wat wel een eeuwigheid geleden leek. Ik dronk het restant van haar water op. Ik had honger, maar ik wist niet of ik naar het restaurant durfde te gaan, dat vast op het park te vinden was. Het zag ernaar uit dat het weer een mooie dag zou worden met een schitterende zon aan de hoge, blauwe hemel en water dat met kopergroene nuances speelde. Ik kon een zwarte man zien die de bloembedden water gaf. Een zwarte vrouw van middelbare leeftijd in een zeer roze uniform groette hem toen ze langs hem liep. In haar armen droeg ze schone handdoeken. Ze had kortgeknipt haar en rimpels, maar met een witte glimlach die haar gezicht oplichtte. Ze was mager, maar op een pezige manier, wat kracht aantoonde. Ze liep regelrecht op mijn huisje af. Ik stond op. Ze klopte aan en zei met een theatraal gefluister: 'Señor Juan? Ik ben het, Isabel. Señora Clara heeft me gestuurd.'

Ik opende de deur en ze stapte binnen. Ze liet de deur openstaan.

'Ontbijt eten. Clara zeggen. Ontbijt eten. Normaal leven', zei ze op de langzame overdreven manier zoals je tegen kinderen en domme toeristen praat.

'Goedemorgen, Isabel. Zou je zo vriendelijk willen zijn om te herhalen wat je net zei, maar dan op een beschaafde manier, zodat het te begrijpen is voor een volwassene?'

Ze hield haar hand voor haar mond en grinnikte als een schoolmeisje.

'Clara zei dat u onze taal op een Europese manier sprak. Het spijt me, maar ik ben er zo aan gewend dat toeristen niets begrijpen als je niet langzaam en duidelijk spreekt.'

'Dat geeft niets.'

Ze werd ernstig, drukte de handdoeken tegen zich aan en zei: 'Hector is terug. Hij kwam vannacht onverwacht thuis, de klootzak. Hij blijft één, misschien twee dagen. Clara zegt dat u zich moet gedragen als een toerist. Er komen later vandaag twee nieuwe bussen. Het is een komen en gaan van toeristen. Ze lijken allemaal op elkaar met dezelfde kleding, dezelfde petten en dezelfde onverstaanbare talen. Hector kent u niet. Weet niet wie u bent. Weet niet hoe u eruitziet. Eet, maak gebruik van het zwembad, praat geen Spaans. Wacht totdat hij weer vertrekt, zegt Clara.'

'Hoe zit het met die mannen?'

'Welke mannen?'

'De mannen die samen met Hector kwamen. Drie mannen. De ene is heel dik.'

Ze schudde haar hoofd en zei: 'Daar weet ik niets van. Daar heeft Clara niets over gezegd. Ze zei dat u zich normaal moet gedragen en niet moet doen alsof u haar kent of reageren als u haar ziet. U moet zich als een toerist gedragen en u moet geduld hebben, zei ze.'

Dat had ik de volgende twee hele dagen en nachten dan ook, en tevens het grootste deel van de derde dag. Ik ritste het onderste deel van mijn afritsbare broek, zodat ik mijn benen in shorts kon vertonen. Trok een T-shirt en hesje aan, zette mijn Hemingway-pet op en liet Isabel een zwembroek voor me regelen, zodat ik samen met de andere gasten bij het zwembad kon hangen en gekleurde drankjes door een rietje kon drinken. We waren een gemengd gezelschap, vooral stellen, meestal van rond de veertig of ouder, en gelukkig kwam het grootste deel uit Duitsland en Nederland. Bovendien was iedereen nogal op zichzelf. We begroetten elkaar vriendelijk bij het ontbijt-, lunch- en dinerbuffet. Het eten smaakte nergens naar, maar er was meer dan voldoende. Ik zei *Si* en *No* en *Gracias* en sprak verder alleen Engels. Ik zwom en las een thriller van John Grisham, die Isabel voor mij uit een huisje naast me had meegenomen, waar ze de roman de eerste ochtend dat ze schoonmaakte had gevonden. Isabel was mijn contactpersoon, maar ze had niet veel te vertellen en herhaalde alleen dat ik geduld moest hebben. Er kropen zo'n zestig huisjes tegen de heuvels op. Ze waren gebouwd door een Spaans bedrijf in vakantiehuisjes, begreep ik. Ze waren wit met groene of rode ramen en schuine daken. Ze zagen eruit alsof de architect had gedacht dat hij huisjes wilde bouwen die leken op wat Scandinavische toeristen het prototype van een Spaanse haciënda vonden. Alles was zeer goed onderhouden en heel saai. Er was absoluut niets te doen. Het hoogtepunt was de betoverende en waanzinnig mooie zonsondergang 's avonds, die me deed denken aan Key West en aan de oude Carlos, die er de schuld van was dat ik me nu op deze plek bevond.

Ik zat te bedenken welke woorden ik zou gebruiken als ik echt eerlijk tegen mezelf moest zijn. Was het de schuld van Carlos of was het zijn verdienste dat ik me in Cuba in de buurt van Clara bevond? Ik had zeeën van tijd om over die vraag na te denken, maar ik kon het niet eens worden met mezelf, terwijl ik 's nachts naar Cubaanse popmuziek op de radio luisterde.

Je kon niet zwemmen in de kleine baai en bij de zee liepen de rotsen te steil naar beneden, dus ik moest genoegen nemen met het zwembad. In de baai lagen twee bootjes of liever gezegd grote jollen. Ze waren degelijk afgesloten. Ik zag geen plezierjachten of vissersbootjes in de baai of aan de andere kant van het park in de zee. Ik kon het niet laten te bedenken dat de Cubanen een volk waren dat omgeven was door de zee, maar dat er maar weinig Cubanen waren die hadden meegemaakt hoe het voelde om zeeziek te zijn.

Het duurde lang voor me en ik was zenuwachtig en de hele tijd bang dat ik Jorge of Dylan tegen het lijf zou lopen. Ik durfde geen contact te leggen met de andere toeristen. Ik wilde geen Denen ontmoeten. Ik wilde niet uitgevraagd worden. Mijn enige gezelschap was de kikker in de badkamer. Isabel gooide hem eruit, maar hij kwam altijd terug. Ik weet niet hoe hij naar binnen kwam door het gaas voor de ramen. Ik doopte hem Otto. Hij zag er slim en tegelijkertijd wereldvreemd uit en hij kon goed naar mijn zachte monologen luisteren.

Eén keer zag ik Hector. Hij liep vlak langs me toen ik op de tweede dag onderweg was om te gaan lunchen. Het was een grote, enigszins zwaarlijvige man met een flinke snor en dik, golvend, zwart haar. Hij was wat mijn moeder vroeger een statige man noemde. Hij droeg een licht overhemd met korte mouwen, een donkere gabardine broek en verborg zijn ogen achter een zonnebril. Hij groette niet zoals Cubanen dat verder wel doen, maar liep rond met een gezicht alsof hij de grond waar hij op liep bezat, maar ook grote problemen had. Ik keek naar zijn sterke, behaarde handen en ik dacht eraan hoe die Clara hadden geslagen en ik had zin om hem in een groep prikkende cactussen te gooien.

Ik zag Clara twee keer. De eerste keer van een afstandje. Ze sprak met een man, vermoedelijk de tuinier. Haar wang was opgezwollen en ze had ook een plek op haar bovenarm, alsof Hector haar hardhandig had vastgepakt. De tweede keer liep ze vlak langs me zonder me ook maar meer dan een *Buenos Días* waardig te keuren, maar ik hoorde dat ze dat ook tegen de volgende tocrist zei die ze tegenkwam. De zwelling op haar wang was wat afgenomen, maar haar onderlip zag er daarentegen uit alsof hij had gebloed. Ik had zin om Hector ter plekke te vermoorden, maar liep naar de bar, dronk een mojito, keek uit over de zee en wenste dat ik een snelle speedboot had, die ons om het eiland naar Florida kon varen.

Op de derde dag laat in de middag, vlak voordat de zon zou ondergaan in een overweldigende gloed, stond ik toevallig bij mijn huisje te bedenken hoe ik nog een lange, lange avond moest zien door te komen, toen ik Hector uit het gebouw van de receptie zag komen. Ik had ontdekt dat er achter de receptie een privéwoning lag, waar Clara en Hector verbleven. Hector droeg een uniform en hield een leren map in zijn rechterhand. Er stond een anoniem uitziende auto stil. Er stapte een chauffeur in uniform uit om de deur open te houden voor de kolonel, die op de achterbank plaatsnam. Hij keek niet achterom. Clara stond hem met haar armen over elkaar na te staren zonder te verblikken. Ik wilde graag naar haar toe rennen om haar in mijn armen te nemen en haar te troosten, maar ze keek naar me en schudde onmerkbaar haar hoofd, voordat ze bij de receptie naar binnen liep zonder achterom te kijken.

Clara kwam 's avonds in de tropenduisternis naar mijn huisje met een fles Spaanse rode wijn en een bruine stoffen tas, waar kaas, ham en brood in bleken te zitten. Ik had tegen Otto gezegd dat ze nu snel moest komen, anders ging ik naar haar toe, toen ik haar op de deur hoorde kloppen. Ze droeg een lange, wijde jurk, die haar blote, zongebruinde armen goed liet uitkomen, maar hij kon niet de bloeduitstortingen verbergen die zaten op de plekken waar hij haar had vastgepakt en door elkaar had geschud. Ik boog me voorover en gaf haar twee kussen op haar wangen zoals in Spanje gebruikelijk is en ze glimlachte, liep naar binnen en zette de tas samen met de wijn op tafel. Ze draaide zich om en stond met haar armen langs haar lichaam.

'Hallo, John.'

'Wat heeft hij je aangedaan?'

'Kunnen we het daar niet later over hebben? Kunnen we niet gewoon wat eten, wijn drinken en wat kletsen?'

Haar stem trilde een beetje.

'Waar is hij naartoe?'

'Havana, en vanuit daar gaat hij naar Venezuela. Dat zijn onze beste vrienden tegenwoordig, dus misschien hebben we een kleine week.'

'Waarvoor?'

'Dat zal ik je vertellen, maar laten we nu wat eten en drinken.'

Er zaten ook twee borden en messen in haar stoffen tas en twee waterglazen en een kurkentrekker, die ze aan mij gaf. Ik opende de wijn. Zij sneed het brood doormidden en legde er kaas en ham op. Het leek een soort stokbrood, maar verder kregen we niet zo veel brood. Het was op rantsoen of voor de kinderen bestemd, of wat dan ook. Ik had geen avondeten gehad, maar toch had ik niet echt honger. De eenvoudige maaltijd smaakte goed, dus we aten allebei met smaak. Het was moeilijk, maar we probeerden te doen alsof dit heel normaal was. Ze vroeg naar mijn dag, alsof we getrouwd waren en elkaar na een dag werken weer zagen. Ik maakte haar aan het lachen, toen ik zei dat ik in het zwembad had gezwommen en zwarte bonen, rijst en kip had gegeten als lunch. Zij vertelde over gewone dingen, zoals dat ze veel te doen hadden, omdat er zo veel toeristen naar Cuba kwamen. Dat was goed. Als het maar ten goede kwam van de gewone mensen, zodat zij het beter kregen. Ik vertelde haar over mijn goede vriend Otto, die me gezelschap had gehouden. Ze zei toen: 'Je bent eenzaam geweest, John.'

'Waarschijnlijk niet meer dan jij. Je kunt heel goed eenzaam zijn tussen veel andere mensen.'

Ik hief mijn glas en we keken elkaar in de ogen. Ik hield mijn glas in mijn linkerhand en stak mijn rechterhand uit en legde die voorzichtig op haar wang, waar je nog steeds een beetje een zwelling onder het oog kon zien. Hij had haar vast weer geslagen. Eerst wendde ze onwaarneembaar haar gezicht van me af, maar drukte toen zachtjes haar hoofd tegen mijn hand, tilde het na een tijdje op en we dronken wat.

'Ik zag hem komen', zei ik.

'Ik wil het nu niet over hem hebben.'

'Ik heb gezien wat hij deed. Ik kan je armen zien, Clara.'

'Later.'

'Oké, maar ik heb de drie mannen gezien. De Dikke en de twee anderen, die ik uit Miami ken als Fernando en Jorge. Waar kennen jullie hen van?'

'Ken jij hen?' vroeg ze. Ze zag er oprecht verbaasd uit.

'Ze zijn van de CIA', zei ik.

Ze lachte en zei: 'CIA! Nee, John. De Dikke is een gangster. Hij heeft de afgelopen twee à drie jaar zakengedaan met Hector en die knapen zijn zijn bodyguards en beulen.'

Ik pakte haar hand en zei: 'Clara. Ik heb Dylan Thomas in Miami ontmoet. Of hij zorgde ervoor dat hij mij ontmoette. Hij zei dat hij van de CIA was. Hij koos mij uit. Hij had een visitekaartje van de CIA. Hij trainde mij. Hij zei dat hij oorspronkelijk uit Ierland kwam.'

'Dat klopt in elk geval niet. Ik ken zijn moeder, omdat ik haar heb geopereerd vanwege maagkanker, zonder succes trouwens. Het was te veel uitgezaaid. De moeder van De Dikke was oorspronkelijk showdanseres en trouwde met een dikke man, die bekendstond onder de naam De Gokker. De Gokker was net als Che een Argentijn. Ze sprak liefdevol over hem. Hij was gek, maar knap en hield van veel seks en lol, zei ze altijd. Hector zegt dat hij aan het begin van de jaren zestig werd vermoord. Niemand weet waarom. De Dikke wordt door Hector en andere zogenaamde leidende kaders getolereerd, omdat hij hen voorziet van allerlei illegale zaken. Hij reist vaak met een Argentijns paspoort. Hij is een van die mensen die het systeem smeren. Dat is nodig. Zonder mensen als De Dikke lopen de wielen van de revolutie helemaal vast.'

Ze dronk haar glas leeg en ik schonk het weer vol.

Ik was even stil, voordat ik zei: 'Hij zei dat ik contact moest opnemen met Hector, omdat de CIA had begrepen dat Hector in de machtsstrijd na Fidel bereid zou zijn om voor de Amerikanen te werken. Ze konden me gebruiken, omdat ze bang zijn dat de Cubanen de CIA of de FBI hebben geïnfiltreerd, of wat dan ook. Ze zeiden dat Hector corrupt was, dat jouw man te koop was.'

'Dat laatste klopt wel', zei ze en nu klonk haar stem heel bitter. 'Hector zou nog zijn oude moeder verkopen, als hij die nog had en iemand haar zou willen kopen.'

Ik kon het niet laten om te lachen en haar glimlach kwam terug.

'Ik snap niet waarom iemand zo verandert', zei ze.

'De Dikke kende jouw vader. Ik ontmoette hem via jouw vader', zei ik, terwijl ik aandachtig haar gezicht bekeek. Haar ogen waren een beetje gezwollen, alsof ze kortgeleden had gehuild. Eerst reageerde ze niet, maar toen knikte ze meerdere keren.

'Dan begrijp ik het beter', zei ze.

'Wat?'

'Dat was een paar jaar geleden. Het zat niet meer zo goed tussen Hector en mij, maar hij was nog niet begonnen met, hoe moet je dat zeggen ...'

'Je te mishandelen?' vroeg ik zachtjes.

'Me te slaan.' Toen klonk haar karakteristieke gesnuif, haar manier om veel lucht in te ademen via haar neus, voordat ze iets belangrijks wilde zeggen. Ze ging verder: 'Hij haatte me gewoon. Hij was zo koud als een ijsblokje. Dus in werkelijkheid haatte hij me niet. Haat vereist enig gevoel. Hij verachtte me bijna. Keek dwars door me heen, negeerde me, zei nooit waar hij naartoe ging of wat zijn plannen waren. Roddelde over me tegenover Joselito en Rosales. Dineerde in Hotel Nacional met zijn favoriete minnares, hoewel hij wist dat ik erachter zou komen. Daarom misschien. Hij nam De Dikke en Jorge op een avond mee naar huis. José Manuel was thuis en hij was helemaal door het dolle heen, omdat De Dikke hem een usb-stick gaf en zei dat hij er meer kon regelen, als José Manuel wat geld wilde verdienen. Ik vind hem dik en vies. Ik kon het niet accepteren dat hij mijn zoon geheel openlijk omkocht en ik snapte niet waarom Hector het toeliet en hem zo veel respect toonde dat het grensde aan nederigheid. Hij likte hem bijna op een bepaalde plek, als je begrijpt wat ik bedoel.'

'Ik ben een volwassen man, Clara', zei ik en ik werd beloond met nog een glimlach, voordat ze verderging: 'Hector werd razend, toen De Dikke was vertrokken. Hij noemde me een leeghoofdige gans, een oude slet en een overspelige hoer ... en een slechte arts. Dat ging gewoon te ver, dus ik vond het niet eens kwetsend. Dat gebeurde pas later. Ik zei dat hij bang voor hem was. Toen werd hij nog kwader, maar ik zag dat ik gelijk had. Hij was bang. De Dikke kon hem gemakkelijk chanteren. Dat zei ik ook en Hector zei dat ik mijn bek moest houden, want hij zorgde voor De Dikke in Miami en dat was voor alle partijen gevaarlijk. Toen vertrok hij. Met een lijkbleek gezicht.'

'Wat betekent dat?'

'Ik denk dat dat betekent dat De Dikke een agent is voor Cuba, heel duidelijk geïnfiltreerd in de ballingengemeenschap waar mijn vader deel van uitmaakt en misschien ook in de regering. Misschien de CIA. Weet ik veel. Die wereld ken ik niet. Maar Cuba gebruikt onvoorstelbare middelen om te infiltreren en om de Cubaanse ballingen in Miami in de gaten te houden. We zijn bang dat ze terugkomen en alles innemen. Ik weet alleen dat De Dikke brutaal is en er wordt gezegd dat mensen die hem dwarszitten, gewoon verdwijnen. Dat is gemakkelijk, weet je. Er zijn zo veel mensen die naar Amerika proberen te komen en onderweg verdrinken en niemand weet waar ze zijn. Het is heel gemakkelijk om hier in Cuba te verdwijnen, waar de zee groot en gevaarlijk is.'

Ik zat in me op te nemen wat ze had gezegd.

'Noemde hij mij?' vroeg ik.

'Dat weet ik niet. Ik was er niet bij toen ze samen praatten. Na een uur reden ze weg. Ik weet niet wat hij wilde. Het is jaren geleden dat Hector met mij over zijn zaken heeft gepraat. De Dikke, die ik ken als Elián Zapatero, is altijd vriendelijk tegen me en nam netjes afscheid en vroeg of ik iets mee wilde geven naar Havana.'

Ze haalde haar blote schouders op en rolde met haar hoofd, alsof haar hele lichaam vol spanning zat. Ik stond op, ging achter haar staan en begon haar te masseren. Haar lichaam verstijfde, dat misschien instinctief reageerde op een aanraking omdat die geweld en pijn signaleerde, maar ze ontspande snel en ik hoorde dat haar ademhaling rustiger en langzamer werd. Ik masseerde langzaam, zachtjes en toch stevig en ik voelde hoe haar myositis verdween. Vroeger, toen we jong waren, lukte het me om Merete op die manier te laten ontspannen, wanneer ze thuiskwam van de bank en één grote spierknoop was. Ik schoof de bandjes van de jurk van Clara voorzichtig opzij, zodat die boven op haar bloeduitstortingen zaten en ging verder met het masseren van haar schouders en schouderbladen. Haar huid was zacht en warm onder mijn vingers. Ik legde voorzichtig mijn hand in haar nek. Ik trok haar jurk omlaag en masseerde verder over haar rug en naar de rand van haar slip. Ik deed het langzaam en rustig. Ik kon duidelijk mijn en haar ademhaling boven het gesjirp van de krekels uit horen komen. Ik verplaatste mijn handen van haar rug naar haar borsten, die levendig aanvoelden onder haar bh. Er was een stilte, terwijl ik haar hart voelde kloppen onder mijn linkerhand, die ze eerst vastpakte en zachtjes wegtrok, voordat ze hetzelfde met mijn rechterhand deed.

'Niet nu, John. Niet nu. Misschien later, maar niet nu.'

Ik liet mijn handen van haar borsten langzaam teruggaan naar haar schouderbladen en verder naar haar nek, waar ze waren begonnen. Ze boog haar hoofd en liet me nog wat meer masseren, voordat ze me met een kleine beweging met haar nek vertelde dat het genoeg was. Ik tilde mijn handen op en ze schudde haar haar uit en maakte haar snuifgeluid. Ze trok haar schouderbandjes terug op hun plek.

'Dat was heerlijk, John. Dat was het. Maar nu heb ik iets wat je moet lezen. Het is een fantastisch verhaal over mijn familie. Lees het, terwijl ik nog wat wijn haal. Let goed op de datum.'

18

Het was een fantastisch verhaal. Het lag uitgeprint in haar stoffen tas. Dat had Carlos blijkbaar op de usb-stick gestuurd. Het was een print van een handgeschreven brief die was inge-scand en het handschrift was duidelijk, bijna kinderlijk. Het was een zelfverzekerd handschrift, waarbij de schrijver geen trillende hand had gehad, hoewel hij de dood in de ogen had gekeken. Het was ouderwets Spaans, dus het kostte veel tijd om de brief te lezen. Ik deed de plastic radio aan en zette hem zachter, want ik was eraan gewend om hem 's avonds aan te hebben staan. Ik las langzaam, terwijl zij de duisternis in liep. De brief was gedateerd op 2 januari 1959. Dat was twee da-gen nadat Fidel Castro en zijn revolutionaire strijdkrachten hun intocht in Havana hadden gemaakt, waar dictator Ba-tista vandaan was gevlucht. Hij had zijn eigen nieuwjaarsfeest verlaten, vlak nadat 1958 was overgegaan in 1959, om in bal-lingschap te gaan, waar hij tot zijn dood in 1973 in het destijds fascistische Spanje in had geleefd.

Destijds in die dramatische dagen had een oudere señor en plantage-eigenaar in een duisternis die net zo dicht was als rond mijn Cubaanse huisje, naar Carlos en zijn twee an-dere zonen geschreven. Alleen Carlos was nog in leven. Het toeval, het lot of de hand van God, zoals Carlos zei, had ons samengebracht op een kerkhof in Key West omdat ik in de voetsporen van Hemingway wilde gaan. Dat was nu eenmaal mijn manier om de echte wereld te ontvluchten.

De historicus in mij was net zo gefascineerd als de gewoon geïnteresseerde John. Ik las een verhaal dat bijna vijftig jaar geleden was geschreven en vast niet ver bij de plek vandaan waar ik me nu bevond. Het was een stem uit het graf, die het volgende schreef:

Haciënda Don Mariano, Valle de San Luís, 2 januari 1959

Aan mijn zonen,
De lafaard van een Batista heeft beschaamd het vaderland verlaten en ik kan horen hoe het gepeupel mijn huis nadert. Ik heb mijn arbeiders altijd goed en netjes behandeld, maar de agitatoren hebben hun gif verspreid en hen tegen mij opgezet. Het is slechts een kwestie van uren, voordat het allemaal is afgelopen. Onze wereld bestaat niet meer. Jullie geëerde moeder ligt gelukkig al in haar graf, zodat ze deze tijden niet zal meemaken, moge God haar ziel hebben, en ik zal haar snel volgen. Ik weiger een schaamteloos leven zonder eer te leven. Mijn belangrijkste erfgoed aan jullie, mijn lieve zonen, is dat ik jullie heb geleerd dat de eer het belangrijkste is voor een man. Ontneem je een man zijn eer, resteert slechts zijn schaamteloosheid. Een man zonder eer is geen man. Maar jullie hebben nog een heel leven voor jullie. Ik wil jullie adviseren om het risico te nemen en het vaderland te verlaten, maar alleen om later terug te keren. Ik vertrouw jullie en jullie generatie. Als de grote Martí moeten jullie het vaderland van de goddeloze communisten bevrijden. Moge God met jullie zijn, wanneer het zover is.

Ik heb ook een verhaal te vertellen. Op jullie eer en op het graf van jullie moeder eis ik, jullie vader, dat jullie zweren om dit verhaal pas te vertellen wanneer Cuba weer vrij is. Tot dat moment moeten jullie de tas laten staan op de plek waar ik hem gisteren heb neergezet. Hij staat op een plek die jullie kennen, mijn zonen. De plek waar ik jullie een voor een mee naartoe heb genomen, toen jullie tot de jaren des onderscheids kwamen, om jullie vaderland en de familienaam trouw te zweren in de naam van De Goede God. Moge het Cuba leven, zoals José Martí en de andere martelaren het met hun bloed stichtten!

Mijn verhaal begint toen ik een zeer jonge man was in de tijd toen Cuba een gelukkiger plek was, waar de mensen hun positie kenden. Ik was niet alleen een jonge man, ik was een gelukkige jonge man, omdat ik was getrouwd met jullie moeder, Mercedes, en een burger was in een vrij land dat zich slechts enkele jaren daarvoor in een heroïsche oorlog had ontdaan van het Spaanse juk. Ik was twee jaar na de nederlaag van de Spanjaarden geboren en eenentwintig jaar toen ik trouwde. Mijn vader bezat een van de grootste tabaks- en suikerrietplantages in de regio Trinidad in het mooie dal dat vandaag de dag vaak Ingenios wordt genoemd en hij besteedde al zijn tijd aan het leiden ervan, maar hij zou willen dat ik, zijn eerstgeborene en enig kind, de grote wereld leerde kennen, dus zijn cadeau aan mij en Mercedes was een ontwikkelingsreis naar Europa. We zouden de grote steden gaan bezoeken en de Europese beschaving en cultuur leren kennen. Ik was gelukkig. Ik zou met mijn geliefde vrouw op reis gaan naar plekken waar ik verder alleen van had gehoord of over had gelezen. Mijn vader had contacten binnen de regering en de Amerikanen, en hij zorgde ervoor dat we brieven en papieren meekregen die ons verzekerden van de nodige contacten en ons toegang verschaften tot de beste Europese salons.

Het werd een lange en fantastische reis, maar ik heb niet voldoende tijd om daar nu tot in detail over uit te weiden. We kwamen in het late voorjaar van 1921 met stoomschepen via New York in Europa aan. Europa werd nog steeds gekenmerkt door de verschrikkingen van de Grote Oorlog, maar we werden van Lissabon via Berlijn tot Londen vriendelijk en vol belangstelling ontvangen. Toen het einde van de reis na meer dan een jaar in zicht kwam, bevonden we ons opnieuw in Parijs. Vanuit die stad zouden we met de trein naar Le Havre vertrekken, waar we aan boord zouden gaan van het schip dat ons terug zou brengen naar ons geliefde Cuba.

Zoals jullie misschien zullen begrijpen, hadden we op onze reis veel schatten verzameld. Ik kan mijn ogen vanaf mijn bureau voor een laatste keer laten dwalen over verscheidene ervan. Ik krijg tranen in mijn ogen als ik eraan denk dat ik ze zal kwijtraken, omdat ze me herinneren aan jullie geliefde moeder en mijn hoog gerespecteerde vader, jullie grootvader, moge God met vriendelijkheid en genade naar hun onsterfelijke zielen kijken.

We hadden veel bagage, ook omdat jullie geliefde moeder rijkelijk had ingekocht bij de toonaangevende Europese modehuizen. Hoewel ik de nieuwste Europese mode wat vrijmoedig en gewaagd vond, kon ik geen nee zeggen tegen haar wensen, of die nou groot of klein waren. Ik hield gewoon te veel van haar. Ik plaagde haar altijd schertsend dat alleen zij brood gaf aan het leger van dragers op de stations, waar onze bagage naar de bagagekarren getransporteerd moest worden. Een opmerking die altijd resulteerde in een glimlach op haar knappe gezicht, hoewel het al tijdens haar jeugd gemakkelijk een bedroefde uitstraling kon krijgen, alsof ze de trieste toekomst kon zien die haar te wachten stond. Ze had een zwakke ziel, die huisde in een zwak lichaam.

We schrijven begin december in het jaar des Heren 1922. We bevonden ons op het grote Parijse station Gare de Lyon, waar we waren aangekomen na een heerlijke tijd in het zuidelijke Italië. Het was koud en we verheugden ons erop om terug te gaan naar de warmte van het vaderland om Kerst te vieren met onze familie. Onze bagage moest met meerdere paardenkarren naar ons hotel worden getransporteerd en de dag erna naar Gare du Nord.

Er waren veel mensen op het drukke perron, maar ik herinner me – en ik geloof niet dat mijn geheugen me in de steek laat – een *grote, roodharige vrouw, die met haar bagage naast ons stond. Ik kan me haar herinneren, omdat ze aantrekkelijk was en omdat ze een bedroefd ongeduld uitstraalde. Toen was het ook niet zo gewoon dat een jonge vrouw helemaal alleen reisde, hoewel de Europese vrouwen die jaren heel wat vrijmoedige zelfstandigheid verwierven. Haar bagage oogde niet groot in vergelijking met die van ons, maar was toch aanzienlijk.*

We kwamen bij ons hotel aan en reisden twee dagen later verder van Gare du Nord naar Le Havre en met een stoomschip naar de plek waar de palmbomen groeien, zoals de grote Martí schrijft. Eenmaal thuisgekomen begon ons dagelijks leven. Ons personeel pakte onze koffers uit, zodat we cadeaus konden uitdelen en onze eigen dingen op de juiste plek konden leggen. We kregen onze eigen vleugel in de movie haciënda en ik begon aan mijn praktische opleiding, die me moest voorbereiden op de overname van de plantage na mijn vader, die hij had overgenomen van zijn vader, die haar weer van zijn vader had overgenomen. De generaties hebben dus op onze grond gelopen. Het doet me pijn dat de keten nu wordt verbroken. De plantage was eigendom van de familie, wat destijds een zeldzaamheid was, terwijl de Amerikaanse bedrijven tweederde deel van de landbouwgrond van Cuba en bijna al onze mijnen bezaten. Het waren toch wel goede jaren in het begin van de jaren twintig, toen het goed ging met de suikerindustrie. Ik was een gezonde en actieve jonge man, die graag aan een studie rechten in Havana wilde beginnen.

Het zal geen geheim zijn dat er ook duistere kanten aan het vaderland waren. Er heerste een tijd van verboden in de vs en daarom kwamen de yankees in groten getale naar Havana, vooral om te drinken en te gokken en om zich te vermaken met lichtzinnige dames. Ik heb altijd geprobeerd om een oprecht persoon te zijn, zoals Martí ook beschrijft, en geprobeerd om mijn familie en mijn God te eren. Het viel me zwaar om het verval te zien, wanneer ik voor zaken Havana bezocht. Dat deed ik steeds vaker, omdat mijn lieve vader met zijn gezondheid sukkelde en moeite had met de zware reis van de provincie Trinidad naar het verre Havana. Hoewel de Amerikanen ons hadden geholpen door de Spanjaarden in zee te gooien, moet ik toegeven dat hun luidruchtige en onbesuisde gedrag in de hoofdstad van ons land me dwarszat. Ze gedroegen zich niet zoals gentlemen zouden moeten en ze werden omringd door Cubaanse vrouwen, die beter hadden moeten weten.

Het overlijden van mijn lieve vader viel samen met het begin van de grote depressie, twee jaar nadat mijn moeder ziek was geworden en was overleden, dus ik nam de plantage over op een moment dat de suiker- en tabaksprijzen op de wereldmarkt dramatisch daalden, maar we doorstonden de storm, omdat we er altijd een eer in stelden om de tering naar de nering te zetten. Het waren slechte tijden, waarbij renegaat Machado y Morales terreur teweegbracht in het land, totdat hij werd gedwongen om in 1933 af te treden als dictator, maar dat grote verhaal is niet mijn doel. Ik vermeld deze zware tijden alleen om uit te leggen dat onze grote reis al snel op de achtergrond kwam te liggen en een goede, maar verre herinnering werd, terwijl ons leven nu draaide om het door de storm leiden van de plantage en het grootbrengen van onze drie lieve kinderen.

In de zomer van 1934 nam ik Mercedes mee naar Havana. Het was het idee dat ze er behoefte aan had om wat opgevrolijkt te worden, maar de hoofdstad bezorgde haar hoofdpijn. Ze vond het leven in de stad zondig en corrupt. Havana was in haar ogen een vieze stad met veel lawaai, die haar deed terugverlangen naar de zachte, groene heuvels van ons dal. Op een middag maakten we iets verschrikkelijks mee. Het was erg warm en we liepen gearmd langs het café dat toen ook al Floridita heette. Er stapte een stevige yankee met een zwarte snor uit het café. Hij was erg dronken en sprak erg luid. Een net zo dronken vrouw kwam achter hem aan rennen en riep iets in het Engels, dat ik hier niet wens te vermelden. Hij draaide zich om en duwde haar zo hard dat ze omviel op straat. Jullie moeder gilde en werd bleek. Ik verzocht de Amerikaanse heer om zich netjes te gedragen, maar hij schold me verrot in een grof Spaans, wat een belediging voor Martí en andere Cubaanse dichters was. Hij was een gast in mijn land, maar met zijn brutaliteit verbrak hij alle regels voor gasten. Hij beledigde niet alleen mij en mijn echtgenote persoonlijk, maar hij noemde mijn vaderland ook nog een hoer, die afhankelijk was van de Amerikaanse pikken. Ik schrijf dit woord met walging op, maar ik doe het zodat jullie mijn verontwaardiging zullen begrijpen.

Ik durf er niet aan te denken wat er zou zijn gebeurd en wat ik zou hebben gedaan om mijn eer te redden, als de brutale en dronken yankee niet was gered door twee andere yankees, die uit de Floridita kwamen rennen en hem en de vrouw weer mee naar binnen trokken. Ik wilde achter hen aan gaan, meegesleept door rechtvaardige verontwaardiging en zo'n enorme woede dat ik mijn bloed voelde koken, maar jullie moeder nam me in haar armen en smeekte me om het niet te doen, smeekte me om rustig door te lopen, smeekte me om geen eerherstel te zoeken. Zoals ik eerder heb geschreven: ik kon haar niets weigeren en we liepen door, ik schuimend van woede, Mercedes met een bedachtzaamheid die de hele weg naar het hotel voortduurde en verder naar Trinidad, waar we tot onze opluchting twee dagen later naartoe gingen.

Een week nadat we waren thuisgekomen, stond Mercedes met een bruine leren tas in mijn kantoor, waar ik de tweede sigaar van die dag rookte, terwijl ik met de financiën bezig was. De leren tas was versleten en leek op een van onze eigen reistassen of *het model dat een arts mee zou nemen als hij bij een patiënt op bezoek gaat.*

'Wat kan ik voor je doen, mijn schat?' vroeg ik.

'Kun je je de dronken yankee in Havana herinneren?' vroeg mijn geliefde en mijn bloed begon weer te koken. Elke keer als ik aan hem dacht, had ik er spijt van dat ik geen eerherstel had gezocht voor de grove beledigingen die hij uit had gekraamd terwijl mijn echtgenote het hoorde. Toen zei ik tegen Mercedes dat ik me uiteraard die grove man kon herinneren.

'Weet je wie hij is?' vroeg ze. Ik antwoordde nee. Ze zei dat hij een beroemde Amerikaanse schrijver was, die Hemingway heette. Dat zei me niets. Ik was een te drukke man om tijd te hebben om literatuur te lezen, afgezien van Martí of andere vaderlandslievende dichters.

'Het is een pummel', zei ik alleen.

'Ik denk dat deze van hem is', zei ze toen verrassend en opende de tas. Er lagen getypte manuscripten in, een paar notitieblokken, doorslagpapier. De papieren waren in goede staat. Ze pakte een vel op en las: 'Up in Michigan, a story by Ernest Hemingway'. *Ik vroeg haar waar ze hem vandaan had en mijn geliefde werd enigszins verlegen. Ze vermoedde dat hij op een bepaald moment tijdens onze grote reis door Europa bij onze bagage was beland, een drager moest hem op een perron hebben gepakt, zelf dacht ze op Gare de Lyon, waar onze bagage vlak naast die van een Amerikaanse vrouw had gestaan, kon ze zich herinneren, en ik dacht aan de roodharige vrouw. Mercedes had de tas pas vier jaar ervoor gevonden, toen we ons huis opnieuw inrichtten en onze eigendommen na de dood van vader naar het hoofdgebouw verplaatsten. Hij was samen met de andere tassen van onze reis op zolder beland. Misschien had ze hem over het hoofd gezien? Misschien hadden de kamermeisjes hem niet als iets belangrijks beschouwd, wanneer je dacht aan alle andere heerlijkheden die*

in onze bagage zaten? Aanvankelijk had ze niet begrepen wat het was. Haar Engels was niet zo goed, dus ze had niet veel in de papieren gelezen en de naam van de schrijver zei haar niets. Pas toen ze over hem had gelezen in een weekblad in Havana, dacht ze weer aan de tas die ze gewoon had teruggezet in de kast. Ze schaamde zich dat ze niets had ondernomen om de eigenaar te vinden.

Ik lachte naar haar en nam haar fijne handen in de mijne en zei: 'Mijn schat, je hoeft je niet te schamen dat je geen tijd hebt gestoken in het vinden van de eigenaar van een paar onbelangrijke krabbels. Die mist niemand. Maar waarom heb je niets tegen mij gezegd, als het je dwars heeft gezeten?'

Ze legde uit dat ze me niet lastig wilde vallen in een tijd waarin ze kon zien dat ik grote moeite had de situatie het hoofd te bieden na de grote krach in de VS en de depressie die er in de hele wereld op volgde. Later was ze de hele tas met de manuscripten vergeten, tot de dag in Havana toen de dronken pummel haar verrot had gescholden en ze hem had herkend uit haar blad, dat over hem als visser van zwaardvis vertelde.

'Nu kunnen we hem vinden en hem geven wat van hem is', zei mijn echtgenote.

'Geen sprake van', antwoordde ik zo hard dat ik de kleur zag wegtrekken van haar wangen, maar dat maakte geen indruk op me. 'Die grove pummel verdient onze hulp niet. Ik wil dat je de tas verbrandt en dan praten we er niet meer over.'

Dat deed ze echter niet. Toen de goede God haar mij veel te vroeg ontnam in 1956, op 17 september, had ze een brief aan me geschreven. Ze schreef veel dingen die mijn gebroken hart verblijdden, maar ze schreef ook dat ze de tas uit Parijs, zoals ze hem noemde, niet had verbrand. 'Het spijt me, mijn lieve man. Dit is de enige keer dat ik tegen je wil in heb gehandeld. Ik hoop dat je het me vergeeft.' Natuurlijk. Ik kon haar alles vergeven. Ze schreef dat ze had gelezen dat de schrijver in 1954 de belangrijke Nobelprijs voor de literatuur had ontvangen. Hij was nu een zeer beroemd persoon. Ze vroeg me hem te vergeven voor zijn brutaliteit van jaren geleden en hem terug te geven wat van hem was, maar aan dat verzoek kon ik geen gehoor geven. Een belediging vergeet ik nooit. Mijn eer is onbezoedeld en zal dat zijn wanneer de dag voorbij is en mijn leven is afgelopen.

Ik heb overwogen om de tas met de manuscripten te verbranden, maar iets hield me tegen. Ik denk dat ik voelde dat mijn handeling mijn lieve Mercedes pijn zou doen. Dat ze in haar hemel mij zou verwijten dat ik het deed. Ik kon het ook niet laten om te denken dat de inhoud met de jaren misschien waardevol was geworden, nu de schrijver zo beroemd was geworden. Ik had over manuscripten gelezen die flinke bedragen opleverden bij veilingen in de vs en in Europa. En het leven was niet gemakkelijk. Het vaderland was onderhevig aan crises en oproer. Batista begon zijn invloed kwijt te raken en het waren zware tijden op de plantage. Jullie waren in Havana druk bezig met jullie dingen en ik dacht dat ik de beslissing aan jullie wilde overlaten, wanneer ik niet meer op deze aarde zou zijn.

Zo is het en zo moet het zijn. Op een dag zal Cuba weer vrij zijn en op die dag kunnen jullie terugkeren en ophalen wat van jullie is en doen met de tas en de inhoud ervan wat jullie willen. Geef de vergeelde papieren aan zijn familie of verkoop ze aan degene die het hoogste biedt. Ik heb begrepen dat er verzamelaars of universiteiten zijn die dit soort oude manuscripten waardevol vinden. Voor mij zijn ze nu een verbinding met het verleden en een herinnering aan Mercedes en mijn grote reis, toen het leven nog eenvoudig was en de toekomst er voor ons en Cuba rooskleurig uitzag.

Ik kan ze horen komen. Ik heb niets meer te vertellen. Mijn trouwe Andrés, die me meer dan twintig jaar onzelfzuchtig heeft *gediend, zal de brief voor jullie meenemen naar Havana. Hij heeft gezworen op het bloed van zijn familie en op zijn eer dat hij het zal doen en niet hier zal blijven om mij te verdedigen. De revolver ligt op tafel. Ze krijgen me niet zonder vechten te pakken, maar ook niet levend en de laatste patroon bewaar ik. Hoewel ik weet dat het een doodzonde is, hoop en geloof ik dat de goede God mij zal vergeven en mij met mijn Mercedes zal verenigen op de dag des oordeels.*

Mijn lieve zonen, ga met God, moge hij jullie in deze moeilijke tijden behoeden en over jullie waken.

Jullie vader.

Don Mariano y Guiterez.

Ik had de brief bijna twee keer gelezen, toen Clara terugkwam van haar uitstapje. Natuurlijk had ze geen nieuwe fles wijn mee. De eerste fles was ook nog bijna voor de helft vol. Ik wist dat het gewoon een slecht excuus was om iets te checken. Ze had er bang uitgezien toen ze wegging. Nu leek ze rustiger en ze had weer kleur op haar wangen gekregen. Ze had de moeite genomen om iets op haar ogen te smeren en lippenstift op te doen. Ze zag er fantastisch uit in de dunne, lichte jurk.

'Nou, is de slechterik teruggekomen?' vroeg ik.

'Jij bent niet gemakkelijk voor de gek te houden, hè, John? Nee, maar ik kon het niet laten om het te controleren. Ik was onrustig.'

Ze stond dicht tegen de deur aan, die ze net op slot had gedaan.

'Dat begrijp ik.'

'Ik heb naar zijn adjudant gebeld, met een smoesje dat ik mijn man wilde spreken. Vroeger was dat heel normaal, maar toen ...'

'Het is goed, Clarita.'

'Hij heeft vanavond het vliegtuig naar Caracas genomen. Hij komt over vier dagen thuis, dus hebben we tijd. Nu hebben we alle tijd die we nodig hebben. Voor het een en voor het ander.'

Ik stond op. Ik zette de radio harder. Ik had een of ander radiostation uit Trinidad gevonden, dat Cubaanse muziek speelde. Niet alleen salsa, maar ook oude liedjes zoals het liedje dat nu uit de luidsprekers kwam en dat de grootvader van Clarita een paar keer indirect had geciteerd. Het beroemde gedicht van José Martí over de oprechte man, die uit het land met de palmboom komt. Ik nam de paar passen naar haar toe, pakte haar hand en legde mijn arm om haar middel, terwijl ik zachtjes neuriede: *'Yo soy un hombre sincero/ de donde crece la palma/ y antes de morirme/ quiero echar mis versos del alma.'* Ze leunde tegen me aan en fluisterde: 'Je kunt beter dansen dan zingen, lieverd.'

'Waarom slaat hij je?'

'Waarom zijn mannen gewelddadig? Waarom moeten we het daarover hebben?'

'Ik zou hem kunnen vermoorden.'

'Zie je nou wel. Dans nou met me in plaats daarvan. Hou me stevig vast.'

Er was niet veel ruimte, maar het maakte niet zo veel uit dat onze bewegingen klein en langzaam waren, en daarmee nauw en intiem zoals het bedroefde gedicht van Martí, dat zo vol verlangens zat. Ik voelde haar zachte lichaam en de tranen op haar wang en haar hand, die mijn nek vastpakte en mijn mond naar de hare bracht. Die was net zo warm als haar lichaam en veeleisend als haar tong. Ze liet mijn lippen los en fluisterde: 'Nu moet je met me vrijen, maar je moet me beloven dat je voorzichtig zult zijn. Ik kan niet meer pijn verdragen.'

19

We vrijden en praatten. Vooral Clara praatte, alsof ze heel lang geen andere volwassene had gehad om vertrouwelijke gesprekken mee te voeren. Ze sprak over haar verlangens en over hoe ze dacht en hoopte dat je opnieuw kon beginnen. Dat het leven niet uit doodlopende wegen bestond, maar dat je altijd een nieuwe weg kon inslaan. Daar had ik voor de dood van Merete niet vaak over nagedacht. In Ringkøbing was de algemene opvatting dat de mens op zijn bepaalde plek en met zijn bepaalde doel op aarde is gezet en als je iets anders geloofde, leidde dat alleen tot verderf of onzin.

Clara praatte nu met name over het feit dat ze haar kinderen uit Cuba moest zien te krijgen om ze niet te laten verpesten. Ze was vooral bang dat Rosales zich zou kunnen laten verleiden door het gemakkelijke geld en het aanlokkelijke goede leven, dat ze andere jonge vrouwen zag hebben met oudere toeristen uit de rijke landen. Ze zag hoe het lichaam van haar dochter steeds aantrekkelijker werd. Ze wist ook dat Rosales vriendinnen had of over hen hoorde die plotseling geld hadden en kleren konden kopen die anders onbetaalbaar voor hen waren. Clara was zo nerveus. Ze kon de gedachte niet verdragen dat haar meisje zou gaan lijken op de jineteras die rond de internationale hotels in Havana met hun heupen in strakke shorts wiegden.

Clara sprak niet zo veel over Hector en zijn huiselijke geweld. Ze had een paar bloeduitstortingen op haar rug en een grote op de binnenkant van haar rechterbil. Ik kuste de gekleurde plekken zacht, langzaam en lang, en zag dat er tranen in haar ogen verschenen.

· Ik ontfutselde haar dat het vijf jaar geleden met één klap was begonnen, gevolgd door berouw en gesmeek om vergiffenis, maar de vergrijpen liepen uit de hand, het berouw verdween en er kwamen haat en een soort zelfverachting voor in de plaats, zei ze. Nu was hij gewelddadig om zijn afschuw van zichzelf te verzachten en om haar te straffen voor verzonnen overtredingen van alles wat hij in zijn fantasie had bedacht. Er was niets meer voor nodig om hem ertoe over te halen. Het kon een opmerking zijn die hij misplaatst vond, vooral als ze kritiek uitte over het feit dat hij niet meer de dienaar van de Partij en de revolutie was, maar net zo corrupt als de mensen die hij altijd had bekritiseerd. Of meer direct zoals kortgeleden, toen hij haar in elkaar had geslagen omdat hij had ontdekt dat ze met Alejandro en de andere motorrijders in Trinidad was geweest. Ze had vast ook seks met hem, dacht hij. Ik moet toegeven dat ik hetzelfde dacht, maar dat ging mij eigenlijk niet aan. Toch betrapte ik mezelf op een steek van jaloezie, maar ik dwong mezelf om mijn gedachten erbij te houden en naar haar te luisteren.

Clara had aanvankelijk geprobeerd hem te begrijpen, zei ze. Ze vergaf het hem steeds weer, ook al werd het steeds moeilijker. De liefde stierf elke keer dat hij haar sloeg een beetje, zoals ze zei.

Joselito wilde niet met zijn vader spreken, hij wilde hem überhaupt niet zien. Rosales behandelde hem alsof hij melaats was en met een kilheid die alleen tieners kunnen tonen, maar zonder dat hij door haar kille, nauwkeurige woorden zijn bezinning verloor. Clara had een grens gesteld. Als hij aan hun kinderen kwam, was het afgelopen. Om de een of andere reden was hij bang dat ze bij hem weg zou gaan. Het was alsof het een te pijnlijke en vernederende nederlaag zou zijn als ze hem zou verlaten. Hij kon wel vertrekken, maar zij niet. Hij hield niet van haar. Of hield hij juist zo hartstochtelijk van haar dat zijn liefde plotseling kon omslaan in felle haat?

Juist omdat Hector net als zij zo'n grote idealist was geweest en in de zaak had geloofd, vond ze dat de zondeval zo veel groter en moeilijker te accepteren en te verdragen was. Ze gebruikte het woord 'zondeval' alsof het geloof in het communisme of de revolutionaire drijfkracht die hen had samengebracht in Angola, als een religieus geloof was en niet een op de wetenschap gebaseerde ideologie, die ze op de partijscholen ingeprent hadden gekregen. Het was vreemd om haar woorden te horen. Het riep gedachten op aan vergeten discussies na de val van de Muur, toen mensen die het communisme hadden verdedigd plotseling zwegen of hun overtuiging ontkenden. Ik bevond me plotseling in een vreemde andere tijd. In een van de laatste socialistische landen, waarvan de bestaansgrond was gebaseerd op een land dat niet meer bestond – niet als ideologie en niet als natie. Het was heel vreemd, maar ik had geen zin om een politieke discussie aan te gaan. Cuba was een overblijfsel uit vroegere tijden en het zeilde op een onzekere toekomst af, die het land voorgoed zou veranderen, zoals alle andere socialistische landen waren veranderd. Alleen was er niemand die wist wat de veranderingen inhielden, omdat het een andere tijd was dan toen het moederland Sovjet-Unie met gejammer ophield te bestaan en uit de geschiedenis verdween.

Het was gelukkig niet de hele tijd zo ernstig en ze zei het niet zo samenhangend. Er moest namelijk ook tijd zijn om te kussen en te knuffelen, en gewoon onze lichamen tegen elkaar te voelen. Er was zo veel licht in de kamer, zo veel opgekropte begeerte. We vrijden weer en praatten verder, en op een bepaald moment zei ik: 'Het is duidelijk waarom jouw vader mij uit heeft gekozen.'

'Het was goed dat hij dat heeft gedaan.' Ze lag met haar hoofd op mijn schouder en ik hield mijn ene hand om haar borst.

'Toe. Wees nou even serieus. Begrijp je het niet?'

'Misschien. Ik vind het gewoon heerlijk.'

'Hij had behoorlijk snel in de gaten dat ik veel wist over Hemingway. Dat ik een *aficionado* ben. Hij wist dat ik het verhaal zou begrijpen en hij wist dat als we de tas met de verdwenen manuscripten zouden kunnen vinden, ik de echtheid ervan kan verifiëren.'

'Dat kunnen andere mensen toch ook wel?' zei ze lui.

'Ja, maar ik ben niet officieel. Ik ben gewoon een amateur. Ik ben niet van een regering of van een universiteit.'

'Is dat belangrijk dan?'

'Ja. Ik zou ze niet meteen aan de overheid geven. De manuscripten zijn van onschatbare waarde. Carlos zou ze kunnen gebruiken om jou en je kinderen mee vrij te kopen. Cuba zou het geweldig vinden om ze onder zijn hoede te hebben. Hemingway is hier een icoon en ze weten dat onderzoekers uit de hele wereld zullen komen om de allereerste teksten van de jonge Hemingway te bestuderen. Het zou een scoop zijn voor Cuba. Princeton, Harvard, Oxford. Alle grote universiteiten in de hele wereld zouden geïnteresseerd zijn. Het prestige zou enorm zijn. Carlos zou een zeer, zeer goede onderhandelingspositie hebben om jullie te bevrijden.'

'Maar dat zou vereisen dat jij de manuscripten openbaar kunt maken?'

'Misschien. Het allerbelangrijkste is dat we ze kunnen vinden en daarnaast dat ik ze verifieer en ze misschien weer opberg. Ik weet niet wat hij verwacht. Er is nu niet meer zo veel keuze. Nu moeten wij en zij weg. We moeten hiervandaan.'

'Mijn vader heeft altijd al sterk in het noodlot geloofd.'

'Misschien wat overdreven in dit geval. Ik heb niet eens mijn paspoort. Misschien word ik op heel Cuba gezocht?'

'Dat denk ik niet. Hector zou het hebben gezegd als jij erbij betrokken was. Ik zou het in elk geval van Ramon hebben gehoord. We hebben codes die hij gebruikt wanneer hij naar het kantoor belt. Ik heb geen mobiele telefoon meer. Die had ik wel toen ik een belangrijke arts was, maar hij was van de staat.'

Ik moest aan Consuela denken en dat was niet zo goed. Ik had geen idee hoeveel Clara wist en ik had ook geen zin om het te weten. Ik kreeg een beetje een slecht geweten, maar dat ging snel over. Ik was er behoorlijk goed in geworden om aan te nemen wat het leven me plotseling bood, zonder te analyseren wat het kon inhouden en waarom en wat het met zich mee zou brengen, hoewel mijn gevoelens voor en seks met Clara heel anders aanvoelden. De lunch en de nacht met Consuela waren heerlijk geweest, omdat ze zo verdomde onverantwoordelijk waren geweest. Als Consuela niet was vermoord, was ze een eeuwig goede herinnering geweest. Maar wie had haar vermoord? En waarom? Met Clara was het iets anders. Ik kon niet precies onder woorden brengen hoe ik me voelde, maar het was anders. Woorden als 'verliefdheid' en 'liefde' zijn grote woorden op mijn leeftijd. Ik hoefde alleen maar naar haar te kijken en dan kreeg ik al zin in haar en voelde ik al een sterke wens om op haar te passen.

Ik schoof de gedachten aan Consuela opzij. Ik voelde me te goed. Het was misschien een egoïstisch gevoel, maar dat was de waarheid. Het was alsof Consuela net als Merete en Ringkøbing bij een andere tijd en een andere wereld hoorde.

Clara ging rechtop zitten, leunde achterover tegen het hoofdeinde en rekte haar armen uit boven haar hoofd, zodat haar borsten spanden, en ik kreeg weer zin in haar, maar ik dwong mezelf ook in een zittende houding en ze zei: 'Maar jij gelooft het verhaal?'

'Natuurlijk.'

'Wist je ervan?'

'Natuurlijk. Ik weet alles over Hemingway. Dat was mijn passie – vóór jou.'

Ze gaf me een zachte tik, stapte uit bed en liep de woonkamer in. Ik volgde haar de hele weg met mijn ogen, toen ze wegliep en ook toen ze terugkwam met twee glazen wijn. Ze gaf mij het ene glas en ik nam een slok.

'Vertel me dan jouw versie.'

Ik zette het glas op het tafeltje naast het tweepersoonsbed.

'Zo meteen', zei ik en ik liet mijn hand over de gladde, fijne huid aan de binnenkant van haar dij glijden, waar hij geen afdruk had nagelaten, maar ze drukte preuts haar benen tegen elkaar om mijn hand heen, strekte haar hand boven mij uit, zodat haar ene borst mijn gezicht vluchtig en opwindend aanraakte, pakte mijn glas en gaf het aan mij.

'Eerst het verhaal, dan seks', zei ze en ze kuste me.

'Dat is niet eerlijk, maar oké', zei ik en ik vertelde zoals de goede gymnasiumleraar die ik ben wanneer ik geïnteresseerde leerlingen heb: 'Hemingway was drieëntwintig jaar oud en woonde met zijn eerste vrouw, Hadley, in Parijs. Hij wilde schrijver worden, maar hij verdiende zijn brood als correspondent voor kranten en zoals ook het geval was met zijn toekomstige vrouwen, profiteerde hij van de jaarlijkse som geld die Hadley uit een fonds kreeg dat haar ouders voor haar hadden opgericht. Totdat hij bekend en rijk werd, leefde hij voornamelijk van zijn vrouwen. In november 1922 moest Hemingway voor zijn kranten naar Lausanne in Zwitserland om verslag uit te brengen van een grote internationale vredesconferentie na de oorlog tussen Griekenland en Turkije.

Het ging om ingewikkelde zaken rond de grenzen. Alle groot-machten waren aanwezig. Wanneer de conferentie was afgelo-pen, zou het echtpaar samen op skivakantie gaan. Het was de bedoeling dat Hadley hem eerder achterna was gereisd, maar ze was vreselijk verkouden geworden en had geen zin. Toen ze de erge verkoudheid te boven was, begon ze de koffers te pakken om haar man in Zwitserland te ontmoeten. Ze pakte hun gewone kleding en ze pakte hun skikleding. Ze hadden eerder geskied en waren er dol op. Ze hadden het ook nodig om samen te zijn. Een paar weken ervoor hadden ze hun eer-ste echte ruzie en botsing gehad, toen Hadley zich er hevig tegen had verzet dat Hemingway naar Istanbul vertrok, dat werd geteisterd door geweld en epidemieën. Ze hield er ook niet van om alleen te zijn in hun kleine, nogal armzalige ap-partement in Parijs, maar Hemingway kwam terug uit Con-stantinopel, zoals de stad in die tijd heette, met cadeautjes en honingzoete woorden, dus ze legden hun ruzie bij, hoewel de sfeer tussen hen nog steeds gespannen kon zijn. Ze hadden gewoon wat tijd samen nodig, zodat ze hun relatie weer op het goede spoor konden krijgen.'

Ik merkte dat Clara aandachtig luisterde. Ik kon me het verhaal herinneren, omdat ik, al op het moment dat ik het las, geboeid was door de mystiek erin. Het is vreemd hoe het leven kan veranderen. Ik zat in Cuba een verhaal te vertel-len dat ik jaren geleden in mijn lievelingsstoel in Ringkøbing meerdere keren had gelezen. Ik zag plotseling onze woonka-mer voor me met de mooie tafel, de dure stoelen, de lampen van de ouders van Merete en de nieuwe flatscreentelevisie die voor de salontafel stond, waar we onze glazen of kopjes op zetten wanneer we een film op televisie of een dvd zaten te kijken. Toen Helle kleiner was, stond er een schaaltje met snoep. Ik zag de geschuurde vloer voor me en de deur die naar de keuken leidde met de nieuwe Amerikaanse koelkast en ik wist plotseling niet meer wat ik aan het doen was en wat ik vertelde.

'Ga nou verder', zei Clara.

Ik keek haar aan, kuste haar kort op haar mond en ging verder: 'Oké. Waar was ik gebleven? O ja. Hadley pakte niet alleen hun kleding, maar ze wilde ook graag bij haar temperamentvolle man in de gunst komen door hem te laten zien dat ze hem had vergeven, zowel voor de reportagereis naar Istanbul als dat ze alleen was achtergelaten in Parijs, maar vast ook voor de harde en grove woorden die hij gewend was uit te kramen, waar veel mensen door de tijd heen van konden getuigen. Je kunt je probleemloos voorstellen dat hij heel grof was geweest toen ze ruzie hadden. Maar dat was verleden tijd. Nu zouden de jonge mensen hun vrolijke liefde weer opzoeken. In een aparte tas pakte ze zijn manuscripten. Van eerdere reizen wist ze dat hij graag wilde werken aan zijn novellen en zijn roman die hij aan het schrijven was, wanneer de loipes en de bar niet lokten. Hij had er niets over gezegd. Hadley wilde hem verrassen en hem blij maken. Ze pakte zijn manuscripten, de kopieën van het doorslagpapier en de notitieblokken waar hij zijn eerste concepten op schreef. De hele productie van de jonge schrijver lag eigenlijk in die tas. Ze liet haar bagage over aan een drager op Gare de Lyon, maar toen ze de bagage in haar coupé controleerde, was de tas met de manuscripten er niet. Hadley was ervan overtuigd dat hij was gestolen. Volledig in paniek doorzocht ze de hele trein, terwijl die onderweg was naar Lausanne. Er was niets aan te doen. De tas was weg.'

Ik nam nog een slok wijn, kuste Clara op haar neus en ging verder: 'Ze arriveerde helemaal kapot van verdriet in Lausanne, waar Ernest op het station op haar wachtte. Ze huilde zo erg dat ze hem het verhaal niet kon vertellen. Ernest was vol begrip en zei dat ze moest kalmeren. Niets kon zo erg zijn. Niets. Ja, dat kon zeker wel. Het was veel erger dan erg. Uiteindelijk lukte het haar om snikkend haar verhaal te doen en Hemingway was geschokt. Hij kon niet geloven dat ze zowel de originelen als alle kopieën in één tas had gepakt. Alles wat hij had geschreven lag in de gestolen tas. Je moet niet vergeten dat hij op dat moment bijna nergens was gepubliceerd. De vredesconferentie was nog niet helemaal afgelopen, maar hij vond een collega die voor hem wilde invallen en hij vertrok met de eerstvolgende trein naar Parijs. Hij doorzocht het hele appartement, maar Hadley had helaas gelijk. Er was niets, afgezien van een kopie van de novelle *Up in Michigan*. Die had hij opzijgelegd, omdat zijn mentor, Gertrude Stein, hem niet mooi vond en de jonge man luisterde naar de geeerde dame. Er waren ook concepten van drie gedichten en een novelle, die *My old man* heet, die overleefde omdat hij ter overweging bij een literair tijdschrift lag. Verder was zijn hele productie weg. Het vreemde is dat hij in een brief schrijft dat hij zich de rest van zijn leven zal herinneren wat hij die nacht had gedaan, maar hij heeft het nooit verteld. Misschien heeft hij zich bezopen? Misschien heeft hij een hoer bezocht? Of misschien heeft hij aan zelfmoord gedacht? Men weet het gewoon niet. Er is alleen bekend dat hij verbijsterd was, zoals alleen een jonge schrijver, die alles voor de literatuur overheeft en keihard aan het materiaal heeft gewerkt, kan zijn wanneer hij ontdekt dat alle woorden weg zijn. Hij weet alleen dat hij opnieuw moet beginnen.'

'Heeft hij het zijn vrouw ooit vergeven?'

'Dat weet ik niet. Dat weet men niet. Zij was ongeveer zes jaar ouder dan hij en veel van zijn vrienden begrepen niet wat hij in haar zag. Ze had rood haar, was knap, muzikaal en levendig, maar toch vonden veel vrienden en vriendinnen van Ernest haar saai en te voorzichtig, en dat ze met haar nette manieren en goede achtergrond helemaal niet bij hem paste of Ernest niet bij haar. In het voorjaar van 1924 kregen ze samen een zoon. Hij schrijft heel mooi over haar in zijn herinneringen aan hun jaren in Parijs. Hij scheidde een paar jaar later van haar, maar dat was waarschijnlijk toch wel gebeurd. Hij had een ander ontmoet. Ik weet niet of hij het haar had vergeven. Ik denk het niet, maar ik weet het niet.'

'Niemand weet hoeveel manuscripten er in de verdwenen tas van Hadley zaten?'

'Niemand. Hij heeft het zelf nooit geschreven of gezegd. Het was eerder zo dat hoe meer hij verbitterd raakte tegenover Hadley in de jaren voor de scheiding, des te belangrijker de manuscripten werden en des te groter het aantal werd. Maar niemand weet het. Dat maakt ook niet uit …'

'Maakt het niet uit?'

'Oké, natuurlijk wel. Maar het maakt niet uit wat er in de tas of de map zit, het is gewoon van onschatbare waarde. De Hemingway-onderzoekers in de hele wereld hebben ervan gedroomd om dit te zien. Het beginwerk van de meester. Hij kwam zo voltooid over toen hij met zijn eerste novellen kwam, en veel mensen denken dat dat juist komt doordat zijn oefeningen in de verdwenen koffer of tas lagen. We hebben het half afgemaakte nooit te zien gekregen. Datgene wat hij misschien graag uit had willen geven. De man is een mythe en mythes sterven nooit. Ze groeien daarentegen. Er is na zijn dood heel veel uitgegeven dat door anderen is bewerkt en geredigeerd. En dat is te zien. In de tas zullen zijn eigen dingen zitten, zo fris als toen hij ze in zijn magische jaren in Parijs schreef.'

'Dit is een mooi verhaal', zei ze. 'Ook omdat het vol tragiek en liefde zit, wat ervoor zorgt dat we vaak het beste willen, maar in de naam van de liefde juist het tegenovergestelde doen en daarbij de persoon van wie we echt houden pijn doen.'

'Sommigen doen het met opzet', zei ik.

'Dat weet ik wel. Heb jij ooit je vrouw opzettelijk pijn gedaan?'

'Misschien wel. Ik weet het niet. Het is zo ver weg.'

'Is dat zo? Het klinkt vreemd om de tijd zo te bekijken.'

'Zo is het gewoon.'

'Zijn jullie altijd gelukkig geweest?'

'Nee. Ik denk dat niemand dat is, maar het ging in de regel goed tussen ons.'

'Je sloeg haar niet.'

'Nooit', zei ik. 'Ik sla niet.'

'Ik geloof ook niet dat je dat doet. Ik denk dat je een goede echtgenoot bent geweest.'

'Meer dan dat was ik nou ook niet', zei ik en ik dacht dat het misschien beter was geweest als Merete en ik wat meer ruzie hadden gemaakt, maar dat deden we niet. In plaats daarvan hadden we periodes van variërende lengte dat we geen woord tegen elkaar zeiden, of nog erger, zo gewoon praatten over zulke gewone dagelijkse dingen op zo'n nette en gewone toon, dat je voelde hoe de ijskristallen zich om elke overdreven vriendelijke frase hulden. Ik kon gedreven worden tot geweld, maar mijn angst voor de consequenties of mijn goede opvoeding zorgden ervoor dat ik nooit mijn hand optilde en zelden mijn stem verhief, maar woorden die klinken als honing kunnen giftig zijn als dollekervel als ze in de gehoorgang komen. Ik wist dat dat niet zo ongebruikelijk was in de bungalowwijken, die meer geheimen hadden dan het blijkbaar saaie, alledaagse leven aan de buitenkant liet zien.

'Ik vind het in elk geval heerlijk dat je hier bent', zei ze en ze onderbrak gelukkig mijn gedachten, die wat duister begonnen te worden. 'Ik voel me veilig. Ik voel me blij. Zo wil ik vanaf nu leven. Ik wil genieten van de goede momenten en er niet aan denken wat er gaat gebeuren wanneer ze weg zijn. Ik wil niet meer denken.'

'Jawel. We moeten bedenken hoe we de tas van Hemingway gaan vinden', zei ik. 'Anders krijgt dit verhaal geen gelukkig eind.'

Ze draaide zich om, duwde me op het bed, ging boven op me zitten en boog zich voorover, zodat haar gezicht vlak bij het mijne was.

'Dat doen we morgen, schat. Morgen gaan we op een spannende speurtocht naar de schat, als ik Alejandro en de anderen te pakken kan krijgen, maar nu moet je eerst je beloning krijgen.'

'Dat wil ik wel, maar missen we geen schatkaart?'

Ze zei dat ik stil moest zijn, kuste me een paar keer kort, toen wat langer, voordat ze mijn lippen weer losliet, langs mijn lichaam omlaaggleed en zei: 'We hebben een schatkaart. Mijn oude vader is heel slim, dus we hebben een schatkaart, maar nu is het afgelopen met praten. Nu ga ik mijn mond ergens anders voor gebruiken.'

20

De oude man in Key West was uitgekookt geweest en had erop gerekend dat zijn dochter zich de spelletjes kon herinneren die ze samen hadden gecreëerd toen zij nog kind was. De spelletjes gingen vaak over zeerovers die schatten in de tuin verstopten en toen ze wat ouder werd, in de stad of op het strand. Ik had zelf als padvinder zijn trucje gebruikt. Het was zo kinderlijk en vanzelfsprekend, dat niemand eraan denkt, ook al is het effectief. Het gaat om een onzichtbaar schrift geschreven met citroensap. Carlos had de code in zijn brief aan Clara geschreven. '... En ik denk aan de citroenboom in de tuin van mijn ouders.'

Dat was de sleutel, legde Clara mij uit, omdat haar vader haar vaak verhalen had verteld over fabeldieren die hij zelf bedacht. Die woonden in een zeer oude sinaasappelboom in de tuin van zijn ouders.

'Hij wist dat het mij zou opvallen, omdat alle verhalen over de sinaasappelboom gingen waar de vruchten als grote gele zonnen waren', zei ze. 'Die fabelwezens waar hij verhalen over bedacht, noemden zichzelf het sinaasappelvolk. Het sinaasappelvolk dat in de zonneboom woonde. Die verhalen waren echt heel goed.'

Haar gezicht werd dromerig en ze dwaalde af. Ik liet Clara zitten, terwijl ik nadacht over de sluwheid van de oude man.

Je schrijft met citroensap, dat, wanneer het opdroogt, verdwijnt en zomaar onzichtbaar is. Je kunt de tekst weer zichtbaar maken door warmte, bijvoorbeeld in een oven of met een sterke gloeilamp. Met een kaars of met een strijkijzer. Onder de tekst lag een kaart die de plek aanwees, die voor

Clara niet meteen duidelijk was, maar wel voor Alejandro, die samen met Joaquin en een van zijn andere motor rijdende flierefluiters rond de lunch kwam. Het was nog steeds warm, maar het voelde alsof het weer wat aan het omslaan was. Het was een paar graden koeler en er waaide een harde wind vanaf zee. Ik had mijn afritsbare broek aan met een T-shirt, terwijl Clara er fris en jeugdig uitzag in een strakke blauwe spijkerbroek en een bloes met korte mouwen en praktische, maar elegante leren schoenen aan haar blote voeten. Haar zwarte haar droeg ze in een paardenstaart. Alejandro en zijn schildknapen droegen spijkerbroeken, laarzen en jassen van leer of van spijkerstof, en ze probeerden op Marlon Brando te lijken, zoals hij er op de vergeelde posters uitzag. Cuba was een merkwaardige plek, waar auto's en rockers leken op iets wat uit de jaren vijftig kwam.

Clara had ook van Ramon gehoord. Hij was onderweg. Hij zou uit Havana komen, zodra hij een plek kon krijgen in een vrachtwagen. Hij had blijkbaar een boot gevonden. Alles begon nu echt vorm te krijgen en ik was zenuwachtig. Clara leek blij en uitgelaten. Ik wist dat ze weer naar de adjudant van Hector had gebeld. Gewoon om zeker te zijn. De motorrijders beschermden haar alsof ze van dun porselein was, maar ze plaagden haar ook wat alsof ze konden zien dat er iets was gebeurd. We hielden onze handen bij elkaar vandaan, maar ik denk dat het nogal duidelijk was dat we niet meer dezelfde relatie hadden als toen ze ons hadden zien dansen bij de grote trap in Trinidad.

We stonden in de schaduw van een paar grote plataanbomen buiten het toeristengetto en Alejandro liet Clara en mij zien wat Carlos met zijn tekening had willen zeggen, wat pas echt duidelijk werd wanneer je haar vergeleek met een gedetailleerde landkaart. Zijn tekening liet een berg zien, een dal, een ingang en een waterval in een hol dat op een grot leek. Er waren enkele plaatsnamen met gemarkeerde wegen. Bij de waterval had Carlos met zijn keurige handschrift geschreven:

'Vader heeft een oude bijbel en een offervat in een kleine druip-steengrot verstopt, die hij gebruikte wanneer wij als jongens trouw moesten zweren aan onze familie en aan Cuba. Als de tas niet is gevonden, zou hij daar verstopt moeten liggen. Kijk naar het teken van de goden. Ik kan me niet meer herinneren wat.'

Niemand kon ontcijferen wat hij precies bedoelde, maar Alejandro en Clara wisten dat er in het bergachtige en tamelijk ontoegankelijke gebied heel wat druipsteengrotten waren. Sommige waren open voor toeristen, maar vele waren gesloten vanwege het gevaar voor instortingen of omdat ze gewoon te klein waren om op de kaart te zetten. Enkele van de echt interessante waren alleen open voor onderzoekers. Men was ervan overtuigd dat er meer bestonden die nog niet ontdekt waren, omdat de vegetatie dicht was en toegangswegen niet bestonden of weg geërodeerd waren. Alejandro en ik waren allebei van mening dat het ongelooflijk veel jaren geleden was dat Carlos er was geweest en dat het daarom misschien hopeloos was, maar daar wilde Clara niets van weten. Ze was in een opperbest humeur.

Alejandro kwam uit dit gebied. Ik had verwacht, toen ik hem in de nachtelijke duisternis zag, dat hij ergens eind twintig was, maar hij was eerder rond de veertig, hoewel hij zich kleedde als een tiener. Ik hield niet van de natuurlijke intimiteit die tussen hem en Clara leek te bestaan. Clara legde op vanzelfsprekende wijze een arm op zijn rug, terwijl hij de kaart verklaarde, die hij op het zadel van de motorfiets naast de tekening had gelegd.

'We zijn een kleine twintig kilometer van de oude plantage en het hoofdgebouw verwijderd', zei hij met rokerige stem. 'Het gebouw is jaren geleden afgebrand en er is geen spoor van terug te vinden. Er zijn nog steeds een paar boertjes en wat grond van de staat, maar het gaat vandaag de dag vooral om het toerisme. We staan aan de rand van Valle de los Ingenios, die jouw grootvader bij zijn oude naam, Luís, noemt. Er zijn meerdere watervallen en ravijnen. Ik sluit de grootste uit. Die is open voor toeristen en als die het was, zou de tas allang zijn ontdekt. Er is een plek waar we als kind speelden, ook al mochten we dat niet. De volwassenen zeiden dat er geesten en spoken waren. Hij is niet toegankelijk en bovendien gevaarlijk met een diep ravijn en onderin is een kleine waterval. Er komt niemand, want hier wonen geen kinderen meer. Ze zijn allemaal met hun ouders naar de steden getrokken. Er zijn alleen nog maar oude mensen en dronkaards over. Het is een stukje de bergen in. Met een paard ligt het op rijafstand van het huis van je grootvader. Dat moet hem zijn. Anders weet ik het niet …'

Hij keek op, stak een nieuwe sigaret op, inhaleerde diep en zei: 'We kunnen er op de motor dichtbij in de buurt komen, maar de laatste kilometers moeten we te voet of op een paard afleggen. Verder gaan de wegen niet. Je kunt zien dat er ooit een mijnenweg of een weg voor het vee of de paarden is geweest, maar hij is verdwenen. Weggevaagd door het weer. We kunnen met een paard een stukje het ravijn in rijden, maar de rest van de weg moeten we lopen of liever gezegd klauteren. Het is heel zwaar om weer omhoog te komen.'

Clara draaide zich met een grote glimlach om en vroeg: 'Kun je paardrijden, John?'

'Nee.'

'We zoeken een aardig paard voor je uit.'

'Ik kan niet paardrijden.'

'Een oud, aardig dier dat netjes en rustig met zijn Deen zal lopen.'

Zo ging het. Ze was duidelijk een vrouw die gewend was haar zin te krijgen. Ik vond het niet leuk, maar ik had geen keuze, tenzij ik er als de een of andere trouwe dienaar uit een andere tijd naast wilde lopen. Ik was nog steeds zenuwachtig. Niet eens de heerlijke gedachten aan de nacht met Clara konden het opkomende gevoel dat er iets niet helemaal in de haak was, laten verdwijnen. Het was niet helemaal hetzelfde gevoel als toen ik door Dylan werd getraind, maar het leek erop. Ik liet hen discussiëren en praten, en ik ging met een fles water op een steen zitten en probeerde er niet al te veel aan te denken waar ik in verwikkeld was geraakt. Dat hielp niet echt. Clara liep terug naar de receptie om te bellen. Ze liet haar hand over mijn haar en mijn kalende plek glijden, toen ze langs me liep. Ze kwam weer terug en vlak daarna vertrokken we.

Ik zat weer achter op de zelfgebouwde machine van Joaquin en volgde hem in de bochten achter Alejandro en Clara, die voor ons reden. Ik vond de manier waarop ze hem heel natuurlijk vastpakte en haar borsten tegen zijn rug drukte niet leuk. De andere jongen, wiens naam ik niet goed had verstaan, bleef achter met zijn in elkaar gefrutselde machine. Ik ging ervan uit dat hij misschien Ramon ging ophalen uit Trinidad.

Er was geen verkeer op de weggetjes. We kwamen een paar mannen op de ruggen van paarden tegen met hun bruingebrande, gerimpelde huid in de schaduw van lichte rieten hoeden. Ze reden aan de rand van het suikerriet. Boven ons zweefden gieren, die ik altijd al onheilspellende vogels had gevonden. Op een akker ploegde een man met een ossenspan.

Hij draaide zich om toen hij de motoren hoorde en zwaaide naar ons. We reden de bergen in, wat omlaag, weer wat omhoog en bleven stilstaan bij een ingestort, oud gebouw zonder dak, waar een man met vier opgezadelde paarden stond. Ik weet niet hoe ze hem hadden gevonden, maar het was me duidelijk geworden dat er in Cuba bijna altijd een weg was, als er een wil was.

Clara zei: 'Is het goed dat jij hier blijft wachten, Joaquin? We konden alleen maar deze vier paarden krijgen.'

'Natuurlijk, Clarita. Ik pas op de machines. En de laarzen en jassen.'

Alejandro legde zijn leren jas neer, trok zijn zwarte motorlaarzen uit en haalde een paar afgetrapte, lage laarzen uit de tas die aan de zijkant van zijn motor hing. Ze leken op van die laarzen die soldaten dragen wanneer ze naar oorlogen moeten in warme landen. Er was ook een versleten canvas tas die hij over zijn schouder hing, zodat die gemakkelijk op zijn heup rustte. Clara pakte een broodje dat ze in dun papier had gewikkeld en een fles water uit de tas die aan de andere kant van de motor van Alejandro hing en gaf die aan Joaquin.

'Het duurt vast meer dan een paar uur', zei ze. 'We moeten gewoon weer omhoog, voordat het donker wordt.'

'Zoiets duurt zolang het duurt', zei hij en hij ging stoïcijns en geduldig op het geschroeide gras in de schaduw van het oude, verlaten huis zitten, zoals alleen iemand kan doen die is opgegroeid in een land waar het normaal is om voor het een of ander in een langzame rij te staan wachten. Ik beloofde mezelf dat ik op een zaterdag in het toeristenseizoen nooit meer ongeduldig rond lunchtijd in de plaatselijke supermarkt in Ringkøbing zou staan. Alejandro begon de man met het paard uit te leggen waar we graag naartoe wilden en hij knikte alsof hij precies wist waar Alejandro het over had. Hij leek op een echte cowboy. Alleen de pistoolholster ontbrak. Langs zijn versleten zadel hing een lange machete en een inklapbare schep, die soldaten en padvinders over de hele wereld gebruiken.

'Ik ben er weleens geweest, maar dat is heel wat jaren geleden. Ik heb er een kleine Amerikaanse chica naartoe gebracht. Ze wilde revolutionair spelen. Dat vergeet ze nooit weer', zei hij en hij spuugde over het paard dat het dichtst bij hem stond.

Ik draaide me om naar Clara en zei: 'Ik kan niet paardrijden. Ik heb als kind niet eens op een pony gereden. Ik kan hier wachten. Ik kan niet op een paard zitten. Zie ik er misschien uit als John Wayne?'

'John, zeg eens gedag tegen Ernesto. Ernesto. Dit is John. John spreekt onze taal zoals je hoort, maar de stakker kan niet op een paard zitten.'

De handdruk van Ernesto was stevig en zijn hand voelde aan als schuurpapier. Hij hield de vier teugels in zijn linkerhand. Een van de paarden schraapte in het stof. Ze zagen er behoorlijk groot uit. De leeftijd van hun eigenaar was totaal niet te duiden. Zijn gezicht was zeer donker na de vele jaren in de zon. Hij had een oude panamahoed op en droeg een grove leren broek met een gestreept overhemd. Hij kon wel een scheerbeurt gebruiken. Zijn stem klonk hees, alsof hij leefde op tabak en rum: 'Jij rijdt vlak achter mij. Je moet niets doen. Blijf met je handen van de teugels af, dan regelt zij de rest. Leun achterover als je dat kunt wanneer we omlaaggaan, en voorover wanneer we omhooggaan. Het is een goede en rustige meid. Zij doet het wel voor je. Ik gebruik haar voor de toeristen. Ze is zo veilig als een berggeit.'

'Ik weet niet eens hoe ik op dat dier kom', zei ik moedeloos, maar ik had eigenlijk geen zin om alleen achter te blijven. Ik had niet het geduld en het fatalistische inschikkelijke met de spelingen van het lot dat Joaquin bezat.

'Geef hem dertig peso's en laten we gaan', zei Clara met een autoriteit die ze zichzelf volgens mij had aangeleerd of van nature bezat toen ze chef de clinique was.

Het was al met al niet zo moeilijk. Ernesto liet me zien hoe ik mijn linkervoet in de stijgbeugel moest zetten, toen gaf hij een duw tegen mijn kont en ik zat voor het eerst van mijn leven op de rug van een paard en bekeek de wereld vanuit een geheel nieuw perspectief. Het was een goede, oude meid die zich rustig voortbewoog. Ernesto reed voorop en hield de teugels van mijn paard vast. Achter mij reed Clara, terwijl Alejandro ons kleine bereden konvooi afsloot. Het waren van die zadels met voorop een knop, die je kon vasthouden wanneer je voorover of achterover probeerde te leunen. Het paard wiebelde een beetje of ik wist gewoon niet hoe ik de onbekende bewegingen moest opvatten. We liepen omhoog en naar beneden, maar vooral naar beneden, nadat we het smalle veldpad hadden verlaten en over een paadje reden dat ons het oerwoud in leidde dat zich zo dicht om ons heen sloot dat de zon verdween. Ik weet niet hoe Ernesto het kleine gat in het groen precies had gevonden, dat ons naar een smal, modderig paadje bracht dat loodrecht naar beneden leek te gaan. De vegetatie bestond uit grote varenachtige planten, palmbomen en allerlei dichte begroeiiingen. Er waren geen dierengeluiden te horen, maar ergens in al dat vochtig druppende groen klotste water. De temperatuur steeg merkbaar samen met de vochtigheidsgraad en ik begon al snel te zweten.

De zon kwam met tussenpozen tevoorschijn, wanneer we even uit het bos kwamen om er weer in te rijden, daarna steeds verder naar beneden. Mijn hart ging af en toe flink tekeer, wanneer ik opzij kon kijken en veel te veel meters omlaag langs een steile bergwand kon zien, maar wanneer ik me voorzichtig half omdraaide, zag ik het gelukkige gezicht van Clara en daar werd ik wat rustiger van. Ik weet niet waarom ze zo vrolijk was, want het begon op een bepaalde plek al snel pijn te doen, maar ik gaf me over en legde me erbij neer dat ik mijn lot moest overlaten aan een aardig Cubaans paard. Ze leek ook stevig op haar benen te staan en ik gaf uitdrukking aan mijn bezorgde tevredenheid door haar op haar hals te kloppen. Dat maakte ook geen indruk op haar.

We hadden iets meer dan een half uur gereden, toen we stil bleven staan bij een klein plateau. De anderen stegen af en Ernesto hielp mij van mijn paard. Het was fijn om even de benen te strekken. Hij maakte de machete los en gaf hem aan Alejandro, die zweette onder zijn rode bandana. Ik kreeg de schep. Clara kreeg een opgerold touw, dat ze over haar schouder gooide. Ernesto hield de teugels in zijn linkerhand, maar het lukte hem toch om een sigaret op te steken. Alejandro stak er ook een op. Het was erg heet en op een vreemde manier rustig in al het groen. Ik kon nog steeds ergens water horen stromen, maar je kon slechts een paar meter vooruitkijken. Het was een vreemde plek, waar je het gevoel had dat het water zowel omhoog- als omlaagstroomde. Mijn schoenen voelden warm aan en ik voelde zweet vanonder mijn oksels lopen. Ik zat te denken dat als de manuscripten hier ergens in de buurt waren in de vochtige warmte, ze allang vermolmd zouden zijn, tenzij ze goed waren ingepakt. Maar daar hadden mensen in de tropen uiteraard verstand van en daar hadden ze natuurlijk rekening mee gehouden. Had ik niet zelf honderd jaar oude boeken en manuscripten in het museum bekeken en de nagelaten geschreven stukken van Papa Hemingway bestudeerd? Ik hoopte alleen dat deze waanzin resultaat zou opleveren. Het zou te ondraaglijk zijn als de eerste werken van de meester zouden zijn veranderd in Cubaanse compost.

'Vamonos', zei Clara, maar Alejandro nam het voortouw, Clara liep achter hem en ik had het genoegen om de laatste man te zijn.

Het werd een lange wandeling naar beneden, waarbij ik – behalve dat ik me moest concentreren om op de been te blijven – er vaak aan zat te denken dat we ook weer omhoog moesten. Clara en ik kwamen niet over als de beste bergbeklimmers of ravijnwandelaars, als er iets is wat zo heet, terwijl Alejandro het tot mijn grote verrassing deed voorkomen alsof hij dagelijks over smalle oerwoudpaden in de bergen liep. Het ging behoorlijk snel. Toch leek het alsof we niet opschoten, omdat alles op elkaar leek. Het was groen, het was vochtig, het pad was smal en vaak moesten we wachten, terwijl Alejandro lange groene uitwassen weghakte, zodat we verder konden komen. Ik probeerde niet aan slangen en giftige spinnen te denken, maar Clara kon mijn gedachten lezen en zei, toen we op de kleine, pezige Alejandro stonden te wachten, die een bijzonder weerbarstige plant in stukjes aan het hakken was: 'Doe maar rustig. Er zijn geen gevaarlijke dieren in Cuba. Er zijn alleen gevaarlijke mensen.'

'En slangen? Ik haat slangen.'

'We hebben geen giftige slangen in Cuba', zei ze en ze kneep vluchtig in mijn hand. Er zat een rand met zweet langs haar dikke haar en haar lippen, die ik graag wilde kussen. Ik zou er veel voor overhebben om ons op dit moment terug te kunnen toveren in het bed, wat ik geheel natuurlijk mi casa – mijn huis – was gaan noemen.

'Ik denk dat we er bijna zijn, kameraden', zei Alejandro. Hij was goed in vorm, maar je kon de sigaretten in zijn ademhaling horen. Door zijn stem hoorden we duidelijk het geluid van een waterval. Het was geen bruisend geluid, maar een constant klotsende, regelmatige melodie van vallend water.

Hij had de vegetatie onder controle en deed een paar stappen vooruit, maar stond plotseling stil en verloor zijn evenwicht. Ik sprong naar voren, kon zijn zweterige T-shirt pakken en trok hem terug. Ik liep voorzichtig naar voren. Het zou een flinke val zijn geweest. Hij had gemakkelijk een arm of een been kunnen breken. Het pad was weggespoeld en er was een vrije val van zo'n drie à vier meter. We konden zien dat het pad doorliep na het plateau, dat was gevormd door een grote boom, waarvan de knoestige wortels uit de steile helling staken. Het leek erop alsof het vóór ons een paar meter geleidelijk naar beneden ging naar iets wat leek op een klein dal, waar het geluid van water heel duidelijk te horen was. Het leek alsof hier jarenlang geen mensen hadden gelopen.

Clara gaf het touw aan Alejandro, die een stevige boom vond om een van de uiteinden aan vast te binden, voordat hij de rest van het touw over de rand gooide. Hij trok er hard aan en knikte naar Clara, die het touw vastpakte en houvast vond, voordat ze abseilde, terwijl Alejandro het touw strak hield. Het zag er wat onhandig uit, maar het werkte en ze kwam heelhuids beneden. Ze blies in haar handpalmen.

'Ga eens opzij', zei ik en ik gooide de schep omlaag, voordat ik zelf over de rand kroop en naar beneden gleed. Alejandro lachte naar me. Het zag er vast ook onhandig uit en ik blies achteraf ook in mijn handpalmen, maar ik was wel beneden met aarde op mijn shirt. Ik vroeg me vooral af hoe ik weer omhoog moest komen. Alejandro smeet de machete naar beneden, voordat hij abseilde alsof hij nooit anders had gedaan.

'Alejandro heeft vijf jaar in het leger gezeten. Je weet wel, in een eenheid zoals the US Marines', zei Clara.

'Dat verklaart een boel. Dan kan hij ons hopelijk ook weer naar boven krijgen?'

Het leek een flink eind naar boven te zijn, wanneer je beneden stond en omhoogkeek. Er staken wortels en stenen uit de loodrechte helling, die een mengelmoes van aarde en rotsen was, maar ik had geen zin om erlangs naar boven te klimmen. Ik wist niet zeker of ik dat durfde of er de kracht voor had. Alejandro had een fles water meegenomen in zijn tas, waar we om de beurt uit dronken. Het was overbodig om te zeggen dat we er niet te veel van moesten drinken. Het zweet gutste van me af. Hij haalde een mes uit zijn zak en drukte op een knop, zodat het blad tevoorschijn sprong. Hij sneed het touw door, zodat er voldoende op de grond bleef liggen en het resterende rolde hij snel op en gooide het over zijn andere schouder dan waar de tas aan hing.

Alejandro pakte de machete, raapte de schep op en gaf die aan mij, voordat hij verder liep. Clara en ik liepen achter hem aan. We liepen door het vochtige halfdonker. Ik voelde hoe mijn T-shirt onaangenaam aan mijn rug plakte. Er zat ook een grote, natte plek op Clara's rug, terwijl Alejandro de hitte beter leek te kunnen verdragen. Hij was een stoere vent die leek te genieten van de ontberingen, terwijl ik geïrriteerd raakte en over mijn hele lichaam voelde het aan alsof het jeukte en kriebelde. Het kwam ook door de stank. Die was zwaar en vol bederf, alsof de wereld om mij heen vermolmde. Ik hoorde een vogel krijsen en iets wat klapwiekte, maar de anderen besteedden er geen aandacht aan.

We liepen verder, maar niet heel ver, toen boog het bijna onbegaanbare paadje af naar rechts en stonden we weer bij een rand, maar deze was nog geen twee meter breed en helde mooi naar beneden naar een open plek, die werd gedomineerd door gladde rotsen. Er waren twee watervallen. De grootste ervan lag achteraan. Het water was ruisend en helder, en zorgde ervoor dat alles beter en frisser rook. Het was mooi en vredig. Het was halfdonker zoals in een kerk, want de bomen welfden zich boven ons hoofd en lieten slechts weinig licht doordringen. Alejandro gaf Clara een teken, die zijwaarts en voorzichtig van de helling liep. Alejandro hield zolang hij kon haar hand vast en het laatste stukje sprong ze. Alejandro deed hetzelfde met mij en kwam er zelf moeiteloos achteraan. Het was heerlijk bij de watervallen. Alejandro ging op zijn hurken zitten, nam wat water in zijn holle hand en dronk ervan.

'Het is heel fris, drink maar', zei hij. 'Ik kan me deze plek goed herinneren, hoewel het jaren geleden is dat ik hier ben geweest.'

Het water smaakte heerlijk, koud en fris, alsof het ergens uit de aarde kwam. Ik liep naar de grootste waterval en zag dat het water uit de rots kwam, waar het uit stroomde. Het water had de harde stenen gladgeslepen. Het leek op de oorsprong van een bron en zo smaakte het ook.

'Dan ben jij misschien deze vergeten?' zei Clara en ze hield een lege fles rum omhoog, die aan de buitenkant groen was van de schimmel. Ze hield hem met haar vingertoppen vast.

'Ik was toen ongeveer twaalf jaar', zei Alejandro.

'Er is ook nog wat anders. Dat pak ik niet zomaar op. Daar was je toen vast ook niet oud genoeg voor.' Ze liet de fles vallen, die een stukje rolde en stil bleef liggen, en ze wees met haar schoen. Het was een gebruikt condoom. Dat zag er ook uit alsof het hier een hele tijd had gelegen, maar ik weet niet wat in de tropen lang is. Ze ging op haar hurken zitten en waste haar handen in het stroompje water.

'Ik vind wel dat er tekenen zijn die erop wijzen dat hier andere mensen vóór ons zijn geweest', zei Alejandro met zijn scheve glimlach. 'Maar dat is langgeleden. Jaren geleden.'

'Dat is allemaal leuk en aardig,' zei ik, 'maar wat doen we? Dit is hopeloos. Waar zoeken we in hemelsnaam naar?' De plek zag er allesbehalve fris uit. Het was net alsof de rotsen zich aan me opdrongen en ik had licht nodig. De hele plek was groter dan het er op het eerste gezicht uitzag.

'Zoals mijn vader het had kunnen zeggen, John. We wachten op een teken van God.'

'Dan wordt het voor die tijd donker en ik heb geen zin om hier in het donker te zijn.'

'Rustig nou maar. We zullen wel op je passen', zei ze en ze liep verder tussen de rotsen door. Alejandro haalde zijn schouders op, alsof hij wilde zeggen dat ik me zelf met Clara had ingelaten en dat ik dan ook zelf voor de consequenties moest instaan.

Ik zat te denken dat het er vijftig jaar geleden bijna net zo had uitgezien als nu, misschien wat meer open, omdat de toegangswegen gemakkelijker waren geweest en dat in elk geval de man op de finca met zijn zonen er was geweest. Het water stroomde constant over de rotsen en zorgde ervoor dat het oerwoud de plek niet overnam. Er groeide slechts een dunne laag bijna doorzichtig groen mos. Daarom had de eigenaar van die mooie finca, don Marino, er waarschijnlijk door de jaren heen voor gekozen om deze plek het toneel te laten zijn van een ritueel, waarbij zijn zonen bij God en vaderland zworen dat ze de tradities in ere zouden houden. De plek rook naar geheimen en geestelijke kracht. Zelfs ik als halve atheïst voelde dat die aanwezig waren. Het was waarschijnlijk het beste je bij het rationele te houden om te proberen te zien of je het kunstmatige kunt onthullen tussen al hetgeen waar de Schepper verder de verantwoording voor heeft genomen. Ik kon er net zo goed aan meedoen. Ik wilde alles doen om daar zo snel mogelijk weg te komen. Het onbehaaglijke gevoel dat ik had, overschaduwde bijna mijn droom om degene te zijn die de verloren manuscripten van Hemingway zou vinden, maar als drijfkracht om tot daden over te gaan, was die droom nog steeds erg sterk.

Ik dacht dat het hol, de grot of gewoon de plek waar de geheime ceremonieën hadden plaatsgevonden, nogal gemakkelijk toegankelijk moet zijn geweest. Ik dacht dat het iets voodoo-achtigs kon zijn geweest. Dat waren niet de goede woorden. De Cubanen hadden een bijzondere religie, maar ik kon me de naam ervan niet herinneren.

Ik liep achter Clara aan om de rots met de waterval heen en verder een op een grot lijkende kloof in, die bij een met mos begroeide rots doodliep.

'Clara. Hoe zit dat met het geloof van de Cubanen? Ze zijn toch katholiek en verder nog iets anders?'

Ze draaide zich om. Er lag een schaduw over haar gezicht. Ze had haar armen op haar karakteristieke manier onder haar borsten over elkaar gevouwen.

'Jazeker. Waarom vraag je dat?'

'Zoekt en gij zult vinden, zegt de Heer.'

'Erg grappig', zei ze, maar ik kreeg een glimlach en dat was altijd een flauwe opmerking waard.

'Hoe zit dat met dat geloof?'

'Dat wordt Santería of Yoruba genoemd. Ik weet er niet zo veel van af. De slaven hebben het meegenomen en het is puur bijgeloof.'

'Klopt niet, Clarita.' Alejandro stond vlak achter mij. 'Er zijn waarschijnlijk meer mensen die La Regla de Ocha volgen dan dat er katholieken zijn. Het is een sterk medicijn. Bovendien kun je in beide dingen geloven, zowel een goede christen zijn en daarnaast bijvoorbeeld in Changó geloven.'

'Wie is Changó?'

'Dat is de god van het vuur en de oorlog. Hij leeft in de hoogste palmbomen, hij heeft de bliksem onder controle en zijn kleur is rood. Hij is goed bevriend met Santa Bárbara en zijn zoon heet Aggayú Solá en hij beschermt de reizigers samen met de heilige Sint-Christoffel', zei Alejandro zo overtuigd dat ik zeker wist dat hij over zijn eigen god sprak.

'Dat is nogal wat, Alejandro', zei Clara plagerig, maar hij vond duidelijk niet dat je hier grapjes over kon maken.

'Zei je nou dat jouw Changó de bliksem onder controle heeft?' vroeg ik en ze konden aan mijn stem horen dat ik plotseling gespannen klonk.

'Ja. Waarom, vriend?'

'Kijk eens omhoog', zei ik. 'Wat zit daarboven naast de plek waar het water uit de rots komt? Dat bijna helemaal tot hier komt?'

Aanvankelijk konden ze het niet zien, maar het teken was duidelijk, wanneer je het door het groene mos heen kon zien. Het was een kuiltje in de donkere rots. Dat was niet natuurlijk, maar het was duidelijk zichtbaar dat het een zigzaggende bliksem voorstelde. Het leek alsof iemand een gleuf van een halve centimeter diep in de rots had gehakt. Ik had omhooggekeken op het moment dat Alejandro de bliksem als een religieus symbool had genoemd en ik had meteen het teken in de rots gezien. Het was duidelijk als je wist dat het er was, maar moeilijk te zien als je het niet wist. En niet wist dat er iets te zien was.

Alejandro pakte een zaklamp uit zijn schoudertas en scheen op de rotswand. Hij liep ernaartoe en schraapte in het mos. Er zaten kuiltjes in die met regelmatige tussenruimten leken te zijn gemaakt. Hij schraapte ook aan de onderkant van het bliksemteken. Je kon duidelijk zien dat er in de rots was gehakt. Het zag er ook naar uit dat er zeer vage restanten waren van een roodachtige kleur helemaal achter in de scheur. Alejandro was net zo geïnteresseerd in de regelmatige tussenruimten, die verder liepen tot de rand van de rots.

'Ik denk dat hier ooit een touwladder is geweest', zei Alejandro. Ik kon de zware ademhaling van Clara boven het ruisende water uit horen. 'Ik denk dat de kuiltjes bevestigingspunten van de ladder zijn geweest, die is weggerot of bewust is weggehaald. Help me eens.'

Ik hield mijn handen zo dat hij zijn voet erin kon zetten en probeerde hem zo goed mogelijk omhoog te tillen, terwijl Clara mijn lichaam ondersteunde. Alejandro stak zijn hand uit en voelde met zijn rechterhand in een kuiltje. Hij controleerde of het zijn gewicht kon houden en zette het puntje van zijn teen in een scheur, voordat hij zijn voet verplaatste en het puntje van zijn teen in een ander kuiltje kon zetten, terwijl hij tegelijkertijd grip kreeg met zijn linkerhand. Zo klauterde hij zo'n twee à drie meter langs de bijna loodrechte rotswand omhoog, ertegenaan geklemd alsof hij de hele weg naar boven ermee vrijde. Hij verdween boven over de rand en was weg.

We keken elkaar aan. Mijn hart bonsde. Ik pakte de hand van Clara vast, die warm en vochtig was, en ik liet hem snel weer los. Eerst kwam het hoofd van Alejandro eindelijk weer tevoorschijn bij de rand, voordat hij in zijn volle lengte ging staan. Zijn hele hoofd straalde. Hij trok het touw van zijn schouder en maakte er grote knopen in, voordat hij het naar ons gooide.

'We hebben de machete en de schep nodig. Er is hier een ingang, maar die is helemaal dichtgegroeid. Boven de ingang is een kruis van steen gemaakt. Ik weet zeker dat we de geheime plek van je grootvader hebben gevonden, Clarita. Dus kom van je gat en klim naar boven.'

21

Zelfs wanneer je wist dat er een ingang was, was hij moeilijk te zien. Hij zou bijna onmogelijk te ontdekken zijn als je daar toevallig terecht was gekomen en wie zou dat ook doen? Zelfs Alejandro had het niet eens geprobeerd om langs de loodrechte rotswand omhoog te klauteren toen hij er als kind was geweest, en het bliksemteken in de rots was hem nooit opgevallen. Er is nog zo veel verborgen voor het verder zo nieuwsgierige oog van de mens en er wordt zo veel puur toevallig ontdekt, zoals wanneer een paar kinderen in het zuiden van Spanje verdwalen in een hol en dan enorme druipsteengrotten ontdekken. Ik kan me herinneren hoe gefascineerd mijn ouders waren geweest, toen in China de duizenden terracottakrijgers in groeven in de aarde werden gevonden. Dat gebeurde door boeren die een bron wilden boren. De krijgers van de keizer hadden daar meer dan tweeduizend jaar gelegen en pas in 1974 werden ze per toeval ontdekt.

Dit was een kleine plek, maar zelfs verborgen gebleven voor mensen die er eerder bij in de buurt waren geweest. Alejandro en zijn vriend waren alleen geïnteresseerd geweest in de waterval en om er weer vandaan te komen. Op de terugweg moest je zeer lang klauteren, vertelde hij, wat me niet minder gespannen en zenuwachtig maakte.

We hesen de schep omhoog, voordat zowel Clara als ik met moeite op de uitstekende rots kroop door de knopen te gebruiken en kuiltjes in de rotswand te vinden. Het hielp dat Alejandro een weg had gemaakt. Zijn laarzen hadden afdrukken achtergelaten in het mos, zodat de scheuren gemakkelijker te vinden waren. Ik kwam boven en stond even stil om op adem te komen, terwijl ik naar het water onder me keek dat over de rotsen stroomde, voordat het in het dichtbegroeide groene oerwoud verdween en verder de berg af stroomde. De uitstekende rots ging het oerwoud in dat hem opvrat, zoals het oerwoud alles leek op te vreten.

Op de uitstekende rots had Alejandro de begroeiing weggekapt, die anders alles zou hebben bedekt. Als je goed keek, kon je met een beetje goede wil vaag zien dat er een door mensen gemaakt pad was geweest, maar verder werd je door het oerwoud omsloten. Het was er erg warm en vochtig, en insecten van verschillende formaten zwermden om ons heen. Ik moest mijn armen gebruiken om takken en bijzonder kleverige bladeren uit mijn gezicht te houden. Ik liep achter Clara. Ze draaide zich naar me om en zwaaide ongeduldig. Haar ogen glommen net zoals haar huid.

Alejandro had een weg van een kleine tien meter gekapt tot waar een nieuwe rots omhoogging. Die was niet kaal, maar dichtbegroeid. Het pad leek dood te lopen, maar Alejandro had gelijk. Hij had de machete gebruikt om zo veel vegetatie weg te halen dat hij de rots had bereikt, waar je de contouren van een inham kon zien die een zware deur bleek te zijn. Die was een beetje in zijn scharnieren weggezakt. Hij was groen door het mos en zou geheel onzichtbaar zijn geweest als Alejandro de weg ernaartoe niet had vrijgemaakt. Het kruis erboven was duidelijk. Dat was van steen en stond in al het groen op een uitsteeksel. Het leek sprekend op de kruisen die je op elk kerkhof in bijna de hele wereld aantreft. Overduidelijk door een mens gemaakt, geplaatst door een mens boven de ingang van iets wat voor die mens betekenis had gehad.

'Geef me de schep', zei Alejandro, die net zo gespannen en opgewonden leek te zijn als Clara en ik.

Hij begon de begroeiing rond de deur weg te hakken. Die

ging niet open. Hij vond de plek waar de deur aan de rots grensde en hakte de hele rand hard en precies weg. Hij zette zijn schouder ertegenaan. De deur kraakte een beetje, maar hij bleef dicht. Hij pakte de schep en schraapte over de deur. Er zat een verroest slot op, waar je een grote, ouderwetse sleutel voor nodig leek te hebben. Alejandro hakte weer in het rond met zijn schep, liep toen iets verder weg, ging haaks op de deur staan en gaf een harde trap, alsof hij aan karate of kickboksen deed. De deur werd versplinterd in plaats van dat hij openging en Alejandro sloeg de restanten eraf met de schep. Het hout was zo vermolmd dat ik op dat moment verwachtte dat ook al zou de koffer met de verdwenen manuscripten van Hemingway achter de verrotte deur liggen, ze door het vocht in het niets zouden zijn opgegaan.

Met de schep schraapte Alejandro er de scherpe puntjes af, haalde de zaklamp uit zijn tas en wenkte ons, maar met een nieuwe handbeweging vroeg hij ons te blijven staan. Aan de binnenkant van de deur waren aarde en stukjes rots naar beneden gevallen. Alejandro gebruikte weer zijn schep en ik hoorde hoe zwaar hij ademhaalde, toen hij wat van de aarde wegschepte. Er was geen groot deel van het plafond naar beneden gevallen, maar toen hij klaar was, moesten we een paar meter op onze knieën kruipen voordat we rechtop konden staan. De lucht was heel anders dan buiten. Hij was veel koeler en droger. Alejandro scheen in het rond. We stonden in een hol van ongeveer twintig vierkante meter vol druipstenen. Het licht van de zaklamp speelde op lange stalactieten, maar we konden zonder problemen rechtop staan. Alejandro scheen in het rond en liep naar twee petroleumlampen, die op een stenen richel stonden die door de natuur was gevormd. Hij schudde ze en glimlachte. Hij pakte eerst het glas van de ene lamp af, daarna dat van de andere en stak de lontjes met zijn aansteker aan en na bijna vijftig jaar brandden de twee ouderwetse, maar effectieve lampen weer en ze wierpen hun sprookjesachtige schijnsel op het kleine, koele hol toen hij de glazen van de lampen terugzette. Een houten tafel in de hoek was ingestort. Iets wat op een religieuze kelk en een kandelaar leek lag op de harde grond. Naar alle verwachting had die op de tafel gestaan. Er lagen ook twee borden en een schaaltje. Ik ging ervan uit dat dat voorwerpen waren die voor de bijzondere rituelen werden gebruikt die de grootvader hield, of wat het dan ook maar was geweest. Er lag ook een oude bijbel, waarvan de bladzijden weg waren of onder de schimmelplekken zaten. In een hoek stond een bruine rechthoekige kist. Hij was een meter lang en bijna veertig centimeter hoog en zo'n dertig centimeter breed. Hij werd dichtgehouden door twee zware hengsels, die grijswit in het dansende licht schenen.

'Jouw grootvader was een erg slimme man, Clarita', zei Alejandro zachtjes, bijna fluisterend. Zo was de stemming, aandachtig op de grens van het religieuze. Toch klonk zijn stem helder en duidelijk.

Hij ging verder: 'Destijds is de kist gebruikt om de kostbaarste sigaren van de finca in te bewaren. Een humidor die de vochtigheid buiten houdt. Hij is gemaakt van het hardste hout ter wereld, dat helemaal uit Birma is gekomen. Dat verrot niet. Het wordt alleen maar harder en alleen maar sterker. Je grootvader heeft zulke kisten gebruikt voor het transport van zijn allerbeste sigaren. De sigaren die het meeste geld opleverden. Mijn respect. Hij wist wat hij deed.'

Hij zag er erg onder de indruk uit en mijn optimisme nam toe. Eigenlijk zouden we de kist niet open moeten maken, maar nieuwsgierigheid is een sterke menselijke drijfveer. Ik liep naar voren en pakte de hengsels beet. Ze zaten vast, maar niet heel erg en ze wipten open met een geluid dat heel luid klonk in het hol, waar ik de petroleum kon ruiken. De ene vlam flikkerde en wierp vreemde schaduwen op en neer op de stalactieten. De grootvader van Clara had de hengsels goed gesmeerd, zowel de voorste als de achterste, want ik kon het deksel gemakkelijk optillen en je kon slechts een klein piep-je horen toen de kist openging. Alejandro scheen over mijn schouder de kist in, die droog leek te zijn en waar geen dieren en insecten in hadden gezeten. Ik liet mijn hand eroverheen glijden. Teakhout, ik ging ervan uit dat dat het was, het voelde niet aan als hout, maar bijna als glad metaal. In de lichtkegel lag een bruine tas, die met vier brede leren riemen was dicht-gemaakt die door donkere metalen gespen waren gehaald. Hij leek op een ouderwetse tas van een dokter of verloskundige, van mooi en goed leer, dat droog en gebarsten aanvoelde maar nog heel was. Er zat geen roest op de gespen.

Ik wilde de tas optillen, maar Clara pakte mijn arm vast en zei: 'Doe maar niet, kijk liever wat erin zit. Kijk of het klopt. Jij kent de woorden en het leven van de schrijver.'

Ik trok rustig de riemen een voor een door de gespen en opende langzaam de tas. Mijn hart bonsde zo hard dat ik mijn hartslag in beide oren kon horen en ik hoorde de zware ademhaling van Clara. Alejandro hield de zaklamp met een rustige hand vast. In de tas lagen papieren netjes in mappen gehecht. Er lag ook een aantal notitieblokken met een grijze omslag. Om een ervan zat een elastiekje, dat een potlood op zijn plaats hield. Ik stelde me Hemingway voor in een café in Parijs of in zijn eerste koude schrijfappartement, waar hij een potlood pakte en het met zijn zakmes sleep. Hij had er zo mooi over geschreven in *Een feest zonder einde: herinneringen aan Parijs*. Ik tilde de papieren voorzichtig op. Er lag ook iets wat leek op ouderwetse doorslagkopieën van pagina's die op een typmachine waren geschreven. Ik twijfelde niet, maar toch pakte ik voorzichtig een map eruit en opende die. Op de eerste pagina stond met een typmachine geschreven: *The Boy in the Wood a novel by Ernest Hemingway.* Het waren zo'n veertig pagina's. Ik wilde dolgraag lezen wat zijn eerste poging moet zijn geweest om een roman te schrijven. Pas vier jaar later lukte hem dat met *En de zon gaat op*, maar ik legde het manuscript voorzichtig terug. Ik kon het niet laten en pakte nog een manuscript. Het was de novelle *Up in Michigan*, waarvan hij een kopie in zijn appartement in Rue du Cardinal Lemoine in Parijs had liggen. Een van de weinige die overleefde, dacht iedereen, maar nu wist ik beter. Er waren ook verscheidene pagina's met gedichten. Hemingway schreef in zijn jonge jaren heel wat lyriek en debuteerde met de verzameling *Three Stories and Ten Poems*. Veel van zijn lyriek heeft het niet overleefd. Hier was opnieuw iets van de eerste. Het was een totaal unieke blik in de werkplaats van de schrijver toen hij jong was.

Ik wist het zeker, maar toch pakte ik een van de notitieblokken en opende het. Het was zijn handschrift. Ik had het honderden keren in mijn onderzoeken naar de jonge schrijver, voordat hij Papa werd, in facsimile gezien. Dit was de eerste versie. Dit was de echte stof. Ik legde het notitieblok voorzichtig terug, deed de tas dicht en maakte de gespen vast. Ik voelde me echt heel vreemd, alsof ik moeite had met ademhalen. Het was nogal onwerkelijk. Ik ging ervan uit dat zowel de grootvader als zijn jonge echtgenote sommige van de manuscripten had vastgehouden, maar toch voelde ik dat ik het verleden bijna kon aanraken, al klonk dat veel te clichématig. Ik zag Hadley voor me in hun armoedige, kleine appartement in Parijs. Ze heeft rode wangen, die bij haar rode haar passen, want ze heeft het druk met het pakken van de laatste dingen, zodat ze kan vertrekken en de trein kan halen. Ze mist Ernest en is niet meer boos op hem na hun verschrikkelijke ruzie, maar ze verheugt zich erop om hem te zien en met hem te vrijen na het lange gemis. Ze krijgt een goed idee. Ze wil hem blij maken en pakt snel, maar nauwkeurig de manuscripten van haar geliefde in de bruine leren tas om hem te verrassen met zijn werk. Ze denkt aan alles. Het enige wat ze over het hoofd ziet, is de novelle die achter in een lade van de commode ligt, waar hij hem achter sokken en hemden had neergelegd, omdat hij zo teleurgesteld was geweest over het commentaar van Gertrude Stein. Ik kon hun appartement bijna proeven en ruiken, en haar stemming voelen, toen Clara mij uit mijn fantasieën rukte.

'Is het van hem?' vroeg ze, ook al wist ze vast dat dat een overbodige vraag was.

'Clarita, mijn schat. Het is van hem. Dit is de allereerste productie van de jonge Hemingway, die hij kwijtraakte toen hij nog maar drieëntwintig jaar was.'

'Doe hem maar dicht', zei Alejandro. 'We moeten nu ook teruggaan, als we nog bij de paarden willen komen voordat het donker wordt.'

Ik deed de hengsels van de teakhouten kist dicht, die aan elk uiteinde een handvat had, dat net zo hard aanvoelde als ijzer. De flikkerende petroleumlamp ging plotseling met een sissend geluid uit. Alejandro deed de andere uit. Hij gaf de zaklamp aan Clara en tilde de ene kant van de kist op, terwijl ik de andere kant pakte. Alejandro kroop er eerst uit terwijl ik de kist duwde en achteraan kwam Clara met de zaklamp, de schep en de machete.

Het was nog steeds mooi licht toen we uit het hol kwamen, maar het was een zware tocht vanaf de waterval. Eerst kroop Clara van het uitsteeksel, voordat Alejandro en ik de kist naar haar omlaag lieten zakken. Toen klauterde ik omlaag. Het zag er vast onhandig uit, maar ik kwam er wel. Alejandro kwam snel en elegant beneden, en we begonnen aan onze terugtocht. We lieten het touw met de knopen hangen. Alejandro liet de schep bij de waterval naast het condoom en de lege fles rum liggen. Op die manier droegen we bij aan de gebruikelijke verontreiniging van het milieu door de mens, voordat we allebei een kant optilden, de steile helling en het relatief korte stukje omhoog naar de neergestorte rots opklommen. Het touw hing er gelukkig nog steeds, maar zonder knopen. Alejandro keek mij en Clara aan, glimlachte breed en klom als een grote aap snel omhoog naar de rand. Hij trok het touw op en maakte er knopen in. Het was maar goed dat hij had nagedacht en het stuk lang genoeg had gelaten. Hij gooide het touw terug en ik maakte de sigarenkist, zoals ik hem inwendig noemde, stevig vast en Alejandro hees hem voorzichtig omhoog. Toch stootte hij tegen de rotsen en de aarde van de steile helling, maar dat maakte het harde hout niets uit. Ik duwde Clara zo goed en zo ver als ik kon omhoog, eerst tegen haar mooie achterwerk en later tegen haar voeten. Ik zag tegen mijn eigen klimtocht op en gemakkelijk werd het niet, maar Alejandro hielp door het touw strak te houden en mij mee omhoog te trekken. Toch was ik gênant buiten adem en ik vroeg of het in orde was om eerst even op adem te komen voordat we de lange tocht omhoog zouden maken naar cowboy Ernesto en zijn gezegende paard, dat ik plotseling enorm miste.

Het werd zwaar. Ik zwem veel en voor mijn leeftijd ben ik aardig in vorm, maar het stuk omhoog werd bijna mijn dood. Ik moest mijn evenwicht bewaren op het blubberige paadje en ook nog het ene handvat van de kist vasthouden. Ik vond ook dat het zonet niet zo omlaagging als dat het nu omhoogging. Het oerwoud dampte van het vocht en de insecten leken een bijzondere voorkeur te hebben voor het zweet rond mijn ogen en mijn mond en neus.

Alejandro nam het grootste deel van het werk op zich, trok en trok, maar toch zweette ik als een otter. We hadden onze waterflessen gevuld, die Clara samen met de machete en het touw droeg. Die moesten we van Alejandro meenemen. Ik weet niet hoe lang we moesten lopen. Ik weet alleen dat het eeuwen leek te duren. Ik was net als de anderen vreselijk vies en over mijn hele lichaam nat van het zweet. Clara werd steeds bleker onder haar anders zo bruine huidskleur en zelfs Alejandro kreeg groeven in zijn gezicht, dat vol strepen door zweet en aarde zat, en zijn ademhaling klonk steeds moeizamer. Ik was ook uitgeput, maar hield vol. We hadden de kist. We hadden de paarden. Clara was er, die niet klaagde. Er was de echo van de vele keren dat mijn vader me ervan had doordrongen dat echte jongens uit West-Jutland niet piepen, niet klagen en geen medelijden met zichzelf hebben, zodat anderen het kunnen zien. Gelukkig waren de anderen ook moe, dus we stopten steeds vaker om wat water te drinken, maar vooral om op adem te komen. En we kwamen boven.

We hoorden als eerste de paarden. We kregen meer kracht en liepen wat sneller. Clara haalde ons in en was er als eerste. Plotseling stond ze stil en haar schouders gingen hangen, toen ze haar ene hand voor haar mond hield. Alejandro en ik kwamen naast haar staan. We hielden nog steeds de kist tussen ons in. Voor ons stonden Hector en een jongere man in een oerwoudkleurig camouflage-uniform. De jonge man had een pistoolmitrailleur met een korte loop over zijn borst hangen en hield de teugels van de paarden vast. Ernesto lag half tegen de groene planten van de rotswand aan. Het bloed was een beetje uit een gat in zijn wang gevloeid, maar onder zijn nek lag de grote plas van het gat waar de kogel uit was gekomen. Zijn gezicht had een bijzonder verraste uitdrukking.

Hector hield een pistool in zijn hand. Hij droeg een groen uniform en een pet van hetzelfde model als waar ik Castro vaak mee had gezien. Hector glimlachte en zei: 'Clara, mijn schat. Ik heb je weleens knapper gezien.'

Hij deed een paar stappen naar voren, pakte haar arm stevig vast en slingerde haar bijna achter zich. Ze viel om, maar klom weer op haar knieën en stond weer rechtop. Ik liet de kist op de grond vallen. Alejandro bleef zijn kant vasthouden. Hij stond stokstijf. Ik dacht niet na. Ik reageerde gewoon en vloog Hector aan, die moeiteloos een stap opzij deed en met zijn vuist in mijn nek sloeg. Ik viel plat op de grond en de lucht werd uit me geslagen, dus ik lag als een gestrande walvis naar lucht te happen.

'*Maricón*', zei Hector. 'Je twee minnaars zijn zeker niet echt in staat om op je te passen, mijn lieve Clara?' Ik zag uit mijn ooghoeken hoe Alejandro naar me keek, ik keek naar hem en Clara wierp ons allebei een paar vluchtige blikken toe. Als het niet aan de ernst van de situatie en de pijn in mijn nek en alle andere plekken had gelegen, denk ik dat ik in lachen zou zijn uitgebarsten. Het was pure slapstick, maar niet echt van lange duur.

Hector hief zijn pistool en schoot Alejandro vanaf een meter afstand precies tussen zijn ogen. Het bloed spoot uit zijn achterhoofd en hij zakte op de bruine kist in elkaar. Het schot klonk niet echt luid. Al het groen vrat het geluid op. Clara krijste en ik beet zo hard op mijn lip dat ik bloed proefde.

'We hebben maar vier paarden en ik heb de spion nodig. Je moet het doen met één minnaar, mijn lieve Clara.'

Ik kon Clara horen snikken, maar toen krijste ze door haar tranen heen: 'Ooit was je een arts. Ooit was je een goede arts.

Nu ben je gewoon een moordenaar. Een verdomde, koelbloedige moordenaar. Ik haat je. Ik haat je.'

Zo zag ze er ook uit. Ik had nog nooit in mijn leven zo veel haat in de ogen van een mens gezien als in de blik die Clara haar man gaf, die wegkeek. Clara draaide verachtelijk haar hoofd om, ging naast Alejandro zitten en voelde naar zijn hartslag in zijn hals. Die was er natuurlijk niet. De helft van zijn achterhoofd was weg. Ze kreeg zijn bloed aan haar handen. Het was erg licht in al het groen. Ik was misselijk, maar toch lukte het me om op te staan. Clara legde voorzichtig het hoofd van Alejandro op de grond en sloot zijn ogen. Ze liep zonder een woord te zeggen naar Ernesto en voerde hetzelfde ritueel uit.

'Erg ontroerend, schat', zei Hector. 'Maar we hebben een beetje haast. Opstaan!'

'Wat gebeurt er met Ernesto en Alejandro?'

'Ja, wat doen we met hen?'

'Je kunt hen hier toch niet achterlaten?'

'Dat kan en wil ik zeker wel. Niemand zal hen missen. Een oude *vaquero* en een parasiet, die misbruik maakten van de revolutie. Laat het oerwoud hen maar krijgen. Opstaan, zei ik!'

Ik keek naar hem. Ik had moeite om de idealistische arts in de Hector van vandaag de dag te zien en misschien was het toch mogelijk. Zijn gezicht was zwaar, maar eigenlijk harmonisch met regelmatige gelaatstrekken en een rechte neus onder een mooi voorhoofd. Hij had smalle lippen en een glimlach die misschien sympathiek zou kunnen zijn, maar ik had alleen de versie gezien die hij gebruikte om zijn verachting mee uit te drukken. Hij was niet zo groot, maar goedgebouwd, hoewel je kon zien dat hij wat dik begon te worden. Ik hield niet van zijn ogen. Ze zaten wat te diep, ze waren meer zwart dan bruin en toonden bijna geen emoties. Het kostte me moeite om me voor te stellen dat die ogen en die mond ooit charmant waren geweest, maar dat moeten ze zijn geweest. Die mond had Clara gekust, met die ogen had hij liefkozend en verliefd naar haar lichaam en in haar ogen gekeken om zijn liefde te weerspiegelen.

Het werd wat gênant, maar zijn schildknaap zette me op mijn paard, mijn oude vriendin, die ik weer mijn leven in handen gaf. Ik probeerde niet naar Alejandro en Ernesto te kijken, maar het was moeilijk. Ik was er niet klaar voor of op voorbereid dat er zo snel en zo koel een einde kon worden gemaakt aan een mensenleven. Dat is de moderne mens vast nooit. We maken het alleen mee als we betrokken zijn bij een tragisch verkeersongeval en niet als een koelbloedige handeling.

Hector reed voorop, daarna kwam Clara, die mijn teugels vasthield, en daar was ik blij mee ondanks de verachtelijke glimlach van Hector, en achteraan kwam de zwijgende krijger, die de kist met de manuscripten aan de zijkant van zijn zadel had vastgebonden. Pas toen we het ravijn uit reden, realiseerde ik me dat Hector totaal niet verrast was geweest over de kist. Het was net alsof hij precies wist wat het doel van de expeditie was geweest. Ik besefte dat hij ons vast de hele tijd had geobserveerd en mij misschien ook in Havana in de gaten had gehouden. Hij had zo'n goede positie dat hij afluisterapparatuur in mijn hotelkamers had kunnen plaatsen. Hij had een kopie kunnen maken van de usb-stick die José Manuel mij had gegeven. Ik had het grootste respect voor het Cubaanse veiligheidsapparaat en ik wist zeker dat Hector daarvoor werkte. Hij kwam over als een cynische duivel, die bereid was om zijn eigen vrouw op te offeren. Ik zweette, maar kreeg het plotseling koud. Wat had hij over me gezegd?

'En ik heb de spion nodig.' Dat kon alleen ik zijn. Ik wist niet wat hij bedoelde, maar ik vreesde het ergste. Het leek alsof hij precies wist wat hij deed en dat hij de hele tijd een plan met mij had gehad.

Ik voelde een hoofdpijn opkomen, had een stijve nek en mijn meeste ledematen deden pijn en het hielp niet dat Hector een snel tempo aanhield in de invallende schemering. Ik klampte me aan de knop van het zadel vast en vertrouwde op mijn paard, dat nog steeds stevig op haar benen leek te staan zoals Ernesto had beloofd, moge zijn ziel in vrede rusten. Het was moeilijk te bevatten dat hij en de pezige en aardige Alejandro in koelen bloede waren vermoord. Misschien was hij een concurrent geweest ten opzichte van Clara, maar dat maakte eigenlijk niets uit. Het was merkwaardig, maar om het even. Heel mijn leven was merkwaardig geweest, sinds ik op het kerkhof van Key West was omgevallen.

Hector draaide zich dan ook om toen we over een vlakker stuk reden en ik probeerde niet recht in de afgrond aan mijn rechterkant te kijken. Aan mijn linkerkant verhief zich een rotswand, maar mijn gezegende merrie stond stevig op haar benen en ik probeerde haar te helpen door voorover te buigen wanneer we omhoogliepen en achterover wanneer we omlaagliepen. Dat maakte waarschijnlijk niet zo veel uit, maar het gaf me het gevoel dat ik er ook een beetje aan bijdroeg om haar door het moeilijke terrein te helpen. Ik had de puf niet om op Hector te reageren, die stevig in zijn zadel zat, toen hij zei: 'Je bent een goede hulp geweest, spion. Al vanaf het moment dat ik over de grootvader van Clara hoorde, ben ik naar deze kist op zoek geweest.'

'Ik heb jou er nooit iets over verteld. Ik wist er niets van af', zei Clara.

'Nee, schat. Maar toen je jong was en wij verliefd en idealistisch waren, vertelde je me over je grootvader en over je vader. Ik heb jarenlang mensen in de buurt van je vader gehad. Weet je dan echt niet dat we die klootzakken in Miami, die zich patriotten noemen, hebben geïnfiltreerd? Ze kunnen geen scheet laten zonder dat wij het ruiken.'

'Sinds wanneer ben je geen arts meer en ben je gaan werken voor spionnen en beulen? Kun je me dat vertellen?'

'Wie zegt dat ik ooit voor anderen heb gewerkt, kleine Clara? Ik dien de revolutie en dat heb ik altijd gedaan.'

'Ik haat je.'

'Nee, hoor.'

'Ik haat je omdat je me altijd hebt misbruikt.'

'Ik heb juist altijd van je gehouden, schat. Op een bepaalde manier doe ik dat nog steeds. Je bent afgedwaald, maar je kunt nog steeds de weg terugvinden als je dat zou willen.'

'Ik zou nog liever doodgaan.' Haar stem trilde. Dat kon komen door de bewegingen van haar paard of door emoties.

'Het risico is zeker aanwezig, schat. De revolutie geeft landverraders de doodstraf en jij bent een Cubaanse staatsburger, hoewel je in je hart een yankee bent. Ik weet niet hoe het zit met je maricón, die een buitenlandse staatsburger is. Misschien kunnen we hem niet doodschieten, maar hij kan de rest van zijn leven wegrotten in de gevangenis.'

Ik weet niet waarom hij me een homo bleef noemen, wanneer hij blijkbaar alles wist over Clara en onze nacht. Dat provoceerde me voldoende om hardop te zeggen, terwijl ik me aan mijn zadelknop vastklampte: 'Je kunt me niets maken.'

'Je bent een spion, maricón. Je hebt ook documenten gestolen die van het Cubaanse volk zijn. Nu breng ik ze terug. Dat is goed voor mij. Het is belangrijk voor me om in deze tijd mijn loyaliteit te tonen, nu El Jefe verzwakt en mijn vrouw uit de gratie is. Ik kom met een spion en een schat, die het land prestige zal geven. Bedankt, spion.'

'Je weet dat ik geen spion ben.'

'Natuurlijk ben je dat wel. Dat is erg genoeg, maar je bent ook een moordenaar. Eerst neukte je met Consuela en daarna heb je haar vermoord.'

Clara draaide zich half om op haar zadel. Die blik had ik niet hoeven zien.

Ik zei met trillende stem: 'Je weet heel goed dat dat niet waar is.'

'Welk deel ervan, maricón?'

Zijn lach was luid en afschrikwekkend, want op dat moment wist ik zeker dat hij Clara zou vermoorden en mij zou laten veroordelen door een niet-openbaar standrecht. Ik zag de rug van Clara voor me en haar zekere bewegingen, die moeiteloos die van het paard volgden.

'Jij hebt Consuela vermoord, Hector. Maar je bent niet mans genoeg om dat toe te geven. Waarom moest Consuela sterven?'

'Ik heb je hoer niet vermoord, maricón. Mijn kapitein moest het wel doen. Ze kwam te vroeg terug. We dachten dat je mans genoeg was om haar de hele nacht bezig te houden, maar dat kan een homo natuurlijk niet. Ze kwam terug. We zijn in oorlog met de yankees. Zij werd slachtoffer in die strijd. Je weet hoe de Amerikanen dat noemen, toch? Wanneer ze duizenden burgers in Irak of Afghanistan vermoorden. *Consuela is collateral damage.*'

Deze kille, Amerikaanse, militair-technische uitspraak klonk in de warmte van het oerwoud zo koud dat ik bijna een rilling kreeg, ondanks de hitte en de vochtigheid. Clara draaide zich niet naar me om, maar ze zei tegen Hector, en voor het eerst klonk haar stem smekend: 'Waarom, Hector? Dat kun je me toch wel vertellen? Dat ben je me verschuldigd, Hector. Waarom juist Consuela, die geen vlieg kwaad zou kunnen doen?'

'Ze kwam terug. Slachtoffer, zeg ik toch. De operatie was op Ramon gericht, de verrader. We weten dat hij voor de yankees werkt, maar we wilden bewijs hebben. We hebben zijn hele huis overhoopgehaald. We hadden niet gedacht dat hij zijn zus zou gebruiken. Dat was te gevaarlijk, maar uiteindelijk was er geen andere optie. Er moest iets zijn. We hadden gezien dat hij ontmoetingen had gehad met verraders en helaas ook met onze zoon, Clara. Ik moest er zeker van zijn dat het geen materiaal was dat schadelijk kon zijn voor José Manuel. We moeten onze zoon redden van het dwaze pad van het verraad.'

'Joselito is jouw zoon niet meer.'

'Hij is mijn bloed. Hij zal altijd mijn zoon zijn. Jij bent een vrouw. Vrouwen zijn er in overvloed. Vrouwen komen en gaan, maar Joselito is mijn zoon en Ramon en jij mogen hem niet bederven.'

'Je bent ziek', zei ze en ze draaide haar gezicht weer naar mij. Ik probeerde naar haar te glimlachen, maar het lukte niet echt en haar gezicht bleef onbeweeglijk. Het terrein werd moeizamer en er was geen energie om te praten of te denken.

We kwamen omhoog en op het bredere pad dat naar de ingestorte ruïne leidde, waar we de motoren hadden geparkeerd. Hoe zat het met Joaquin, de vriend van Alejandro? Wat hadden ze met hem gedaan? Dat zag ik meteen toen we aankwamen. Hij lag in elkaar gezonken tegen de muur met een vergelijkbaar gat in zijn voorhoofd als zijn vriend en kameraad Alejandro. Naast hem lag een half opgegeten broodje. Er kropen overal mieren op het brood en op de restjes van het beleg. Hector keurde het lijk van Joaquin geen blik waardig. Zijn adjudant steeg van zijn paard af en maakte de kist los.

Hij zette hem op de grond. Hij had nog geen woord gezegd. Hector steeg af en richtte zijn pistool op mij en bewoog het op en neer. Ik moest ook afstappen. Clara sprong er elegant af. Om haar verachting te tonen liep ze vlak voor haar man langs en knielde bij Joaquin om haar overbodige artsenritueel uit te voeren, maar het leek haar troost te bieden en haar de mogelijkheid te geven om haar menselijkheid te bewaren. Ze kwam naar me toe en hield mijn paard vast, terwijl ik voorzichtig van het paard afsteeg en op de vaste grond kwam te staan.

'Opzij!' zei Hector en hij wees met zijn pistool. We liepen naar de muur en stonden te wachten. 'Doe ze handboeien om, kapitein!'

'Ook de vrouw van de kolonel?' Zijn stem was verrassend zacht en melodieus in het strenge, onbeweeglijke gezicht.

'Vooral de vrouw van de kolonel. Ik denk dat die homo ons geen problemen kan geven, maar mijn kleine Clara kan een tijger zijn onder haar knappe buitenkant. Nietwaar, schat?'

Ze draaide haar hoofd van hem af en had daarom niet in de gaten wie ik achter de rug van Hector zag opduiken. Dat was Jorge, die met beide handen een pistool met lange loop vasthield. Er klonken drie snelle schoten en het gezicht van Hector verdween in een wolk van bloed. De kapitein kon zich nog maar net half naar ons omdraaien, toen er weer drie schoten klonken. Het ene projectiel miste blijkbaar doel, maar het volgende raakte hem met een dof geluid midden in de borst en het andere in de wang. Hij zakte op de grond in elkaar en maakte klagende geluiden. Jorge keek me niet aan. Hij liep langs me heen en richtte het pistool op het hoofd van de kapitein en haalde de trekker nog een keer over. Ik begon over te geven, maar er kwam niet zo veel. Ik stond voorovergebogen mijn keel te schrapen, toen ik zware voetstappen en een moeizame ademhaling hoorde. Ik ging rechtop staan.

Dylan Thomas droeg net als Jorge een donkergroene broek en een groen hesje over een legerkleurig T-shirt en een bijpassende bolhoed, die Amerikaanse elitesoldaten graag in warme landen dragen. Achter hem stond Fernando mij aan te kijken met zijn plagerige ogen en zijn scheve, brutale glimlach. Zijn leerachtige kleding paste beter bij hem en Jorge dan bij Dylan, die eruitzag als een zwaarlijvige sportvisser die op zoek was naar de dichtstbijzijnde rivier.

'Wat nou, pelgrim?' zei Dylan in het Amerikaans. 'Ben je niet blij dat de goede, oude Dylan hier als de zevende cavalerie je trieste gat komt redden?'

22

Ik zou dankbaar moeten zijn, maar ik haatte zijn zelfvoldaan-
heid en de totale onverschilligheid van Jorge en Fernando ondanks het feit dat ze net twee mensen hadden vermoord, want
hoewel Jorge de trekker had overgehaald, hadden ze er alle
drie schuld aan. Jorge was een moordenaar. Hij vermoordde
mensen duidelijk met dezelfde onverschilligheid als waarop
andere mensen zoals wij op een irritant insect trappen. Hector en zijn kapitein waren een stel eikels, maar toch was ik
geschokt en er kapot van dat ze net als Ernesto, Joaquin en
Alejandro gewoon waren vermoord met een cynisme en een
effectiviteit als vee in een slachterij. Ik had geen tevreden gevoel, ik voelde geen blijdschap en geen opluchting. Ik voelde
alleen een leegte en een innerlijke duisternis. Ik was tot op
mijn beenmerg moe en mijn hoofd en al mijn ledematen deden pijn. Ik wilde gewoon naar huis.

Clara keek Dylan en zijn beulen aan en schudde langzaam
haar hoofd. Er rolden tranen over haar gezicht, dat onder het
stof en de modder zat, toen ze op haar hurken ging zitten
en de ogen probeerde te vinden, zodat ze die kon sluiten in
het verdwenen gezicht van Hector. Ze pakte zijn armen en
legde die op zijn borst over elkaar en vouwde zijn handen.
Zonder Dylan en de anderen aan te kijken liep ze langzaam
naar de kapitein om zijn ogen te sluiten en ze legde ook zijn
armen over elkaar, vouwde zijn handen over zijn borst, waar
het bloed uit het gat gutste. Ik verwachtte dat de aarde onder
hem doorweekt was door het bloed uit het gat waar de kogel
uit was gekomen.

Clara stond op en schudde haar handen uit alsof ze sliepen

of alsof ze het onbehagen eraf wilde schudden.

'Moordenaar', zei ze stil. 'Je bent een moordenaar, Dikke. Wie ben je eigenlijk? Je blijft van José Manuel af. Hoor je me! Je bent net een ziekte. Je bederft mensen. *Ascension*.'

'Dat is nog eens een manier om je dankbaarheid te tonen', zei Dylan in het Spaans. 'Hier komen we jullie bevrijden van die klootzak en dan krijg je stank voor dank voor je onzelf-zuchtige daad.' Zijn Spaans was vloeiend en met een Argen-tijns-Cubaanse tongval.

'Wie ben jij?' Clara liep op hem af en ging tegenover hem staan, zette haar handen in haar zij en zag er zo kwaad uit dat Fernando een paar stappen naar voren deed, maar Dylan stopte hem met een handbeweging. Ik probeerde niet naar de lijken op de grond te kijken. De vliegen waren al onderweg en ik dacht aan de zwijgzame gieren, die boven ons hoofd zweefden.

'Ik ben jullie vriend.'

Clara spuugde en Dylan droogde met een rustige hand het spuug van zijn wang, voordat hij haar een luie, harde tik gaf, waardoor het hoofd van Clara achteroverklapte, maar ze bleef op haar benen staan. Zonder erover na te denken vloog ik hem aan en sloeg ik hem tegen zijn dikke lichaam, toen lag ik op de grond en gaf weer over, terwijl ik mijn hand tegen mijn middenrif drukte waar zijn zware vuist mij had geraakt.

'Verdomme, padvinder. Hou daar toch mee op', zei Dylan in het Amerikaans. 'We hebben er geen tijd voor dat je dames in nood gaat redden. Gedraag jullie alsjeblieft normaal. *Fuck you all.*'

Ik ging zitten en Clara hielp me naar de muur van het huis, waar ik tegenaan ging zitten, terwijl ik weer normaal adem probeerde te halen. Clara ging naast me zitten en verstopte haar gezicht in haar handen. Ik leunde met mijn hoofd achterover tegen de warme stenen muur en Dylan liet ons een paar minuten zo zitten.

Ik vroeg in het Spaans: 'Wat heb jij met Hector te maken, Dylan? En wie ben jij? Ben jij van de CIA of ben jij de gangster De Dikke?'

'Ik ben een beetje van alles, pelgrim. Sommige dagen ben ik de een, andere dagen de ander. Voor sommigen ben ik de een en voor anderen ben ik de ander.'

'Dat is totaal niet logisch.'

'Het is een spel, pelgrim. Je bent een padvinder. Je begrijpt het niet. *It is the fucking greatest game on earth*. Je hebt een bijrol gekregen. Nu is jouw rol in de voorstelling bijna afgelopen.'

'Dat is totaal niet logisch', herhaalde ik.

'Wat heb je met Hector gedaan?' De stem van Clara was rustig en beheerst. 'Hector kwam laatst samen met jou thuis. Hij zegt dat je onze zoon hebt bedorven.'

'Het lukte met de zoon, maar helaas niet met zijn vader.'

Dylan stond stil. Hij zag er dik en lelijk uit, wanneer je hem vanuit mijn zittend perspectief bekeek. Hij krabde zich op zijn ene arm en zag eruit alsof hij zich afvroeg hoeveel hij ons wilde vertellen. Er liep zweet langs zijn gezicht omlaag, hoewel het was gaan waaien en er zwarte wolken waren opgetrokken aan de horizon. Jorge en Fernando stonden allebei schijnbaar ontspannen een sigaret te roken, maar ik kon zien dat ze luisterden en nauwlettend de omgeving in de gaten hielden, waar de duisternis aan kwam kruipen en het geritsel van palmbladeren in het lege landschap luid klonk.

Dylan zei: 'Hector was mijn doel. Ik dacht dat ik hem kon bekeren, maar hij gelooft verdomme in de revolutie, zelfs wanneer die bijna afgelopen is. Hij wilde geen spelletje spelen. Niet voor mooie woorden of geld. Hij wilde niet doorzetten. Ik voerde hem met John Pelgrim hier en hoopte dat hij de kans zou grijpen om ervandoor te gaan met diens oude papieren, wat goodwill te krijgen in de vs en wat centen te verdienen, dan had ik hem, maar hij was gewoon op zijn eigen manier eerlijk.'

Ik besefte wat hij zei. Ik begreep waarom hij mij had getraind in Miami. Als hij de Cubanen ervan moest overtuigen dat ik een geheim agent was, moest hij me leren hoe ik moest handelen als agent. Hij had beweerd dat hij me trainde opdat ik niet ontdekt zou worden, maar eigenlijk had hij me getraind zodat ik mijzelf kon verraden. Ik had me precies zo gedragen als waar hij van was uitgegaan. Het visum in Helsinki maakte daar onderdeel van uit. Bovendien hadden de agenten van Castro mij zeer waarschijnlijk geobserveerd in de gemeenschap van ballingen in Miami, waar ik de leiders had getroffen. Met de paranoia die in Havana heerste, was het niet moeilijk om te geloven dat ik een geheim agent was met een missie en niet een onbeduidende leraar uit Ringkøbing, die naar zijn gestorven vrouw had moeten luisteren, wanneer ze hem waarschuwde dat hij zich niet in onzin moest storten.

Ik was een onvrijwillige pion geweest in een vuil spel, dat het versterken van Dylans dekmantel als enig doel had gehad en misschien als extra bonus dat Hector zou overstappen van de ene naar de andere kant. Dat kon gebeuren omdat hij in ongenade was gevallen door de mislukte operatie van Castro door Clara of omdat Dylan José Manuel zo beschadigde met clandestiene handel dat Hector in de situatie zou kunnen komen dat hij moest kiezen tussen zijn zoon in de gevangenis of Dylan helpen.

Ik moest aan heel veel dingen denken. Dylan had niet geweten waar de verdwenen tas van Hemingway zich bevond, maar alleen dat de tas bestond. Dylan had Hector over de tas verteld en dat ik hem via Carlos naar de tas kon leiden. Hector had Clara en mij de hele tijd onder observatie gehouden, terwijl zijn adjudant beweerde dat hij Cuba had verlaten. Dylan had snel gereageerd, toen hij over mij had gehoord via Carlos, die volgens mij onschuldig was in deze gecompliceerde zaak. Dylan kon goed luisteren en had vast jarenlang met veel geduld naar Carlos geluisterd. Carlos was waarschijnlijk gewoon een oude man die ervan droomde om te worden herenigd met zijn verloren dochter, zodat hij in vrede kon sterven. Dat hoopte ik. Ik gruwde bij de gedachte dat onze vriendschap een illusie was. Ik haatte op dat moment Dylan Thomas en al zijn heimelijke verstandhoudingen en dubbelspel, maar ik bewonderde met tegenzin eveneens zijn intelligentie. Als een goede schaker had hij een mogelijk beslissende zet gezien en die had hij uitgevoerd zonder over de gevolgen in te zitten. Om een loper te winnen was hij bereid om een onbelangrijke boer op te offeren.

'Je bent een klootzak', zei ik. 'Ik moest opgeofferd worden. Ik had wel in de gevangenis kunnen belanden.'

'Misschien. Wie weet? Maar, oké, ik heb over die mogelijkheid nagedacht. Hector begon iets te achterdochtig te worden. Ik had een zondebok nodig, een kleine naïeve spion die er geen bal verstand van had en daarom geen bal kon verklappen. Jij paste in het plaatje. Je zou alles ontkennen en dat zou niemand geloven.'

'Jezus, man. Ik had de rest van mijn leven kunnen wegrotten in een gevangenis. Jezus, wat ben jij een eikel.'

'Nou, nou. Doe maar rustig. Dit systeem is het einde nabij. Je zou even hebben gezeten, maar dan was de wind de andere kant op gaan waaien en hadden we je kunnen bevrijden. Carlos wist het niet, maar die oude man gaf me een cadeau, een kans. Hij serveerde me jou op een presenteerblaadje. Snap je dat niet, pelgrim?'

'Ik snap alleen dat je een sukkel bent.'

Opnieuw klonk de beheerste stem van Clara, die zei: 'Wie ben jij? Voor wie werk je?'

'Ik dacht dat je dat wel in de gaten zou hebben, schat. De Cubanen denken dat wij voor hen werken. Hector heeft jarenlang gedacht dat hij de leider van mijn spionnen was. Ik heb hem vooral met nutteloze, maar af en toe ook bruikbare informatie over de gemeenschap van ballingen in Miami gevoerd. Helaas moet je af en toe geheimen onthullen als je je geloofwaardigheid wilt behouden, maar zoals met mooie woorden tegen een vrouw moet je de momenten en woorden zorgvuldig afwegen, nietwaar? Waarom denk je dat ik toestemming heb gekregen om me hier op jouw mooie eiland uit te geven als De Dikke? Dat was een goede dekmantel. Bovendien leverde ik spullen aan de jonge mensen en de geprivilegieerden, die een man nodig hadden als De Dikke om ze van zaken te voorzien die het leven waard maakten.'

'Ik begrijp er niets van', zei Clara.

'Het is eigenlijk heel simpel', zei ik. 'Dylan ís van de CIA, maar de Cubanen denken dat hij naar de overkant is vertrokken. Dylan is een dubbelagent. Hoe kon je de Cubanen ervan overtuigen dat je te vertrouwen was, Dylan?'

'Dat kostte ook een paar jaar. Je hoeft de details niet te weten, maar er waren jaren dat ik opzettelijk te veel dronk, klaagde over stomme bazen, veel gokte en schulden kreeg. Er kwamen steeds minder posten. Mijn carrière hing aan een zijden draadje. Het was hard werken om naar de bliksem te gaan, maar uiteindelijk deed Hector mij een voorstel. Dat gebeurde in Panama-Stad en ik zei ja tegen hem.'

Ik zat even stil en toen stond ik op. Jorge reageerde en

draaide zich naar me toe. Ik stak mijn hand uit naar beneden en trok Clara omhoog. Ze had een lege blik in haar ogen, maar ze glimlachte een beetje naar me. Ik zei: 'Het is totaal niet te zeggen wat hiervan waar is en wat een leugen …'

'Zo zit de wereld in elkaar, pelgrim.'

'Maar je vertelde me over een Cubaanse dubbelagent, die jullie hadden ontdekt. En misschien is er meer dan een? Je was bang dat je betrapt zou worden. Je was bang dat er ergens bij de CIA rapporten zouden liggen die je echte loyaliteit zouden prijsgeven. Het klopt vast wel dat je Jorge en Fernando van buiten de CIA hebt gehaald. Wie zijn ze? Maffiosi of zo? Je moest in elk geval de ontwikkeling forceren, ook omdat Castro op sterven ligt. Je moest Hector wel onder druk zetten.'

'Ik zei toch dat je talent had, pelgrim. Als je een nieuwe carrière overweegt, moet je me bellen, ook al is Cuba niet de beste plek voor jou om de komende tijd te verblijven.'

'Wat kraam jij een onzin uit.'

'Misschien, maar ik heb wel jullie leven gered.'

'Je hebt Consuela vermoord.'

'Dat hebben die klootzakken gedaan', zei Dylan en hij wees met zijn voet naar de lijken van Hector en de kapitein.

'Maar jij hebt hem naar haar huis geleid?'

'Een groot talent, pelgrim. Dat heb je zeker. Ik had Ramon valselijk van iets beschuldigd waar zijn kapitein achter moest komen, maar die idioot kon het niet vinden en toen kwam Consuela thuis. Slecht karma.'

'Wat is er met Ramon?' vroeg Clara.

'Hij heeft jarenlang voor ons gewerkt, maar we zijn bang dat de verrader hem heeft verkocht. Hij moet uit de weg worden geruimd, maar ik dacht dat we hem een laatste keer konden gebruiken om mijn geloofwaardigheid te versterken. Hij was mijn cadeau aan Hector.'

'Net als ik', zei ik.

'Zoals jij had kunnen worden als de dingen anders waren gelopen.'

'Jij hebt totaal geen moraal.'

'We zijn in oorlog, padvinder.'

'Volledig verstoken van een moraal.'

'Als jij dat zegt, pelgrim, hoewel het eigenlijk precies omgekeerd is. Ik heb veel te veel moraal.'

'Wat nou?' zei ik moedeloos.

'Nu krijgen ze in plaats daarvan Hector. Ik kan genoeg verzinnen, zodat ze geloven dat hij jarenlang voor de yankees heeft gewerkt. Hij is ook een moordenaar. Hij wilde ontsnappen en we schoten hem dood. Jorge en Fernando zijn geen maffiosi. Het zijn goede Cubanen en hier denkt men dat ze voor de gebroeders Castro werken, die hen in de vs lieten infiltreren, maar ze werken voor mij sinds ik ze een aanbod deed dat ze niet konden weigeren. Je vindt een tas met goede dollars in het huis van Hector, en in de bagageruimte van zijn auto ligt een rapport over de werkelijke toestand van Castro, dat hij heeft gekregen van zijn lieve vrouw en dat hij me voor nog meer groene briefjes aanbood. De gezondheidstoestand van Castro is staatsgeheim. Als je die prijsgeeft, is dat hetzelfde als landverraad en de straf die je ervoor krijgt, is de dood. Dat is, zoals je begrijpt, voldoende. Het bestuur is sowieso totaal verward. Nu hebben ze een zondebok die ze van alles de schuld kunnen geven. Nu wordt het veel te ingewikkeld. Nu word ik driedubbel. Er zijn ochtenden dat ik wakker word en niet weet wie ik ben.'

'Wat erg voor je, Dylan.'

'Bedankt voor je medeleven.'

'Hoe zit het met de papieren van Hemingway?'

'Ik heb het eerder tegen je gezegd, pelgrim. Ondanks mijn

naam, ben ik niet geïnteresseerd in literatuur. Je kunt met die rotzooi doen wat je wilt. Die oude man in Key West was erg in de ban van het verhaal, maar voor mij is het nu oud aas en de vis is gevangen en dood.'

Hij keek op zijn horloge en knikte naar Jorge. De wind nam toe en ik vroeg me af of er storm op komst was. De palmbomen suisden en overstemden het geluid van de paarden, die waren losgelaten en steeds verder weg graasden, onaangedaan door de verschrikking waar we zojuist getuige van waren geweest. Ik voelde me moedeloos en keek naar Clara, die verzonken was in haar eigen gedachten. Ze stond rechtop en droogde haar wang af met de rug van haar hand, zodat er een witte streep in de grijze modder kwam. Er moest iets met ons gebeuren.

'En wij dan?' vroeg ik.

'Jullie moeten van dit eiland af. Ik ben namelijk niet zo immoreel als de pelgrim denkt. Ik kan jullie een stukje op weg helpen, maar de rest moeten jullie zelf doen.'

'Ik ga nergens naartoe zonder mijn kinderen', zei Clara kwaad.

'Dat weet ik, lieverd. Ik ben eigenlijk een goed mens. Ramon is in een vrachtwagen onderweg met zijn eigen en jouw kinderen. Ze moeten nu in Trinidad zijn. Fernando haalt hen op en rijdt hen verder. Jorge helpt mij. Jullie zullen ze bij de zee aan de andere kant ontmoeten, maar jullie moeten van dit eiland af, anders gaan jullie eraan.'

'Hoe komen we weg?' vroeg ik vermoeid en verward, en ik dacht aan het paspoort dat ik niet had en al het andere wat nodig is als je een land op een normale manier wilt verlaten.

'Ik hoop dat je kunt motorrijden en een boot kunt besturen. Want binnenkort ken ik jou niet meer en als je gepakt wordt, zal ik je aanwijzen als agent voor de grote boze Uncle

Sam die jou hiernaartoe heeft gestuurd om de triomf van de revolutie te ondermijnen. Dus in de benen. Er is vannacht veel werk aan de winkel.'

23

We reden in de tropennacht en de lucht proefde naar regen. In het begin was ik rustig en probeerde ik er niet aan te denken dat het twintig jaar geleden was dat ik voor het laatst motor had gereden. Ik nam de zelf gebouwde van Joaquin. Die deed me het meest denken aan mijn eigen Yamaha uit mijn jeugd, waar ik tijdens mijn studiejaar, waarvan ik dacht dat het het uitgangspunt van een avontuurlijke toekomst zou zijn, onbevreesd mee door het anarchistische verkeer in Madrid en op de smalle, Spaanse landweggetjes had gereden.

Fernando pakte een plastic slang uit een van de zijtassen, gebruikte zijn mond en goot de benzine uit de Harley van Alejandro in mijn machine. Dat was me nog nooit gelukt. Het was allemaal heel gespannen. Dylan joeg ons op en leek zenuwachtig en tegelijkertijd agressief zelfverzekerd in een vreemde combinatie. Alles pompte, zodat je bijna de adrenaline kon proeven.

Ik wist niet wat Dylan en zijn mensen met de lijken zouden doen. Een stukje verderop hadden ze een grote zwarte gesloten bestelbus geparkeerd, zag ik, toen we langzaam van het weggetje wegreden. Ik wist niet wat de plannen van Dylan waren en hoe hij zich uit deze situatie wilde redden. Ik gaf niets om Dylan Thomas en zijn vele identiteiten en gruwelijke spelletjes, waar mensen gewoon pionnen in een game waren, die geen begin had en nooit een einde haalde. Ik wilde gewoon weg samen met Clara, die zich als enige verbluffend rustig gedroeg. Misschien waren artsen en chirurgen zo? Ze waren gewend aan de dood, stress en beslissende situaties, waarbij het nutteloos was om door paniek te worden overmand. We bonden de kist met de tas van Hemingway erin achter op de motor vast en Clara klauterde vol vertrouwen achterop, legde haar armen om mijn middel en leunde tegen me aan. Ik kon haar lichaam tegen mijn zweterige en vieze T-shirt en hesje voelen. Mijn lichte afritsbare broek zat ook onder de viezigheid. Ik had de rest van mijn contante geld en mijn creditcards in het heuptasje zitten. Mijn paspoort lag in Havana en mijn tas in het vakantiepark, waar Dylan ons strikt had verboden om naar terug te gaan. Het was zo naakt en eenvoudig als je als modern mens kon worden. Ik bezat wat ik bij me had.

Voordat de duisternis volledig inviel, had Dylan me duidelijk gemaakt waar we naartoe moesten rijden. Clara kende het vakantiegebied dat aan de andere kant van het eiland aan zee lag. Ze was er in betere tijden samen met Hector geweest, hoewel er normaal geen toegang was voor Cubanen. We waren aan de Caribische kant, maar we moesten naar de Atlantische Oceaan of nauwkeuriger gezegd de Straat van Florida. Ik wist dat er bijna geen verkeersborden in Cuba waren, maar ik had de route zo goed als ik kon uit mijn hoofd geleerd. We zouden om Santa Clara heen rijden en dwars oversteken naar de Sabana-archipel, die volgens Dylan met het hoofdeiland was verbonden door een lange dam. Er zouden misschien bewakers staan, omdat de Cubanen niet in de grote vakantiegebieden mochten komen, maar ze waren om te kopen en ze zouden moe en misschien dronken zijn wanneer we aankwamen.

Hemingway bleef mij volgen of ik hem. We zouden de kinderen van Ramon en Clara in de buurt van Cayo Guillermo treffen. Dat was een van de lievelingsplekken van Hemingway, wanneer hij grote vissen wilde vangen. Ik kon me herinneren dat hij de plek had beschreven in de roman *Eilanden in de golfstroom*, die na zijn dood was verschenen. Dylan zei dat de plek tegenwoordig een grote bouwput was, maar er waren nog steeds kleine lagunes en aanlegplaatsen. Ramon kende iemand die een zeilboot had gevonden, die door een of misschien twee bewakers in de gaten werd gehouden. Ze moesten onschadelijk worden gemaakt met geld of op een andere manier. Ik wilde dat laatste helemaal niet horen. Het was een oude, glasfiber boot van ongeveer dertig voet lang die een man alleen prima kon besturen. Dat klopte wel, wanneer het mooi weer was en je de boot kende, maar het was twintig jaar geleden dat ik voor het laatst een schip had bestuurd en ik voelde me aardig roestig.

Misschien zou het lukken?

Want ik wende snel aan het motorrijden. De motor reed rustig en stabiel, en je kon hem soepel in een andere versnelling zetten. Joaquin had er goed voor gezorgd. Het was blijkbaar net als fietsen. Als je eenmaal het kunstje onder de knie had, vergat je het niet meer. Clara was een gemakkelijke passagier, die mij door de bochten volgde. Ik was vooral bang voor de gaten in de weg of dat er een dier voor ons in de lichtkegel kon springen. Of dat we aangehouden zouden worden door een patrouillewagen, maar het was eigenlijk ongelooflijk hoe weinig politie ik in Cuba had gezien.

Na een tijdje begon ik van het tochtje te genieten. Het bleef blijkbaar bij een dreiging dat het zou gaan regenen, want het klaarde op, de wind ging liggen en boven ons hoofd verscheen de meest fantastische sterrenhemel, toen we een pauze hielden om te plassen en wat water te drinken.

We stonden daarna even samen van de warme duisternis in de nacht te genieten. Clara stond dicht tegen me aan en legde haar hoofd op mijn schouder, terwijl ze haar helm vasthield. Ik draaide haar om en drukte haar stevig tegen me aan. We kusten lang en ik had het gevoel dat ik de hele wereld aankon, toen we door de bergen en daarna op een meer rechte weg reden. Het was niet te zeggen door wat voor landschap we reden. Buiten de gele lichtkegels van de motor was de duisternis compleet. Af en toe glinsterde het licht van steden als aardse sterretjes. De tijd verloor zijn betekenis. Mijn billen begonnen zeer te doen en ik werd moe in mijn hoofd omdat ik me op het rijden moest concentreren, maar diezelfde vermoeidheid zorgde ervoor dat ik er niet over kon nadenken en over kon speculeren waar Dylan mee bezig was en hoe alles zou aflopen. De vermoeidheid en de concentratie verdrongen de onaangename gebeurtenissen van vandaag en de stank van dood, die aan ons leek te kleven.

Het was nog steeds donker toen we om iets heen reden wat op een groot meer leek, en we reden verder door het stadje San Rafael en de lange dam op, die ons naar het eiland Cayo Coco bracht. We hadden in de buurt van Morón getankt, waar ze erover opschepten dat ze vierentwintig uur per dag open waren. De pompbediende had geen interesse getoond voor een paar vermoeide, vieze reizigers. Ik was heel, heel moe, maar vol bewondering voor de manier waarop Clara de weg kon vinden in het land zonder wegwijzers. Ik vond het zenuwslopend om over de weg op de dam te rijden, omdat je zo naakt was en zo gemakkelijk gevangen kon worden door aan beide kanten een eenvoudige versperring te maken, maar we zagen slechts een paar auto's in tegengestelde richting rijden. Dylan had ons op het hart gedrukt dat we vóór half zeven 's ochtends aan de andere kant moesten zijn, omdat er dan Cubaanse dienstverleners in shuttlebussen naar de toeristische gebieden werden vervoerd. We moesten liever niet door te veel mensen worden gezien. Er was een slagboom toen we Cayo Coco bereikten, maar gelukkig stond Ramon er samen met een oude man in een grijs uniform, die een grote sigaar rookte en demonstratief opzij keek toen ik de machine stopte.

'*Hola*', zei Ramon met zijn grote lach met de ontbrekende tand. '*Vamos a la playa.*'

Hij had een kleine motor achter het schuurtje van de bewaker geparkeerd. Het was een snauwende crossmotor, die zijn geluid tussen de kleine huizen wierp toen hij het eiland op reed. Ik was zo moe dat ik bijna mijn ogen niet kon openhouden. Af en toe verdween de weg in een flits en plotseling leek het alsof er twee lichtkegels waren. Ik was bijna kapot en vond dat we nu moesten stoppen, toen Ramon zijn knipperlicht aandeed en we afsloegen naar een grindpaadje. Ik kon de zee ruiken voordat we er waren en toen zag ik het water zwart liggen met de knipperende lichten van de hotels in de verte langs het strand. Ramon sloeg weer af en liet zijn machine stilstaan bij een groot vervallen houten huis dat vlak aan het water lag. Ik kon de rustgevende golven van de zee horen, toen ik mijn helm afdeed en me uitrekte. Clara deed haar helm ook af en gaapte. Ramon omhelsde haar en gaf mij een stevige hand.

'Ze slapen, Clara. Het gaat goed met hen. Mijn jongens zijn er ook. Nu moeten jullie ook gaan slapen. De hele dag wel. Morgennacht gaat het beginnen. We moeten goed uitgerust zijn. Dit is onze enige kans. Dylan zei dat hij ons maximaal vierentwintig uur kan geven, dan wordt er een opsporingsbevel uitgegeven. Dan begint hij aan zijn plan.'

'Vertrouw jij die grapjas?' vroeg ik.

'Ja, John. Ik vertrouw Dylan. Ik heb nooit een reden gehad om dat niet te doen.'

'Nu is hij Dylan. Er was een tijd, nog niet eens zo lang geleden, dat hij De Dikke was en je alles in het werk stelde om me bang voor hem te maken.'

'Ik moest je uit Havana weg hebben.'

'Dat was het plan van De Dikke?'

'Dat was het plan van Dylan, ja. Vertrouw hem nu maar. Hij weet meestal wat hij doet. Er is geen alternatief.'

Ik keek hem aan, maar ik had de puf niet meer om te praten. In het licht dat uit de deuropening kwam, zag ik dat zijn gezicht moe en bezorgd was met groeven erin. Hij zag eruit als iemand die de afgelopen dagen niet veel had geslapen. Ik weet niet hoeveel uur hij bij de slagboom op ons had staan wachten. Ik kon ook niet vergeten dat hij onlangs zijn zus was verloren en hij kon nu niet bij haar begrafenis aanwezig zijn. Er was veel wat ik niet begreep.

Ramon verwees ons naar een grote kamer met twee bedden. Eerst had Clara bij haar kinderen gekeken, die verderop in de gang in het grote, stille huis lagen. Rosales en José Manuel sliepen in vergelijkbare bedden. Ze zagen eruit als kinderen en ze lagen er vredig en rustig bij. Clara kreeg tranen in haar ogen en ik kon zien dat ze hen graag aan wilde raken, maar ik pakte haar voorzichtig bij haar elleboog beet.

'Laat ze slapen, Clara. Ze hebben het nodig. Wij hebben het nodig.'

Ze knikte. Ramon stond een moment naar ons te kijken. Ik denk dat hij dacht dat dit de slaapkamer van Clara was en dat hij mij naar mijn kamer verderop in de gang wilde wijzen, maar hij doorzag de situatie snel en deed de deur met een goedenacht dicht, toen we allebei de kamer binnenstapten. Er zat een grote, oude badkamer aan onze slaapkamer vast. Er hing een douchekop boven een grote badkuip met roeststrepen. Er was alleen koud water, maar toch was het heerlijk om de viezigheid van mijn gebroken lichaam te spoelen. Ik had Clara als eerste laten gaan en toen ik terugkwam, sliep ze in het ene bed. Hoewel ik zin had om naast haar te gaan liggen, kon ik het niet over mijn hart verkrijgen om haar te storen en daarom kroop ik tussen de lakens van het andere bed. Ik viel meteen in slaap en toen ik wakker werd, kwam er een smalle streep ochtendlicht tussen de luiken door naar binnen en het warme, naakte lichaam van Clara drukte zich tegen me aan. We vrijden langzaam en stil, en vielen daarna in hetzelfde bed in slaap.

Toen ik de volgende keer wakker werd, was ik alleen. Ik pakte mijn horloge, dat samen met mijn heuptasje op het nachtkastje lag. Het was bijna één uur en ik voelde dat het licht buiten nu fel was. Ik zette de luiken op een kier en het zonlicht stroomde de kamer in. Ik kon nergens mijn kleren vinden. De deur ging open en Clara stond op de drempel in een lange, blauwe jurk die haar te groot leek te zijn. In haar handen had ze een canvas broek en een grijswitte guayabera. Ze liet de kleren op het dichtstbijzijnde bed vallen.

'Trek wat kleren aan, slaapkop. Je kunt dit lenen, terwijl je eigen kleren hangen te drogen. Ik heb ze gewassen.'

'Ik heb liever dat jij hier komt.'

'Rustig aan, Deen. Mijn kinderen zijn wakker, dus we moeten ons netjes gedragen.' Ze blies een kus naar me toe en deed de deur dicht.

Ze zaten allemaal in de keuken, die uitkwam op de grote brede veranda, die om de meeste oude, Cubaanse huizen leek te staan. Een breed wit zandstrand leidde naar de zee, die met lange, langzame golven met een dof geluid het strand op kwam. Ik had enorm veel zin om te gaan zwemmen. José Manuel stond op van tafel en gaf me formeel een hand. Hij wees en zei: 'Dit is mijn zus, Rosales. Rosales, dit is John. Hij is onze vriend.'

Ze stond op. Ze was iets groter dan haar moeder en ze had de gelaatstrekken en het zwarte haar van Clara, maar ze was tenger op een modelachtige manier, die sommige mensen mooi vinden. Ze had een knappe glimlach, waar ze me een beetje van liet zien. Ze leek vooral op een verlegen tiener in haar blauwe, afgeknipte spijkerbroek en een T-shirt met een reclame van Sony erop. Haar ogen waren een beetje dik, alsof ze had gehuild, en ik vroeg me af wat Clara hun had verteld over de dood van hun vader. Het leek José Manuel koud te laten, maar misschien had Rosales heel andere en warmere gevoelens voor haar papa. De sfeer in de verder gezellige, grote keuken was gespannen en gemaakt, maar dat was misschien niet zo vreemd?

Er lag een half witbrood, wat worst, een droge kaas en veel fruit op tafel samen met flessen water. Ramon zat met een leeg kopje voor zich afwezig met een sigarenpeukje te spelen. Hij zag er nog steeds gehavend uit, maar zijn ogen waren helder. Hij knikte en glimlachte op zijn karakteristieke manier naar mij.

'Heb je honger, John?' vroeg Clara. 'Ik zal nog wat meer koffie zetten.' Ze pakte een pollepel en goot water uit een groene plastic emmer in een pan op een ouderwetse gaspit, die met een zwarte slang was verbonden aan een gasfles.

'Wat is dit voor plek?' vroeg ik.

Door mijn stem doken de jongens van Ramon vanachter hun vader tevoorschijn. Hun brutale gezichtjes keken hun vader en mij aan.

'Het is de yankee die net zulk Spaans praat als op de televisie', zeiden ze tegelijkertijd en we begonnen allemaal te lachen.

'Nee, jongens. John is geen yankee. John komt uit Denemarken. John is onze vriend. John is de kapitein op ons schip. Jongens, salueer kapitein John.'

'En jullie zijn mijn knappe matrozen', zei ik en ik zorgde ervoor dat ze er nog meer beteuterd uitzagen, terwijl ze probeerden te salueren. Zij moesten dus ook mee. Het werd steeds erger, maar de sfeer in de keuken werd wat beter. Het huis was natuurlijk ook eigendom van de staat en was jarenlang gebruikt als een soort gasthuis en paladar. De gasten waren voornamelijk jonge surfers, duikers of andere toeristen geweest die de plek gebruikten als uitvalsbasis om op zee te gaan vissen. De overheid had het afgelopen november geruimd. Het moest afgebroken worden, omdat er een nieuw, groot vakantiepark op het terrein gebouwd ging worden. Dylan in de rol van De Dikke had blijkbaar een vinger in de pap gehad bij de ontwikkeling van het project, dat net als andere projecten van dat soort behoorlijk lucratief kon zijn als je de juiste personen kende en er vanaf de start bij betrokken was. Het kapitaal was Spaans, Cubaans en Canadees. De bouw van het vakantiepark had vertraging opgelopen. Het afbreken van het huis stond nu over een maand of twee gepland. Ramon legde uit dat Dylan meteen aan het huis had gedacht, toen Ramon hem had verteld over het schip dat hij had gevonden. De plek was ideaal. Het was verlaten en nog niet in bezit genomen door de nieuwe eigenaren of hoe ze ook maar heten in een communistische maatschappij. Er was geen mens te bekennen in de omgeving en de drie tot vier boten, die achter waren gebleven van het minitoerisme uit vroeger tijden, werden slechts door een paar onbewapende bewakers in de gaten gehouden.

Ik vroeg Ramon hoe hij de plek had gevonden. Hij zei dat zijn mensen dat hadden gedaan. Hij was dus een man die mensen had om voor hem te zoeken. Ramon was een man die veel contacten had, begreep ik. Hij had agenten onder zich gehad op het eiland en Dylan en de CIA goed gediend, nam ik aan. Hij was ook een man die geen behoefte had om een Deen in vertrouwen te nemen, die hij het verder wel toevertrouwde om dwars de Straat over te varen naar de beloofde vs.

Na het ontbijt stonden we op het strand. Het oude, mooie houten huis achter ons helde voorover in de zonneschijn en leek het lot te hebben geaccepteerd. Ik zag dat er meerdere dakplaten ontbraken en vier van de ramen op de eerste verdieping waren kapot. Ramon rookte een sigaar. Clara speelde samen met Rosales met Ramons zoontjes aan de waterkant. Clara zag er fantastisch uit in haar iets te grote, blauwe jurk en de wind zorgde ervoor dat hij rond haar lichaam danste. Rosales en haar moeder leken een wat scheve relatie met elkaar te hebben, maar ik hoorde het meisje wel lachen toen een van de jongetjes op haar afrende, en ze zwaaide hem zo in het rond dat hij het uitgilde. De zee rook heerlijk en je moest oppassen dat je niet in vakantiestemming kwam. Wat een heerlijke dag aan het strand. Het gebeurde weleens dat de lokale bevolking in strijd met de wet en regels hiernaartoe kwam om te zwemmen en te relaxen, zei Ramon. Dat zou slechts van korte duur zijn. Over korte tijd zullen er bouwkranen verrijzen en zal er een nieuw, groot vakantiegebied neergezet worden voor rijke, buitenlandse toeristen. Dan konden de Cubanen het strand niet meer gebruiken. Dat zou omheind worden en verboden terrein zijn voor iedereen die niet het rubberen armbandje droeg dat de gasten op het resort moesten dragen. Het was een vreemd land, dat de eigen inwoners toegang verbood tot de hotels, maar dat was goed voor ons. Wij zaten nu hier op deze plek die zich tussen twee werelden bevond. Raúl Castro had de Cubanen dan wel beloofd dat ze in de toekomst in de hotels mochten overnachten, maar dat was een gemakkelijke belofte. Daar hadden maar weinig Cubanen het geld voor, wanneer de rekening in converteerbare peso's betaald moest worden, zoals Ramon zei voordat hij zijn sigarenpeuk in het water gooide en me vroeg mee te komen.

We liepen om het huis een zandweggetje op dat langs een lage heuvel omhoogliep. Die zat vol weelderig groen dat overal groeide. Het zand voelde warm aan door mijn sandalen heen. Vanaf de top hadden we goed uitzicht over de zee en de kust. Voor ons lag een natuurlijk haventje, waar heel lang geleden een kleine pier was gebouwd die de ergste golven tegenhield. Er lagen vier boten. Drie ervan waren krachtige motorboten met de karakteristieke stang en de stoel met de riemen, die duidelijk maakten dat ze gebruikt werden voor diepzeevissen met een stang en lijnen. De vierde boot was een klassieke, wat ouderwets uitziende zeilboot, die ik dertig voet lang schatte, met één mast. Hij deed me veel denken aan mijn eigen boot uit de jaren zeventig. Er waren waarschijnlijk vier of vijf slaapplaatsen, de noodzakelijke zeilen en een binnenboordmotor, die niet over verschrikkelijk veel kracht beschikte omdat hij er slechts op was berekend om ermee de havens in en uit te varen. Het zou druk worden aan boord en rond het enige toilet, dat er misschien zou zijn als de boot voor toeristen was bedoeld. Ik durfde er niet aan te denken hoe het zou zijn als mijn Cubaanse vrienden ontdekten wat het betekende om zeeziek te zijn. Ik keek ernaar. Ik hield wel van de naam: Pelícano. Ik hoopte dat de Pelikaan zo was als ik me herinnerde uit de verhalen die ik te horen kreeg toen ik destijds in Ringkøbing een vergelijkbare boot kocht: 'Het is een goed plezierjacht in wat voor weer dan ook. Zeer solide', had de verkoper gezegd. Hij had gelijk gehad, maar nu moest ik niet de fjord op. Ik moest de Atlantische Oceaan op met een groep mensen die wel eilandbewoners waren, maar niets van varen af wisten.

'Met een van de motorboten zou het gemakkelijker gaan', zei ik.

'Daar is benzine voor nodig. Ik weet niet hoeveel er in de tanks zit, maar dat is vast niet veel.'

'Het lijkt erop dat jij het meeste wel kunt regelen. Dus waarom geen benzine?'

'Hoeveel heb je nodig?'

'Dat kan ik hier niet ter plekke zeggen, maar vast veel.'

'Zo zie je maar. Ik moet het regelen en ik moet het hiernaartoe laten transporteren, zonder dat iemand het ziet. Dat is misschien niet zo gemakkelijk. Er is ook nog iets anders ...'

'Wat?' vroeg ik.

'Ze zijn al lange tijd niet op zee geweest. Niet sinds november, heb ik gehoord. Ik weet niet hoe de staat van de motoren is. Dat zou ik in orde kunnen maken, maar dat kost tijd. Een zeilboot is gemakkelijker, veiliger.'

'Waarom denk je dat? Hoe weet je dat in hemelsnaam?' vroeg ik verbijsterd.

'Dan ben je niet afhankelijk van mechanica en benzine, maar alleen van de goede wind van God.'

'Ramon, vertel eens. Hoe vaak heb jij gezeild?'

'Ik? Nooit. Ik dacht dat ik dat nooit zou mogen meemaken. Ik ben een typische Cubaan. De zee is altijd verboden terrein geweest voor mensen als ik.'

Hij zag er verbazingwekkend blij en gespannen uit, maar datzelfde gold niet voor mij. Er waren duizend dingen die mis konden gaan. Ik wist ook niet of er voldoende diesel in de motor zat, die op de Pelikaan moest zijn. En hoe zat het met de accu? Ik had de motor nodig om op zee te komen en wind te vangen. Ik wilde niet de zeilen dicht bij land hijsen. Ik vertrouwde niet op mijn eigen vaardigheden en ik had geen bemanning. Er waren voldoende problemen om over na te denken. Stond er water op de bodem? Of hadden ze ervoor gezorgd dat hij droog was? Als je maar bij de boot kon komen om hem te bekijken, voordat we de zee op gingen, maar er zat niets anders op dan wachten.

Ramon nam José Manuel mee om flessen water en proviand op de dichtstbijzijnde markt te regelen. Ze namen de kleine crossmotor. Clara zat op het strand onder een palmboom zacht en intens met Rosales te praten, die weer had gehuild. De jongens van Ramon waren in de middaghitte in slaap gevallen, ieder op zijn uiteinde van de hangmat, die Ramon in de schaduw van de veranda had opgehangen. Het was erg warm, maar er stonden zware, zwarte wolken aan de horizon ver weg. De kist van Hemingway stond naast mijn voeten, maar de inhoud ervan had iets van zijn magie verloren. Er was te veel dood geweest en er was te veel onzekerheid en spanning in mijn echte leven, voordat de gedachte aan fictie, hoe mooi en zeldzaam die ook mocht zijn, mij echt kon meeslepen.

Ik zat met een ellendige kaart aan tafel, de enige die Ramon had kunnen regelen. Het was een gewone atlas en niet de zeekaarten die ik eigenlijk nodig had. Je went eraan dat het leven zo eenvoudig is. Het zou zo gemakkelijk zijn om op Google de informatie op te zoeken, maar er was geen computer en bovendien was Google net zoals veel andere dingen verboden voor de Cubanen. Google had me niet kunnen helpen met het vinden van zeekaarten, maar vast wel met een betere kaart dan die ik nu had. Er zou natuurlijk geen gps aan boord zijn, maar dat had ik in mijn tijd op zee ook nooit gebruikt. Ik rekende erop dat er een kompas was, een log en vast ook een oude VHF-radio, aangezien de Pelícano was gebruikt om met toeristen te varen.

Ik keek in mijn atlas, die Cuba, Cayo Coco en de Straat van Florida met de Bahama's ten noorden van ons liet zien.

Ik schatte in dat we op ongeveer 250 kilometer of ongeveer 140 of 150 zeemijlen van de eilandjes ten zuiden van de kust van Florida zaten, waarvan Key West het zuidelijkste was. Ik rommelde in een keukenla en vond een ouderwets gebroken potlood dat bij een klein zakmes lag, dat ik gebruikte om het mee te slijpen. Key West was ver weg. Ik dacht niet alleen aan afstand, maar ook aan tijd. Het was begonnen op een kerkhof en het kostte me veel moeite om niet te geloven dat het in het grote, anonieme kerkhof van de zee kon eindigen. Merete zat vast in haar hemel het hare ervan te denken, zoals ze thuis zeiden. Ik kon haar horen, wanneer ze wist dat ze gelijk had en het niet kon laten om zich te gedragen alsof ze een over- winning had behaald. Nette mensen moeten zich niet met onzin inlaten.

Ik liep langs de slapende jongens, ging weer aan de wiebe- lige tafel zitten en probeerde me berekeningen te herinneren die ooit net zo natuurlijk voor me waren als het opzeggen van de tafels. Als we een zwakke wind hadden, zou ik mogelijk een snelheid van drie tot vier knopen kunnen maken. Misschien hadden we geluk en kregen we een matige wind, die mijn mogelijke snelheid kon verhogen naar zes of zeven knopen. Ik wilde eerst richting het noorden varen en dan naar het wes- ten. Een knoop is hetzelfde als een zeemijl per uur. Ik maakte een berekening aan de rand van de kaart. Als alles goed ging? Als de accu niet leeg was, zodat ik de motor niet zou kun- nen starten? Als we onderweg uit het Cubaanse vaarwater niet werden tegengehouden? Als we niet werden opgebracht door de Amerikaanse kustwacht en met natte voeten werden teruggestuurd naar Cuba? Als we de wind niet mee hadden, zodat ik moest laveren? Als de boot waterdicht was? Als mijn bemanning het niet bestierf van de schrik of zeeziekte, of over boord viel? Als ik nog wist hoe ik een boot moest besturen?

Als de mast en het zeil het hielden? Als ik niet geraakt werd door de giek? Als de Cubaanse veiligheidspolitie niet plotseling de oude, vermolmde deur intrapte en ons allemaal arresteerde? Als we überhaupt op de boot konden komen? Als de goden met ons waren? Als al deze grote 'als'en' ons niet tegenzaten, zou ik ons binnen een dag naar de Florida Keys of de kust van Florida brengen. Dat was zeker niet onmogelijk. Het was anderen gelukt om over te steken in kleine jollen of binnenbanden van een tractor vastgemaakt aan een paar olietonnen. We waren er echt dichtbij en er toch zo ver vandaan. Het was een voordeel dat de Pelícano zo klein en onbelangrijk was dat hij waarschijnlijk niet op de radars zou verschijnen, wanneer ik de radarreflector had weggehaald.

De sfeer bleef het grootste deel van de dag vreemd. Iedereen hield zich met zichzelf bezig. Clara en haar kinderen voerden lange gesprekken. Ze zaten een uur of nog langer met z'n drieën onder de palmboom te praten. Ik ging ervan uit dat ze de dood van Hector probeerden te verwerken en de manier waarop hij was overleden. Beide grote kinderen gedroegen zich vriendelijk tegen mij, maar gereserveerd. José Manuel praatte er tegen mij af en toe op los over Amerika en Denemarken, om daarna net zo snel te stoppen als hij was begonnen, terwijl Rosales omlaagkeek en verlegen glimlachte. Ik begreep de bezorgdheid van Clara. Nog een jaar en Rosales zou een knappe, jonge vrouw zijn. Ik wilde ook niet voor haar dat ze iemand zou worden die met mensen als Lars meeging voor een maaltijd, een nieuwe jurk of de toegang tot wat westerse luxe.

Clara maakte vrij onsmakelijke moros y cristianos met wat gekookte kip klaar, waar alleen José Manuel en Rosales met veel eetlust van aten, zoals jongelui dat kunnen. Daarna deelden we een grote watermeloen. Clara en ik hadden geen moment alleen samen gehad, maar een paar keer verscheen haar mooie glimlach wanneer ik aan tafel mijn koersen en knopen nog een keer probeerde uit te rekenen. Dat deed ik vooral om iets te doen te hebben. Er zat niet veel anders op dan richting het westen te varen en te hopen dat het Amerikaanse vasteland zo'n grote klomp was dat je het wel moest raken als je ver genoeg voer.

Clara kwam met mijn droge, schone kleren en pakte een tasje voor zichzelf en haar eigen kinderen. De jongens van Ramon beleefden het allemaal als een groot avontuur en praatten er voortdurend over dat ze met een Deense zeeroverskapitein gingen varen. Zij stonden in het middelpunt. We compenseerden allemaal onze nervositeit en onrust door hen te overladen met aandacht en met hen te spelen.

José Manuel kwam van zolder, waar hij op ontdekkingstocht was gegaan, hoewel zijn moeder had gezegd dat hij niet moest doen alsof hij nog maar een klein jongetje was. Hij hield een gitaar in zijn handen en sloeg een paar snaren aan. Het klonk verschrikkelijk.

'Speel eens een nummer, zusje', zei hij.

Rosales schudde haar hoofd.

'Ja, toe dan, meisje. Een kort nummer maar.'

'Hij is niet gestemd.'

'Stem hem dan, zusje.' Hij sprong van zijn ene op zijn andere voet en maakte de jongens aan het lachen, die begonnen te roepen dat ze een liedje wilden horen. Rosales schudde haar hoofd, wierp haar moeder een blik toe, maar pakte toen de gitaar en begon hem te stemmen. Ze neuriede de tonen en probeerde de snaren goed te zetten.

'Rosales heeft muziek als hoofdvak', zei José Manuel. 'Misschien kan ze een rockster worden in Amerika.'

Ze was klaar. Ze zag er niet tevreden uit, maar het klonk

redelijk, ietwat iel, toen ze een paar akkoorden aansloeg en een voor mij onbekend droevig Cubaans liedje over een pindaverkoper begon te zingen. Ze had een mooie, tere sopraan en het liedje paste prima bij de duisternis, die nu begon in te vallen en die aankondigde dat we dadelijk moesten vertrekken. We klapten toen ze klaar was. Ze keek naar haar broer en sloeg een paar heel andere akkoorden aan. Ze begonnen allebei te zingen. De stem van José Manuel paste goed bij die van zijn zus. Aan de manier waarop ze elkaar aankeken en moeiteloos insprongen in het refrein, kon je horen en zien dat ze in hun kindertijd samen hadden gezongen. Het was het beroemde lied over Comandante Che Guevara, dat je op de hoek van elke straat in Havana hoorde, maar ze gaven er in de toonval een ironische draai aan, die ook een verlangen bevatte naar de droom van de onaangetaste held en een leven dat kon worden geleid door idealen. We konden het niet laten om te glimlachen en de jongetjes klapten enthousiast, toen we het refrein meezongen over 'Hasta Siempre Comandante Che Guevara'. We brulden er lustig op los en probeerden het lied de zwarte gedachten te laten verdringen, die onuitgesproken lagen onder alles wat we in de loop van de dag hadden gedaan. Toen we klaar waren, klapten we voor elkaar en Ramon pafte flink aan zijn sigaar. Rosales sloeg de maat aan voor een nieuw lied. Ik kende het niet, maar het was een ironisch lied over opgroeien in Cuba in een veranderlijke wereld. Het bekende voelt altijd zeer veilig, over welk systeem we het ook maar hebben, vooral als je op het punt staat om het te verlaten. Ze hadden hun vader verloren en het leven dat ze hadden geleid, was definitief voorbij. Ze maakten zich nu klaar om hun geboorte-eiland te verlaten. Dat was heel duidelijk met gemengde gevoelens, geen grote vreugde, maar daarentegen met een enorme nervositeit, die bodemloze angst moest zijn als ze wisten wat ik wist over de macht en ongevoelige brutaliteit van de zee.

Hun lied was melancholisch en vulde de keuken in het oude, ter dood veroordeelde huis, terwijl de tropenduisternis zich erover legde en het verstopte, en we ons klaarmaakten om te vertrekken:

'Ik ben een Cubaan/ en hoor bij het paranoïde ras/ Want ik heb geluisterd/ naar dezelfde dingen/ van voor de perestrojka/ en ik leef het project van mijn leven/ in een langzame weergave.'

24

De wind kwam uit het zuidoosten, wat me uitstekend uitkwam, maar ik was niet blij met de toenemende kracht ervan.
Er waren wolken boven het eiland komen hangen en het leek
erop dat de natuur het deze keer serieus meende met de regen en misschien meer wind. Het was benauwd en drukkend
ondanks de toenemende wind. Er waren golven op zee gekomen. Ik kon de beginnende witte koppen zien, toen de maan
even tevoorschijn kwam. Ze waren nog niet groot, meer abrupt dan sterk. Ik zou de steven er onderweg het zeegat uit
recht op krijgen. Dat zou niet goed zijn voor degenen die
geen echte zeebenen hadden. Later op de avond zouden de
wolken misschien van opzij komen, maar dat zou ik dan wel
zien. Het voordeel van wat slechter weer was dat we moeilijker te ontdekken en tegen te houden waren, maar het vereiste
ook meer zeemanskunst.

Ramon vroeg Clara, zijn zoontjes en Rosales om te wachten. José Manuel en ik liepen achter hem aan de heuvel af
naar de twee bouwvallige houten schuren die een haventje
afschermden. Zoals al het andere om ons heen zag het er verlaten en slecht onderhouden uit. Je kon zien dat het allemaal
gewoon stond te wachten op de bulldozers. Er zat een oude
man voor een derde schuur een sigaar te roken. Ramon liep
in het schijnsel van twee lampen boven de deur naar hem toe.
Ik kon niet horen wat hij tegen hem zei, maar ik kon wel zien
dat de oude man afwerend zijn hoofd schudde. Hij wilde iets
roepen, maar Ramon legde zijn grote hand op zijn mond. Er
kwam een andere man uit de verlichte ruimte op Ramon af-
rennen. Hij hield een knuppel in zijn hand, waar hij mee naar

Ramon sloeg. José Manuel en ik renden naar het gevecht toe, maar het was heel snel afgelopen. Ramon deed soepel een stap opzij met zijn handen in de klassieke bokshouding. De knuppel vloog langs hem heen en hij sloeg met zijn linkervuist op de kaak van de bewaker en daarna volgde een snelle vuistslag met zijn rechterhand, waardoor de bewaker naar de schuur tuimelde en daar met een verbaasde blik in zijn ogen ging zitten. De oudere bewaker stond op en legde demonstratief zijn knuppel op de walkant.

Ik liet het vastbinden van de twee mannen aan Ramon en José Manuel over. De jonge man leek wat verward en niet helder, maar verder prima in orde. Geen van beiden maakte een angstaanjagende indruk. Ze waren allebei tenger, hadden een dunne snor en droegen een wat groezelig uniform dat niet goed zat. Ramon behandelde hen netjes, maar vastbesloten en hij verontschuldigde zich meerdere keren dat hij zich ertoe gedwongen voelde om zijn kameraad te slaan, maar het kon niet anders. Of de vrienden een sleutel hadden van het zware hangslot waar de trossen van de Pelícano mee waren vastgemaakt? Helaas niet. Een betonschaar misschien? Achter in de andere schuur? Hij bedankte hen allebei en verontschuldigde zich voor het feit dat hij hen had moeten vastbinden. Ze zouden bij de dageraad worden gevonden door de aflossers. Er zat niets anders op.

Ik ging aan boord van de Pelícano. Ze deinde licht op de echo van de golven buiten de pier. Tot mijn grote opluchting was ze goed onderhouden ondanks haar ongewilde pauze van het op zee varen. Het licht in de kajuit ging aan toen ik op de knop drukte. De accu was dus opgeladen. De zeilen waren netjes en professioneel opgeruimd, alles was schoon en zoals het moest zijn. De pantry was klein, maar goed werkend, en er zat gas in de fles. Er waren een klein toilet en vijf slaapplaatsen onder het dek. Er zat water in de tank, maar ik wist niet of het goed genoeg was om te drinken. Achterin zat de stuurhut met een groot, ouderwets roer en een net zo ouderwets, maritiem kompas en een log, die de vaarsnelheid liet zien. Er waren de noodzakelijke hendels en contacten aan de motor, die onder het dek lag. De motor zag er oud en in een redelijk slechte staat uit toen ik erbij ging kijken, maar hij was droog en de dieseltank leek voor de helft gevuld te zijn. Achter in de kajuit was een bergplaats. Ik kon geen reddingsvesten vinden, maar de boot was zeilklaar. Ik verdacht enkelen van de belangrijkere jongens in de communistische partij ervan dat ze af en toe het staatseigendom voor uitstapjes gebruikten, aangezien de Pelícano in zo'n goede staat verkeerde. De boot was onlangs op het water geweest en rook fris en naar zout, zoals een zeilboot volgens mijn nostalgische herinneringen moest ruiken. Ik probeerde er hoopvol en met een goed humeur uit te zien, toen ze aan boord kwamen en onhandig een plekje probeerden te vinden op iets wat bewoog wanneer zij zich bewogen.

José Manuel en Rosales droegen twee linnen tassen met watermeloenen, wat brood, een groot stuk ham en een in stukken gesneden kip. Clara hield de twee jongetjes aan haar hand. Het was erg vervelend dat ze geen reddingsvesten konden dragen. Ramon kwam met waterflessen in een net aanlopen. Er was ook een fles rum. Hij leek in deze situatie niet op zijn gemak. De wind piepte in de takeling. Ik stond aan het roer en vroeg Clara om de jongetjes mee te nemen onder het dek. Ramon moest al zijn kracht gebruiken, maar uiteindelijk begaf het hangslot het en konden we de trossen losmaken. Ik drukte op de startknop van de motor, maar er gebeurde niets. Ik probeerde het nog een keer, nog steeds zonder resultaat. Ik keek naar Ramon, die zei: 'Eén moment.' Hij stopte zijn hand in de motor en deed iets, keek omhoog en knikte, en ik probeerde het weer, en deze keer ging hij met een zacht, oplopend geluid aan, toen hoestte hij en stopte. Ramon rommelde weer en ik probeerde het opnieuw. Hij ging aan en ik hoorde dat hij snel in het ritme kwam. Het was duidelijk geen krachtige motor, maar hij was bruikbaar.

'Pak de trossen van het voorschip, Rosales', zei ik en ze reageerde snel en liep goed balancerend naar de steven en trok het touw binnen, dat Ramon op de wal losmaakte. Hij pakte de achtertrossen en stapte weer aan boord en bleef even stilstaan, toen hij merkte hoe de Pelícano door zijn lichaamsgewicht begon te bewegen. Ramon hield de betonschaar in zijn hand. De witte radarreflector hing boven achter mijn hoofd. Ik wees ernaar en zei dat we die kwijt moesten. Ramon knipte hem los met de betonschaar en gooide hem in de haven. Ik ging bakboord uit en de Pelícano gleed langzaam bij de wal vandaan. Ik gooide het roer om en draaide de boot naar de havenmond. Ik deed de lantaarns niet aan. Clara trok de gordijnen van de kleine patrijspoorten dicht. Daardoorheen was slechts een zwak schijnsel te zien, net als van het navigatielicht in de open stuurhut. Als de kustpatrouille zo dichtbij kwam dat ze het licht konden zien, maakte het niets meer uit, dan hadden we toch geen kans meer.

Rosales kwam terug en ging bij haar broer, Ramon en mij staan. Er was niet veel plaats, maar het was gezellig op een goede, intieme manier. Het kalmeerde me. Ik besefte dat de zee me altijd rustig had gemaakt en me een gevoel van vrede had gegeven. Ik draaide de steven helemaal rond, maakte vaart en zette direct koers naar de zwarte zee die voor ons lag en zich oneindig uitstrekte in het donker.

'Wat veel water', zei Rosales en ze maakte ons aan het lachen, maar ze had wel gelijk in haar vanzelfsprekende constatering.

Ik liet de Pelícano een tijdje op de motor varen, voordat ik Ramon vroeg om het roer te pakken. Hij begon al wat bleek te worden. Datzelfde gold voor José Manuel en Clara, die naar buiten in de frisse lucht kwam. Rosales en de jongetjes leken weinig te merken van de bewegingen van de Pelícano, die ook niet heftig waren. We voeren schuin naar de golven, die lang en zacht waren. Het land achter ons verdween snel. Aan bakboord lag een klein eiland. Ik kon lichtjes zien glinsteren. Ik probeerde me niet af te vragen waar de kustradar was en of ze ons konden zien. Er was ook het risico dat we werden ontdekt door een patrouilleschip. Er was niet veel op de Pelícano wat een radarecho kon veroorzaken. En Rosales had wel gelijk. Er was enorm veel water. Het was een grote zee. We werden niet zomaar ontdekt.

Ik vroeg Ramon om de koers recht vooruit aan te houden. Hij hoefde alleen op het kompas te kijken en de naald op dezelfde plek te houden als waar hij nu stond. Ik ging het voordek op. Ik had niet meer mijn oude zeebenen, merkte ik, toen ik de niet meer vertrouwde bewegingen van de boot voelde. Ik kon gelukkig goed tegen varen en was nog nooit echt zeeziek geweest. Ik maakte de bevestigingen van het zeil los en verzekerde me ervan dat ik het kon hijsen. Ik wilde voorlopig genoegen nemen met de fok, voordat ik het grootzeil zou gaan gebruiken. Ik had gezien dat de Pelícano ook een ballonfok had. Met de wind achter ons zou deze fok meer vaart kunnen maken dan de vier knopen waar de motor ons volgens de log nu mee vooruitbracht. Ik had überhaupt niet aan de getijden gedacht, maar het zat ons mee. De wind begon toe te nemen en de Pelícano ging harder wippen in het water. Clara was de eerste die overgaf, José Manuel de volgende en daarna was het de beurt aan Ramon.

'Aan de lijzijde, verdomme', brulde ik boven het geklapper

van het touwwerk tegen de mast aan uit, maar het was te laat. Ik kon horen dat de jongetjes begonnen te huilen. Rosales had het roer van Ramon overgenomen, die eruitzag als een verzopen kat. Ik liep terug en nam het roer met een glimlach van haar over en paste de koers aan. Het stonk. We waren nog maar twintig minuten onderweg en de chaos was compleet. De Pelícano wipte nog steeds, maar niet zo erg meer.

'Zou je wat schoon kunnen maken, Rosales? En als jullie moeten overgeven, doe het dan met de wind in de rug, kameraden', zei ik en ik probeerde opgewekt te klinken.

Rosales was net als Clara een engel, die haar best deed en de jongetjes troostte. Ik wilde hen niet zonder reddingsvesten in de stuurhut hebben. Als ze in het water zouden vallen, konden we niets doen. Rosales vond onder in de pantry een emmer en spoelde het braaksel weg. Er kwam onaangekondigd een regenbui, waar we binnen enkele seconden doorweekt door waren, en na een paar minuten dreef hij over. Het was eigenlijk niet onaangenaam in de vochtige warmte en de regen maakte de stuurhut schoon, de boot lensde prima en ik bedankte inwendig opnieuw de Cubanen die de Pelícano zo gewetensvol hadden onderhouden.

Ik bereidde me er weer op voor het zeil te hijsen, toen Ramon in het donker wees. Hij had goede ogen, want eerst kon ik niet zien wat hij zag, maar helaas had hij gelijk. Het waren lantaarns. Ze waren ver weg, maar ze bewogen zich langs de kust. Het was zo goed als zeker een patrouillevaartuig.

'Doe het licht uit', zei ik en de Pelícano werd donker. Ik zette de motor bijna uit en liet ons drijven. Nu gleed de Pelícano recht tegen de golven in en ik kon zien dat alle drie personen de verschrikkingen van de zeeziekte voelden, maar het was niet anders. De lichten kwamen dichterbij, maar veranderden niet van richting. Ze voeren tussen het eiland en ons door. Ze hadden een flinke snelheid. Ik verwachtte dat ze in een ingesleten patroon langs de kust patrouilleerden en gokte erop dat we minimaal een uur hadden, voordat ze terugkwamen. Ik kon de lichten niet meer zien en uiteindelijk verdwenen ze ook voor de scherpe ogen van Ramon. Hij zag er verschrikkelijk uit. Datzelfde gold voor Clara en José Manuel. Rosales leek een van die mensen te zijn die met het geluk zijn geboren dat ze niet zeeziek worden.

Alles was nu pikzwart om ons heen. Ik zette de motor op volle kracht en vroeg Rosales om het roer over te nemen en het noorden aan te houden. Het patrouilleschip had me bang gemaakt. We moesten meer vaart maken. Ik pakte het roer en ging tegen de wind in, voordat ik het aan Rosales teruggaf. Ik liep het voordek boven de kajuit op en met veel moeite kon ik de fok en het grootzeil hijsen. De wind was flink toegenomen en aangezien Rosales geen idee had hoe ze naar de wind moest zeilen, klapperde het zeil en werkte de Pelícano zichzelf tegen. Ik liep snel terug naar de stuurhut, waarschuwde Rosales voor de giek, nam het roer over en keerde de Pelícano om, zodat de wind in de zeilen kwam, die met een blij geluid strak kwamen te staan. Het waren redelijk nieuwe zeilen, die eruitzagen alsof ze goed waren genaaid. De wind was fris en stabiel. Ik zette de motor uit, de Pelícano ging een beetje op haar zij liggen en we gleden snel door het zwarte water.

Ze zeilde mooi. Met een snelheid van zeven knopen lag de boot solide en tegelijkertijd elegant in het water. Het was precies zoals ik het me herinnerde. Het was het gevoel van vrijheid in het water, onderhevig zijn aan de kracht van de elementen en tegelijkertijd controle hebben over de elementen. Ik wilde graag meer zeilen hijsen, de ballonfok proberen, maar liet me niet verleiden tot overmoedigheid. In plaats daarvan probeerde ik Rosales wat bij te brengen over zeilen, over de kracht van de wind en hoe je die gebruikt. Over op koers blijven en er de hele tijd voor zorgen dat het zeil bol staat. Het beste te profiteren van de wind. Ik herinnerde het me allemaal weer, toen ik haar de zeemanskunst probeerde uit te leggen. Ik had de anderen opgegeven. Ze lagen beneden gekweld te kermen door alle ellende van de zeeziekte en daarmee van het zelfmedelijden. Als het aan hen lag, zeilden we dadelijk terug naar land of gaven we ons over aan een patrouilleschip, dat ons zou beloven om ons meteen met droge voeten aan land te brengen. De jongens sliepen samen in een van de kooien met ieder hun hoofd aan één kant en hun voeten in het midden, zag ik toen ik mijn hoofd om de hoek van de kajuit stak. Rosales nam trots het roer over, maar ze raakte al snel de wind kwijt. Ze had het niet in de gaten, dus ik gaf haar een compliment.

Zeilen houdt tevens in dat je je in een situatie bevindt waar afgezien van de kleine details niets gebeurt. Of misschien liever gezegd dat hetzelfde zich steeds weer herhaalt. Je bent erop geconcentreerd om op koers te blijven en optimaal gebruik te maken van de wind, maar verder glij je door de donkere zee en voel je de snelheid, maar je merkt misschien niet dat je vooruitgaat. Ik voer een uur richting het noorden en begon toen langzaam de koers meer naar het noordwesten te verplaatsen. De wind kwam uit het zuidoosten en nam in kracht toe. Twee keer hoosde het, zodat we de kajuit dicht moesten doen, en het begon af te koelen. De Pelícano kwam prima vooruit op de lange golven, die het zoute water over Rosales en mij spoten. De zeestroom zat ons blijkbaar ook mee. Rosales wilde niet gaan slapen. Ze leek net zo veel van de reis en de zee te genieten als ik. Het was een nieuwe wereld voor haar, die ze met een natuurlijke blijdschap tot zich nam. Ik liet haar het roer weer overnemen en ze had er een goed gevoel voor om van de wind te profiteren. Clara kwam bij ons zitten. Ze zag er bleek en moe uit, maar had niets meer in haar maag.

'Ik heb het gevoel dat ik doodga', zei ze.

'Nee, dat gebeurt niet. Neem een slok water', zei ik. 'Het gaat over.'

'Wanneer?'

'Men zegt dat het een paar dagen duurt, dan wen je aan de zee …'

'Je bent een ongevoelige eikel en ik haat je.'

'Anderen wennen er nooit aan.'

'John, ik haat je. Hoor je me?'

'Nee, je haat hem niet, mama. John is goed. Hij leert me zeilen. Dat is leuk.'

'Mijn kind, je weet niet waar je het over hebt.'

'Wanneer we naar Amerika komen, koop ik een zeilboot.'

'Je krijgt mij de zee niet meer op. Ik kan het niet aan. En dan al die vreselijke geluiden. En al het water, niets staat stil en alles is nat en koud.'

Ze moest weer over de reling hangen en ging daarna beneden in de kooi liggen. Rosales haalde een paar flessen water en wat meloen voor ons. Ik had zin in sterke koffie, maar ik moest geen open vuur aan boord hebben met de groep zeezieke passagiers die ik vervoerde. Rosales pakte twee flesjes met Cubaanse namaakcola. Het smaakte prima en ik kon in het schijnsel van de instrumenten zien dat de Cubaanse poging om de jeugd een cola te geven zonder 'Coca' erop gelukkig cafeïne bevatte.

Ik wilde graag nog meer vaart maken. Ik wilde zo snel mogelijk het internationale vaarwater in. Ik was er ook bang voor dat de twee bewakers waren gevonden of zelf hun touwen hadden losgemaakt en dat de Cubaanse kustwacht bezig was met een echte opsporing. Ik voelde me verder behoorlijk zeker. De maan ging schuil achter de lage bewolking, we lagen laag in het water en door de regenbuien was het zicht minder goed. Je hebt geluk nodig en blijkbaar hadden wij dat geluk. Misschien hield God zijn hand boven het hoofd van Clara en de mensen die met haar meevoeren, zoals Carlos zou hebben gezegd.

Na middernacht zette ik bijna direct koers naar het westen en de wind kwam mooi schuin achter ons te staan. Rosales hield het roer vast en deze keer had ze geen moeite om het zeil bol te houden. Ik liep naar het voordek om de ballonfok klaar te maken om hem te gaan hijsen, hoewel het eigenlijk een zeer onverantwoordelijke handeling was met mijn oude kennis en onervaren bemanning, maar de angst was sterker dan het verstand. Ik beval Ramon naar boven te komen, hoewel hij er miserabel uitzag, en instrueerde Rosales en hem wat ze moesten doen, terwijl ik het roer overnam. Miraculeus genoeg lukte het en de ballonfok ging bol staan, zodat ik voelde hoe de Pelícano de steven in de golven onderdompelde, omhoogkwam en over de zee scheurde, en ik het niet kon laten om luid boven de wind uit te brullen en mijn gebalde vuist naar de zwarte, laaghangende bewolking op te steken. Ik corrigeerde de fok, zodat hij geen wind van het grootzeil afpakte. Ramon ging in zijn ellende terug naar zijn kooi, terwijl Rosales bij mij bleef en leek te genieten van de nieuwe, goede snelheid die de Pelícano maakte.

Ik werd plotseling heel moe en ging op de stoel zitten. Ik werd overmand door een vermoeidheid, alsof alle belevenissen van de afgelopen weken zich opstapelden om me te overvallen. Ik deed wat je niet mocht doen. Ik sluimerde, dutte in, zoals je dat achter het stuur van een auto kunt doen. Ik was maar een paar seconden weg, maar ik droomde over Merete, die ik had meegenomen in een kleine jol. Eerst zeilden we op een meer, dat leek op het meer in het pretpark Tivoli in Kopenhagen. Er waren ook bootjes die om ons heen voeren. Ik had moeite het zeil te hijsen. Merete zat in een witte jurk op het achterdek en verkoelde zichzelf met een Chinese waaier in haar ene hand. In de andere hield ze een lichte parasol. Ze zag er beeldig en zacht uit, en ze leek op iets wat een van de schilders uit Skagen had kunnen creëren. Plotseling waren we helemaal alleen op open zee, die zwart was en met grote golven die boven ons uittorenden. Ik was enorm geschrokken, maar Merete zat onaangedaan naar zichzelf te wuiven en haar parasol bewoog niet in de storm, hoewel het zeil hard en luid klapperde. 'Je bent een watje, John', zei ze. 'Dat heb ik altijd gezegd. Een beetje wind en dan weet je het niet meer.'

Ik wilde protesteren en haar vertellen dat dit serieus was, toen ik wakker werd omdat ik van de bank op de vloer van de stuurhut viel, waar water lag. De Pelícano ging hard heen en weer in de wind, Rosales schreeuwde en probeerde het roer vast te houden dat ronddraaide. Ik zag dat haar handen pijn deden. De zeilen klapperden en de Pelícano helde dreigend. Ik kon dingen op de vloer horen vallen in de kajuit, Clara die schreeuwde en de kinderen die begonnen te huilen. Dat kan op zee zelfs de besten overkomen. Een plotselinge verandering van de wind die kan springen, waardoor zelfs een ervaren roerganger in de problemen kan komen. Een ballonfok vereist voortdurende aandacht.

Ik kreeg het roer te pakken, maar kon de Pelícano niet stabiliseren. De golven kwamen recht van opzij en vlogen over de reling. Ramon kwam in de opening van de kajuit tevoorschijn. Hij was nog steeds bleek, maar overzag de situatie. Rosales huilde alleen maar. Ramon pakte het roer en hield het met zijn sterke handen vast. De Pelícano helde weer en begon om zijn as te draaien, de mast zag er dreigend uit en ik was bang dat we zouden kapseizen, toen de ballonfok met een ritsend geluid scheurde, dat duidelijk boven de wind uit hoorbaar was.

Ik kroop het voordek op en pakte het zakmes, dat ik in mijn zak had gestopt nadat ik in het veilige, bouwvallige huis mijn potlood ermee had geslepen, opende het en sneed de touwen van de ballonfok door. Die verdween in zee. Ik klauterde de stuurhut in en brulde een waarschuwing, toen de giek over ons heen zwaaide. Ik nam het roer over en gooide het snel om. Het had de stabiliteit wat verbeterd nu de ballonfok weg was, maar de Pelícano helde nog steeds verschrikkelijk en draaide maar langzaam om, maar het was net zo'n stabiele meid als mijn bergmerrie. Langzaam draaide ze om en de golven kwamen van achteren en het grootzeil werd weer gevuld door de wind. Het was maar goed dat het een nieuw zeil was. Het had het gehouden. Ik stelde de fok bij, die het miraculeus genoeg ook had gehouden. Ik veranderde de koers naar noordnoordwest en de Pelícano begon weer te zeilen, alsof de zee haar net niet bijna in zijn grote diepten naar beneden had getrokken. De golven waren lang en hoog, maar ze kwamen schuin van achteren, zodat de Pelícano er moeiteloos en elegant op voer.

'We moeten het water lozen', zei ik met een ongelooflijk rustige stem. Rosales snikte en bleef herhalen dat het haar speet. Dat het haar schuld was. Dat ze met me had moeten praten, zodat ik niet in slaap was gevallen. Dat ze zelf niet had geslapen, maar misschien toch haar ogen dicht had gehad. Heel plotseling had de boot zich vreemd gedragen.

Ik hield het roer met één hand vast, legde mijn arm om haar tengere schouder en trok haar naar me toe. Ze voelde klein en kwetsbaar aan. Het was net alsof ik een nat katje vasthield.

'Pak het roer vast, Rosales. Ik kijk even beneden hoe het

daar gaat. Gewoon de koers blijven volgen.'

'Dat kan ik niet.'

Ik deed net alsof ik het roer losliet en ze pakte het over en ging met haar benen wijd staan, zoals ik haar had laten zien dat je dan in evenwicht stond. Je kon ook zitten in de stuurhut, maar ik stond het liefst, dus dat deed zij ook. Haar wangen waren nat en ze snoof op dezelfde manier als haar moeder, maar ze kreeg feeling voor de Pelícano, die zich zo goed mogelijk een weg door de lange golven kliefde. We hadden een paar knopen snelheid verloren, maar we voeren.

Clara zag er slecht uit, maar ze had wel energie om de jongens te troosten. Ze zat op een van de kooien in het gele licht en hield de jongens vast, terwijl ze iets vertelde waarvan ik dacht dat het een of ander Cubaans sprookje was, tot ik besefte dat ze het sprookje over het meisje met de zwavelstokjes navertelde. José Manuel zag er ook geschrokken uit. Hij lag op zijn rug gekweld naar het plafond te staren. Af en toe maakte hij een klagend geluid. Ik opende het luik naar de motor en de bodem. Er lag water onder in de kajuit. Ik kon geen contact voor een pomp vinden. Achterin zat een gesloten ruimte, waar ik het handvat voor de lenspomp vond. Ik keek in de dieseltank. Er was nog steeds voldoende brandstof, dus ik startte de pomp, liep weer naar boven en zette de motor aan. Ik wilde de accu niet helemaal opmaken. Het zag ernaar uit dat Ramon zijn zeeziekte begon te overwinnen. Hij ging zitten en slaagde erin zijn sigarenpeuk aan te steken, die hij droog had kunnen houden.

Ik liet hem even roken, voordat ik zei: 'Probeer je jongens wat te laten drinken en eten, nu ze wakker zijn. Het zou jezelf ook goeddoen.'

'Jazeker, meneer de kapitein', zei hij en hij gooide de sigarenpeuk over boord. Hij voelde zich duidelijk beter. Hij kwam terug met twee waterglazen die voor de helft waren gevuld met donkere rum.

'Als de kapitein het toestaat?' zei hij en hij gaf mij een glas.

'En de stuurvrouw?' vroeg ik. 'Zij heeft ook een neutje verdiend.'

'Ik hou niet van rum', zei Rosales.

Ramon klauterde weer naar beneden en kwam terug met een glas voor haar met een bodempje erin.

'Dat zal je goeddoen, meid', zei hij. *'Salud, compañeros!'*

We proostten. De rum was scherp en zoet, en deed het de hele weg omlaag goed. Ramon en ik lachten toen we zagen wat voor gezicht Rosales trok toen ze de bruine vloeistof doorslikte, maar ze kon niet verbergen hoe trots ze was, ook al deed ze haar best.

Een uur later begon het te regenen en de wind nam nog meer toe, dus ik reefde het meeste en liet ons alleen vooruitbrengen door het voorzeil. De snelheid was nog steeds goed en in de loop van de nacht nam de koude regen eindelijk af en de wind ging liggen zodat ik het grootzeil weer kon hijsen. Rosales had eindelijk geaccepteerd dat ze ook wat moest gaan slapen, maar ze koos ervoor om dat op de bank in de stuurhut te doen. Ze kon de stank in de kajuit niet uithouden. Er was geen automatische piloot. Ik moest haar wakker maken, zodat zij het roer kon overnemen terwijl ik het zeil hees. Ze viel snel weer in slaap. Ramon ging naar beneden om even te gaan liggen. Hij was weer zeeziek geworden, toen de golven van richting veranderden en daarmee ook de bewegingen van de Pelícano.

Ik was de enige die nog wakker was toen de zon opkwam en het water kleurde, dat steeds veranderde van kleur en eindigde in diepblauw, toen de zon zich lostrok van de horizon en de temperatuur snel deed stijgen.

De zee om mij heen was helemaal leeg. Ik kon geen schepen en ook het Amerikaanse vasteland niet zien, dat ergens voor de steven zou moeten liggen. De Pelícano voer gestaag en had een snelheid van acht knopen. Ik hield op dat moment erg veel van de boot, die vol vrede en harmonie was. Alleen de uitgestrekte blauwe zee en ik. Ik stond mezelf toe om een beetje trots te zijn. Ik had hen heelhuids door de nacht geleid. Als mijn berekeningen klopten, waren we nog maar enkele zeemijlen van de kust verwijderd. Als ik de koers of de snelheid niet goed had berekend, konden we ons waar dan ook bevinden, maar ik had me er eerder mee getroost dat de sokkel van het Amerikaanse vasteland een flinke klomp aarde was. Het risico bestond natuurlijk dat we onder de Florida Keys langs waren gezeild, maar dat geloofde ik niet. Ik zeilde een uur lang in het blauwe water, dat bijna compleet windstil was. Er waren alleen lange, langzame golven, die onder de Pelícano door gleden.

Rosales stond op, wreef in haar ogen en kneep ze dicht tegen de zon in.

'Goedemorgen, stuurvrouw', zei ik.

'Goedemorgen, John.'

'Het lijkt een heerlijke dag te worden, Rosales.'

'Ja. Zo ziet het er wel uit. En kijk! Daar is een naamgenoot.'

Ik keek omhoog naar de lucht waar ze naar wees en zag de pelikaan langs vliegen met langzame, mooie vleugelslagen. Hij vloog in dezelfde richting als wij zeilden. Hij gaf me een optimistisch gevoel. Net als wij zette de pelikaan koers naar Amerika. Nu ging het erom om ongedeerd aan land te komen zonder natte voeten te krijgen, zodat ze niet konden dreigen ons naar Cuba terug te sturen.

'Hou koers, stuurvrouw. Ik ga even onder dek', zei ik.

De gedachte dat er land in de buurt was, vrolijkte iedereen op na de lange nacht. De stemming steeg in dezelfde mate als dat de zon aan de blauwe hemel omhoogklom, de bevroren lichamen verwarmde en de Pelícano droogde. Alleen José Manuel was nog steeds vreselijk zeeziek, terwijl Ramon het leek te hebben overwonnen en ook Clara had het ergste achter de rug. Ze kwam samen met de jongens de stuurhut binnen, die strenge orders hadden gekregen om niet rechtop te staan. Door een gelijkmatige wind gleed de Pelícano gemakkelijk en rustig door het water. Ramon mocht de gaspit aanzetten om koffie te zetten, die hij sterk en zoet serveerde. Hij maakte ook een broodje klaar en serveerde de koude kip en de ham. Rosales en ik aten met goede eetlust, terwijl Clara weer bleek werd. De jongens kregen meloen, cola en brood en een groot deel van de koude kip. Ze praatten en maakten grapjes met hun vader, maar ze begonnen ook nogal ongeduldig te worden en konden niet stilzitten. Ik was er de hele tijd bang voor dat ze in het water zouden vallen als ze even niet oppletten. Ramon accepteerde het dat we hen allebei vastbonden met een stuk touw, zodat ze op mochten staan en doen alsof ze stuurden, terwijl de uren verstreken en de Pelícano door het blauwe, bijna windstille water gleed.

Ramon zag als eerste land. In de verte was een lage strook te zien, die groeide naarmate we dichterbij kwamen. Ik had gehoopt om bij het vasteland te komen, maar ik had te zuidelijk gevaren. Het was de oude spoorwegbrug, die de Florida Keys had verbonden. Vrij snel zagen we duidelijk de restanten ervan en de nieuwe wegbrug. Het zicht was fantastisch in het namiddaglicht. De stemming steeg. We waren bijna thuis, maar ook alleen maar bijna. Ramon zag ook de grote witte kustwachtkotter, die van opzij kwam en op ons afkoerste. Hij was nog steeds ver weg. Ik kon aan het schuim van de boeg zien dat hij veel vaart had. We hadden een zeer goede wind, die we nog steeds mee hadden toen we een beetje van koers veranderden, maar het zou heel krap worden. Ik keek naar de vhf-radio en verwachtte dat ze elk moment konden proberen contact met ons te zoeken.

Toen ze ongeveer een kilometer van ons verwijderd waren, begonnen ze via een luidspreker naar ons te roepen. De metaalachtige, gezaghebbende stem klonk helder en duidelijk over het water: 'Dit is de us Coast Guard. Strijk de zeilen en leg aan. We komen aan boord.' Ze bleven het bericht herhalen. Ik kon zien dat ze zich erop voorbereidden om een rubberboot te water te laten. Ik zag dat ze vaart minderden. Ze lagen te diep. Dat kon ik niet zeker weten. Maar ik was ervan overtuigd dat dat het geval was, omdat ze nu bijna helemaal stillagen om de rubberboot te water te laten. Ik vroeg Ramon om de kist met de tas van Hemingway te halen. Ik had hem achter in de pantry vastgebonden. Mijn plan was risicovol, maar er zat niets anders op.

Het zou heel, heel krap worden, maar ik nam het risico. De oude spoorwegbrug was erg dichtbij. Dat moest de zevenmijlsbrug zijn. Vanaf zee gezien zag de brug, die niet aan het vasteland verbonden zat, er nog merkwaardiger uit. Ik draaide langzaam en kreeg de wind meer in de zeilen vanaf bakboord, zodat we langs de brug voeren. Er stond gelukkig heel veel wind, die meer toe leek te nemen tussen de brugdelen en de golven. Het water stond laag. Je kon zeegras op de stenen op de bodem zien zitten.

'Maak de jongens los, Ramon. We zeilen recht op het land af. Kun je zwemmen?'

'Ik kan niet zeilen, maar ik kan wel zwemmen.'

'Maak José Manuel wakker. Kan hij zwemmen, Rosales?'

'Ik kan zwemmen. Mijn broer kan ook zwemmen.'

'Clara?'

'Ik ben opgegroeid in Key West. Ik zat op de universiteit in het zwemteam. Wat denk jij, Deen? Dat ik niet kan zwemmen?'

'Je bent weer opgeknapt. Waarom heb je dan niet leren zeilen?'

'Ik word zeeziek. Geef mij maar het zwembad in plaats van de zee.'

Ik zei lachend tegen haar: 'Dan zijn de jongens jouw verantwoording, oké? Samen met Ramon. Zorg dat ze aan land komen.'

José Manuel zat op het bankje ongeïnteresseerd naar de kotter van de kustwacht te kijken. De stakker had het flink te pakken. Ik had het idee dat het hem niet uitmaakte wat er gebeurde, als hij maar van de rollende bewegingen van de Pelícano af kwam. Ik hoorde de sterke buitenboordmotor van de rubberboot. Nu was het slechts een kwestie van een paar minuten. Ik legde Rosales uit wat ze moest doen, wanneer ik de boot omdraaide. Ik zette direct koers naar een van de brugdelen en zag hoe de rubberboot van koers veranderde om me af te snijden. Er zaten twee mannen in wetsuits in de rubberboot naast de stuurman en een andere man die voorop zat. De rubberboot hakte in het groenblauwe water, waardoor de zon in het spuitende water van de boeg sprong. Het leek alsof hij net zo moedig over de zee reed als een wild paard.

Het was nu of nooit. Ik moest roepen om Rosales en Ramon uit te leggen wat ze moesten doen en ik vroeg de anderen om bij elkaar te kruipen en gooide abrupt het roer om en draaide de Pelícano. Het was misschien niet een elegante zeilwedstrijdwending, waar mijn vriend en ik vaak op hadden geoefend in een harde wind boven de Ringkøbing Fjord, maar het leek erop en het werkte. We kwamen aan de andere kant van het brugdeel, gleden erlangs en koersten recht op de kust af. Het duurde een paar seconden voordat de rubberboot had ontdekt dat we van koers waren veranderd, maar die seconden waren genoeg. De boot moest een lange bocht maken en ging om het brugdeel heen achter ons aan, maar we hadden de nodige voorsprong gekregen. De lage kust kwam steeds dichterbij, de bodem groeide. Ik zag een zwart-witte patrouillewagen het strand oprijden. Twee agenten in blauwe uniformen. De een hield een portofoon in zijn hand en stond er in het portier van de chauffeur in te praten. Ik wachtte totdat ik het niet langer uit durfde te stellen en riep: 'Eruit jullie!'

José Manuel was als eerste in het water. Hij watertrappelde even, voordat hij naar het strand begon te zwemmen. Rosales sprong naast de boot met Clara, die zich soepel omdraaide in het water en de ene zoon van Ramon aanpakte. Ramon sprong er zelf in met de andere. Ze begonnen richting de kust te zwemmen. Toen ze vrij waren van de boot, liet ik de bruine houten kist over de reling zakken. Ik hield de koers richting de kust aan.

Met luid geknerp liep de kiel van de Pelícano aan de grond en de mooie boot begon dood te gaan. Hij bleef zo plotseling stilliggen alsof hij tegen een betonblok was gevaren. De mast brak. Het was een angstaanjagend gezicht en er klonken hevige geluiden toen de gebroken staaldraadkabels door de lucht vlogen en de mast en de zeilen op de boot klapten. Ik vloog over de zijkant en zwom weg van het wrak.

Wonderlijk genoeg was ik ongedeerd en ik kon zien hoe Clara omhoogkwam en daarna de anderen. Ik watertrappelde. Ik was niet meer dan een meter of zes van het strand verwijderd. De anderen waren dichterbij. Ik hoorde de rubberboot die langs de Pelícano voer. De twee mannen met de wetsuits aan sprongen in het water. Ze probeerden Ramon te pakken die zwoegde om zijn zoontje mee aan land te krijgen. Hij klampte zich wanhopig aan zijn vader vast en belemmerde hem in zijn zwemslagen. Ramon ging staan. Je kon aan Clara zien dat ze het gewend was om mensen te redden. Zij was aan land gekomen.

Ik crawlde zo snel ik kon. De kustwacht in de wetsuit ging staan en versperde Ramon de weg. Het water kwam tot aan zijn middel. Ik kwam van achteren en tackelde hem, en we vielen om in het water. Ik kwam proestend boven en voelde een paar sterke armen die mijn middel beetpakten.

'Sta stil, Cubaanse motherfucker', zei een stem in mijn oor. Dat was de andere kustwacht. 'Je hebt verdomme nog steeds natte voeten, eikel. Je komt met ons mee het water uit.'

Ik lachte hardop. Ik zag dat Clara helemaal aan land kwam. Het water droop van haar lichaam. Ze zette de jongen neer en de agent van de patrouillewagen gaf haar een hand en glimlachte breed naar haar. Joselito was de volgende. Hij stond op, viel op zijn knieën en stond weer op. Rosales pakte zijn hand en zij kwamen ook heelhuids aan. Rosales liep weer de branding in. Ik dacht dat ze Ramon wilde helpen, maar ze pakte het handvat van de kist. Ze trok de kist het land op. Eindelijk wankelde ook Ramon het land op. De andere agent van de patrouillewagen reikte behulpzaam een hand naar de jongen, maar hij klampte zich aan zijn vader vast.

Ik lachte hard. De kustwacht liet mijn middel los, maar hield mijn arm vast.

'Waar lach je nou verdomme om? Denk je dat er iets te lachen valt? Je wordt teruggestuurd naar kommieland. Het is jammer voor je, maar je kwam vier meter te kort en zo is de wet.'

Ik zwaaide met mijn vrije hand. Het wrak van de Pelícano

klapte tegen de wal. De bodem lag omhoog als een gedood dier. Ik dacht met dankbaarheid aan haar. Haar bemanning die heelhuids was aangekomen, zwaaide terug naar mij. Ze stonden met een enorme glimlach op het strand. De eerste auto met nieuwsgierigen stond al stil. Het zou niet lang duren voordat de klapperende propellers van de nieuwshelikopter zouden berichten over nieuwe vluchtelingen over de Straat van Florida.

'Bedankt, John', riep Clara. 'We zien elkaar snel. Papa's advocaat zal je vrij krijgen.'

'Tot ziens, kapitein', riep Rosales en Ramon deed alsof hij streng salueerde.

De bewaker van de kustwacht in de wetsuit zei formeel in het Engels: 'U bent gearresteerd en zal worden teruggedeporteerd naar Cuba. U hebt natte voeten.'

Ik zei in het Engels: 'Ziet u mijn vrienden daar? Dat zijn Cubanen. Dat ben ik niet. Ik ben een Deen. Ik ben een Deens staatsburger. U kunt mij niet terugsturen naar Cuba, al waren mijn voeten net zo nat als een hele Atlantische Oceaan.'

Ik kon me niet herinneren dat ik me ooit beter had gevoeld en ik begon weer hysterisch te lachen.

Nawoord

Ik werd aan land gebracht, formeel gearresteerd en er werden een mugshot en vingerafdrukken van me gemaakt, maar gelukkig hoefde ik niet meer dan vijf uur in de cel van het politiebureau te verblijven, voordat een goed geklede advocaat die door de gemeenschap van Cubaanse ballingen was ingehuurd, ervoor zorgde dat ik op borgtocht werd vrijgelaten. Carlos en zijn vrienden zorgden ook voor een huis voor ons, niet ver van dat van Carlos zelf, dus Clara keerde op meer dan één manier terug naar haar roots. Clara en ik hadden ieder een kamer, maar ze kwam elke nacht bij me liggen. 's Ochtends vroeg liet ze me weer alleen, maar ik geloof niet dat we haar kinderen voor de gek konden houden. Ze leken er ook niets op tegen te hebben. José Manuel kon nog steeds wat gereserveerd overkomen, maar Rosales was mijn nieuwe vriendin en vertrouweling. De vs was een cultuurshock, maar ze waren jong en nieuwsgierig en wilden dolgraag de nieuwe wereld leren kennen. Ergens spookte het noodlot van hun vader, maar ik liet de spoken uit het verleden aan Clara over. Ze spraken er met mij niet over. José Manuel vond het geweldig om op internet te surfen en hij volgde het Amerikaanse honkbal, en Rosales praatte aan één stuk door over de boot en de zee, dus op een dag huurde ik een zeilboot en nam haar mee het water op. Het was een wereld waar ze geen genoeg van kon krijgen. Clara wilde in geen geval mee. Het was mijn lot dat ik verliefd werd op vrouwen die de zee verafschuwden waar ik van hield. Het was een goed leven, terwijl de advocaten hun dure juridische slagen voerden, waar de ballingengemeenschap voor betaalde.

Ramon ging naar Miami. Hij wilde naar een grote stad, zei hij, maar ik had het gevoel dat hij gedebrieft moest worden door Dylan. Clara bood aan om op de jongens te passen, maar Ramon sloeg het af. Hij was de enige die niet gelukkig leek dat hij in de vs was aangekomen. Het was een raadselachtige man op wie ik geen vat kon krijgen. Hij kwam op een dag aanrijden voor het huis met de jongens op de achterbank, stapte uit, drukte mijn hand, bedankte me en nam afscheid. Ik had het vermoeden dat hij achter zijn zwijgen wrok koesterde ten aanzien van het overlijden van Consuela. Dat kon ik hem niet kwalijk nemen. Dat was zeer begrijpelijk. Ik probeerde niet aan haar te denken en als een gezamenlijke onuitgesproken overeenkomst spraken we niet over haar of over de gewelddadige dood van anderen.

De handdruk van Ramon was stevig en droog. Hij liet mijn hand los en ik zei: 'Succes en bedankt voor je hulp. We hadden geluk dat we niet gepakt werden door de Cubaanse kustwacht.'

Hij keek me met zijn ondoorgrondelijke ogen aan en zei: 'Natuurlijk hadden we geluk, maar het kwam niet alleen door geluk.'

'Wat bedoel je?'

'Je bent een goede zeeman. Je kreeg ons heelhuids aan de overkant.'

'Ik geloof dat er nog iets meer is.'

Hij aarzelde, maar zei toen: 'Er was een andere groep, die dezelfde avond als wij vertrokken. Zij vertrokken verderop aan de kust. Er waren vier boten, meer dan twintig mensen. Wij ontkwamen aan de kustwacht, omdat die koers zette naar hen.'

'Wist de kustwacht dat zij daar waren?'

'Zo gaat dat.'

'Hoe weet je dat, Ramon?'

'Dat weet ik gewoon.'

'Het komt door Dylan, toch?'

'Waarschijnlijk. Iemand heeft de Cubaanse kustwacht een teken gegeven en zo gaat Dylan te werk.'

'Je offert iemand om anderen te redden?'

'Dat is de filosofie van Dylan. Wees voorzichtig, John.'

Hij liep weg en ik keek hem na. Er was altijd een rekening te vereffenen. Je kreeg niets cadeau. Clara kwam naar buiten, toen Ramon de grote auto startte en wegreed. Zijn rechterhand die hij opstak om te groeten en de glimlachende gezichten van de jongetjes toen ze zich omdraaiden op de achterbank, waren het laatste wat we zagen. Ik realiseerde me dat ik niet wist hoe ze heetten, of dat ik me hun namen niet kon herinneren.

'Die zien we niet weer terug', zei Clara. 'Maar hij zal zich wel redden. Voor de jongetjes is het erger, maar Ramon heeft nooit geluisterd naar een goed advies.'

'Misschien zien we hem weer als de situatie in Cuba verandert?'

'Misschien. Wie zal het zeggen?'

Ik belde na iets meer dan een week naar Helle en vertelde haar het verhaal in grote lijnen. Er hadden een paar artikelen in de Amerikaanse media gestaan en toen ik werd opgebeld door een Deense journalist, besefte ik dat het verhaal mijn vaderland had bereikt. Onze dramatische vlucht had korte tijd de interesse, maar er zijn helaas veel vluchtelingenverhalen en de wereld wil niet meer erg lang luisteren voordat ze verder zapt.

De sensatie waren natuurlijk de verloren manuscripten van Hemingway. In de vs kon je niets geheimhouden. De kist werd in eerste instantie overgedragen aan de Staatsbibliotheek van Florida, maar Hemingway-onderzoekers van diverse universiteiten en Cuba vochten al om de buit. De ontdekking was het opzienbarendste wat had plaatsgevonden sinds de verdwenen negatieven van Robert Capa waren gevonden, veel meer dan dat zelfs. Op een vreemde manier maakte het me niet uit. Ik had geen zin meer om mijn leven te leiden via dat van een overleden schrijver. Ik was zo lang naar hem op zoek geweest dat het nu in elk geval voor een tijdje genoeg was.

Ik werd getergd door een slecht geweten toen ik mijn dochter aan de lijn had.

Ze was natuurlijk opgewonden, zenuwachtig en kwaad op me vanwege mijn lange stilzwijgen. Ze was vooral bezorgd dat Cuba me wilde laten uitleveren voor diefstal van een staatseigendom, geweld en als ergste natuurlijk moord, maar mijn advocaat verzekerde me ervan dat de vs me nooit aan Cuba zou uitleveren. Ik had ook contact gehad met de Deense overheid, die er ook van overtuigd was dat het allemaal goed zou komen. Ik zou een nieuw paspoort krijgen. Ik was op borgtocht vrijgelaten en moest in de vs blijven totdat een rechter me toestemming zou geven om te vertrekken. Iedereen prees mijn heldenmoed. Mijn advocaat zei dat de vs mij eeuwig dankbaar zou zijn, omdat ik een literaire schat van een van de grote coryfeeën van de natie had thuisgebracht. Hemingway was de oorzaak van de hele gang van zaken en zijn teksten zouden misschien mijn daden totaal kunnen doen vergeven. De media vonden het geweldig dat ik op geen enkel moment geld had willen hebben voor de tas. Dat je eigenlijk met recht kon zeggen dat ik de tas van Cuba had gestolen, nam niemand in de vs serieus.

Ik had lang met Helle gesproken, alles meerdere keren doorgenomen en me verontschuldigd voor mijn egoïstische onbezonnenheid, toen ze weer vroeg: 'Wanneer dan, papa? Wanneer kom je thuis?'

'Ik weet het niet, schat. Je zou naar de vs kunnen komen.'

'Nee, papa. Dat gaat niet. Ik heb bijna een tentamen en Poul heeft het op dit moment erg druk. Hij kan me niet missen. Wanneer kom je thuis?'

'Zodra ik daar toestemming voor heb.'

'Waarom duurt het zo lang?'

'Er zijn veel complicaties, maar je moet je geen zorgen maken. Het gaat om een boel rechten en formaliteiten. Het moet gewoon zijn gang gaan.'

'Als jij dat zegt.'

'Dat zeg ik, schat.'

'Het heeft in de krant gestaan.'

'Dat heb ik begrepen.'

Ik keek uit het raam. Clara zat buiten samen met haar vader, zoals ze vaak in de namiddag deden, wanneer het begon te schemeren. Ze hielden elkaars handen vast en zaten op de veranda op een schommelbank met hun hoofd intiem tegen elkaar. Soms praatten ze, soms zaten ze gewoon samen in het zachte licht. Clara droeg een lichte spijkerbroek en een eenvoudige bloes, die haar mooie huid benadrukte. Ze had haar haar losjes opgestoken en ik had enorm veel zin om haar fijne nek te kussen en haar kleine oren te liefkozen. Joselito en Rosales kwamen mijn gezichtsveld binnen. Ze zeiden iets tegen hun moeder en hun net gevonden opa en ik zag dat ze om en met de kinderen lachten.

Ik hoorde Helle zuchtend zeggen: 'Dan moet ik maar gewoon wachten. Jij ook met je Hemingway-onzin. Zoiets is gewoon niet goed. Dat zei mama ook altijd.'

'Nou, Helle. Het komt allemaal wel goed. Wees voorzichtig. Ik beloof je snel weer te bellen. Maar denk er nu even over na of je niet naar de vs wil komen. Er is iemand aan wie ik je wil voorstellen.'

'Wie is dat?'

'Een vrouw die Clara heet.'

'Nee, papa, toch. Wat is dat nou?'

'Het beste wat er bestaat. Kom nou hiernaartoe, dan kun je haar zelf zien. Er zijn ook een paar andere mensen die je moet leren kennen.'

'Misschien doe ik dat wel. Iemand moet toch op je passen', zei ze en ze lachte, en ik herkende mijn Helle weer. Ze zou wel komen. Ze moest alleen even aan de gedachte wennen, dan zou ze wel komen om te proberen haar verwarde en verloren vader te redden.

Ik legde de hoorn op de haak, opgelucht dat het gesprek op een optimistische toon was beëindigd, opende de verandadeur en stapte de warmte in om samen te zijn met de mensen die mijn nieuwe familie konden worden.

Leif Davidsen bij De Geus

Bloedverwanten

Terwijl de NAVO-bommenwerpers de Serviërs belagen, ontmoet Teddy Pedersen een vrouw die beweert zijn halfzus te zijn. Volgens haar is Pedersens vader niet in 1952 gestorven maar pas onlangs, in Kroatië. Pedersens echte zus, Irma, blijkt te zijn gearresteerd op verdenking van spionage. Dan wordt in een op Pedersens naam gereserveerde hotelkamer in Boedapest een Deense toerist vermoord.

Enkele reis Kopenhagen

Een tragedie in zijn familie in Bosnië heeft van Vuk een meedogenloze huurmoordenaar gemaakt. Hij moet nu een Iraanse schrijfster liquideren die op haar vlucht voor de Iraanse overheid in Londen is ondergedoken. In Kopenhagen zal zij op een streng beveiligde persconferentie verschijnen. Voor het oog van de wereldpers gaat Vuk over tot actie.

De vrouw op de foto

Het compromitterende plaatje dat sensatiefotograaf Peter Lime schiet van een vooraanstaand Spaans politicus aan de rol, richt verwoestingen aan: niet zozeer in het leven van Limes slachtoffer, maar in dat van hemzelf.

Beste Scandinavische thriller van het jaar 1999.

De onzichtbare echtgenote

De Deense zakenman en voormalig marinier Marcus maakt met zijn Russische vrouw Nathalie een cruise over de Wolga. Onderweg verdwijnt Nathalie plotseling spoorloos. Marcus begint een lange en wanhopige zoektocht vanaf zijn thuisbasis Kopenhagen en reist verder via het decadente Nice naar het postcommunistische Rusland van Poetin en het hypermoderne Japan.

De vijand in de spiegel

In de nasleep van 11 september formeert de Deense veiligheidsagent Per Toftlund een speciale taskforce die onderzoek doet in fundamentalistische islamistische kringen. Daarbij komt hij op het spoor van een Deense Al-Qaida-man die de Troonopvolger wordt genoemd.

Aan de overkant van de Atlantische Oceaan biedt de voormalige Deens-Servische huurmoordenaar Vuk de FBI zijn diensten aan om informatie te verschaffen over precies dezelfde Al-Qaida-man. Het toeval wil dat Vuk en Per Toftlund elkaars aartsvijanden zijn. Een beslissende confrontatie kan niet uitblijven.